A BIBLIOTECÁRIA DOS LIVROS QUEIMADOS

A BIBLIOTECÁRIA DOS LIVROS QUEIMADOS

Tradução
Alda Lima

Rio de janeiro, 2024

Título original: *The Librarian of Burned Books*

Publisher: *Samuel Coto*
Editora executiva: *Alice Mello*
Editora: *Lara Berruezo*
Editoras assistentes: *Anna Clara Gonçalves e Camila Carneiro*
Assistência editorial: *Yasmin Montebello*
Copidesque: *Fernanda Marão*
Revisão: *Suelen Lopes e Rayssa Galvão*
Design de capa: *Kerry Rubenstein*
Imagem de capa: © *Mark Owen/Trevillon Images* / © *Shutterstock*
Adaptação de capa: *Renata Zucchini*
Diagramação: *Abreu's System*

Dados Internacionais de Catalogação na Publicação (CIP)
(Câmara Brasileira do Livro, SP, Brasil)

Labuskes, Brianna
A bibliotecária dos livros queimados / Brianna Labuskes ; tradução Alda Lima. – 1. ed. – Rio de Janeiro : HarperCollins Brasil, 2023.

Título original: The Librarian of Burned Books
ISBN 978-65-6005-024-2

1. Ficção norte-americana I. Título.

23-152780 CDD-813

Índices para catálogo sistemático:
1. Ficção : Literatura norte-americana 813

Eliane de Freitas Leite - Bibliotecária - CRB 8/8415

Rua da Quitanda, 86, sala 601A – Centro
Rio de Janeiro, RJ – CEP 20091-005
Tel.: (21) 3175-1030
www.harpercollins.com.br

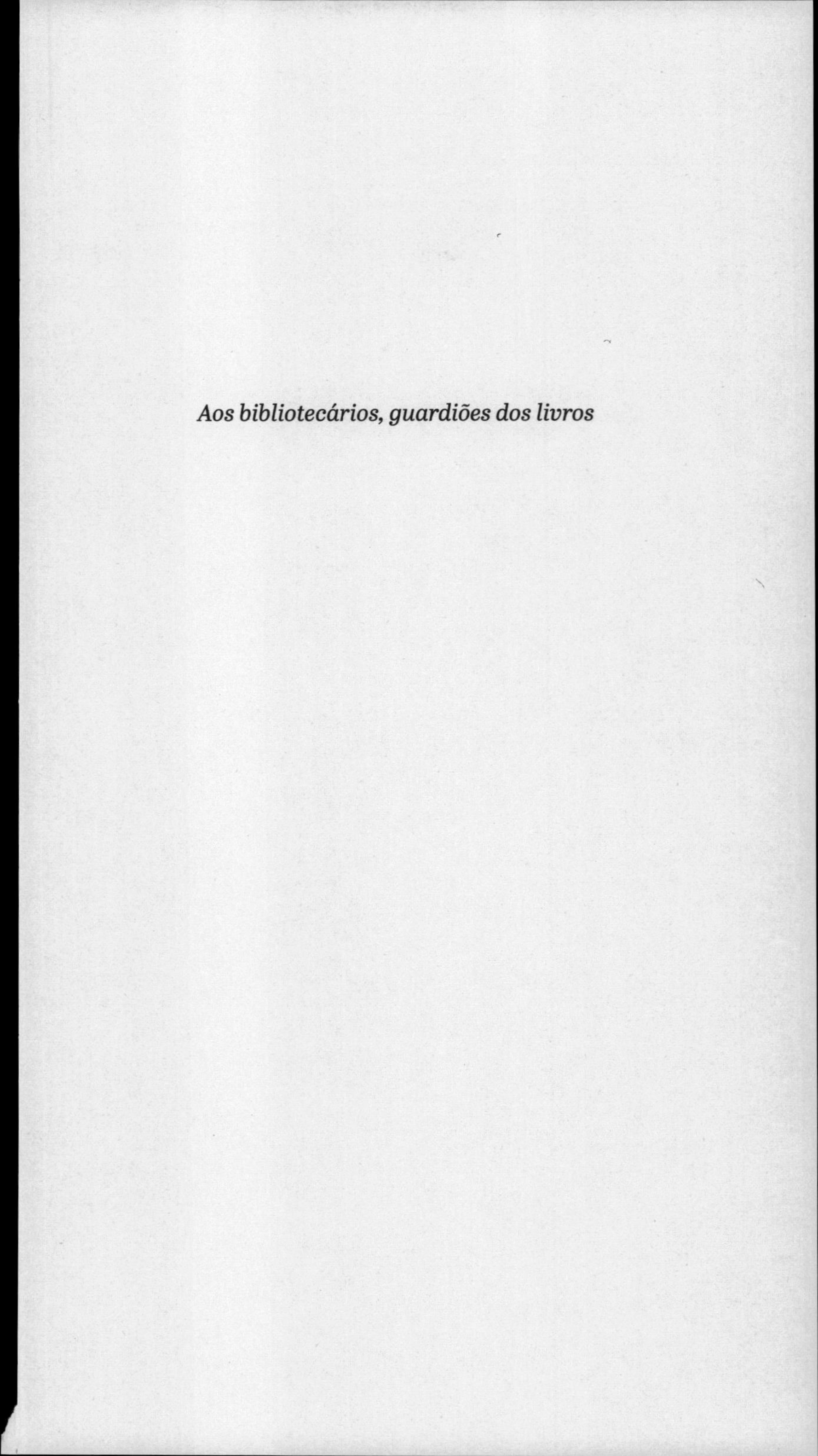

Aos bibliotecários, guardiões dos livros

Esta é uma obra de ficção. Nomes, personagens, lugares e incidentes são produtos da imaginação da autora ou usados de forma fictícia e não devem ser interpretados como reais. Qualquer semelhança com eventos, locais, organizações ou pessoas reais, vivas ou mortas, é mera coincidência.

Nova York
Novembro de 1943

O telegrama informando com pesar a Vivian Childs que seu marido havia morrido em batalha chegou antes da última carta dele.

Quando Viv recebeu um envelope com aquela caligrafia tão familiar, duas semanas depois de o sargento com cara de bebê bater à sua porta, seus joelhos cederam. Ela caiu no chão de mármore da entrada com um barulho alto, de um jeito que, mesmo sendo uma queda leve, sabia que deveria doer, mas não doeu.

Edward.

Por um segundo desesperado, Viv pensou que aquele telegrama terrível não passava de um engano.

Mas não, não era. O envelope em suas mãos fora enviado por um fantasma, continha as palavras de um homem morto que ainda não tinham chegado ao seu destino.

A pulsação de Viv martelava dolorosamente nas veias, inclusive na garganta, e o tempo passava, o tique-taque do relógio antigo em sintonia com o latejar das têmporas. A dormência reconfortante que a protegera nas duas semanas anteriores se dissipara, e a dor da qual tentava manter a distância invadiu o vazio de seu corpo.

Foi quase um alívio quando bateu o pulso na quina da mesa, tateando pela carta. Aquele tipo de dor ela entendia.

A mulher olhou para o próprio nome no envelope e o tocou; depois passou os dedos pelo nome de Edward e deslizou a unha pela borda do papel.

Minha Viv,

Não sei dizer como sou grato pelas suas cartas. Por favor, continue as mandando — inclusive com atualizações sobre sua divertida rivalidade com a sra. Croft e o poodle presunçoso dela. Todos os homens aqui estão tão curiosos sobre o desfecho do incidente do corante azul quanto eu.

Ninguém pensa na guerra como algo maçante; no entanto, não há nada além de monotonia e areia e, depois, momentos de terror que nos deixam tremendo por longas horas, até que o abalo passa e o que resta é, mais uma vez, a monotonia. Suas histórias nos mantêm mais entretidos do que você imagina.

Falando nisso, é possível que tenha mais socorro chegando, graças a Deus. O Exército promoveu uma iniciativa engenhosa para nos enviar pequenos livros de bolso que nos mantêm entretidos e distraídos em meio às bombas que caem a centímetros de nossas cabeças.

Perdoe minha acidez. De verdade, esses livros são uma dádiva de Deus. Consegui um exemplar de Oliver Twist, *que me lembrou Hale. Meu irmão é orgulhoso demais para aceitar o que teria visto como caridade minha, mas eu adoraria ter descoberto uma forma de ajudá-lo mais, quando éramos crianças. A ideia de que ele passou por dificuldades enquanto eu tinha tanto... Bem, a culpa tira o sono, não é? A guerra é boa nisso — fazer você se lembrar de tudo o que gostaria de ter feito diferente.*

Sei que esta carta não é nada em comparação aos seus animados relatos, mas, por favor, não me puna por minha falta de histórias privando-me das suas. Mande lembranças à minha mãe.

Com carinho,
Edward

Viv fez o esforço de ignorar a menção de Edward ao irmão, Hale. Um lampejo de noites quentes de verão, lábios grudentos de algodão-doce, um sorriso provocador e mãos calejadas iam e vinham como um raio, iluminando a noite escura que era sua dor.

Por que pensar em algo que nunca teria?

Em vez disso, releu a carta e, pela primeira vez em duas semanas, se permitiu imaginar Edward. Toda vez que tentara, só conseguira ver um corpo machucado, ossos quebrados, com a carne rasgada e sangue escorrendo, a terra em volta carbonizada e as chamas. Naquele momento, conseguiu vê-lo à noite, diante de uma fogueira de chamas brandas, cercado pelos companheiros de luta. Ele segurava um livro nas mãos e lia em voz alta suas passagens favoritas para os outros, parando para ouvir quando os companheiros faziam o mesmo.

Viv se agarrou àquela imagem, desfrutando de seu calor reconfortante.

Depois da quarta leitura, ela levou a mão ao rosto e sentiu os cantos da boca se erguerem no primeiro sorriso que se permitia dar desde que Edward morrera.

Nova York
Maio de 1944

Viv colou as costas na parede de tijolos do beco enquanto dividia a atenção entre a porta dos fundos da churrascaria mais chique de Manhattan e um rato curioso, que ficava mais valente a cada segundo.

Na sua imaginação, aquela escapada se desenrolara com menos lixo e mais intriga, agora começava a se perguntar se seu plano tinha alguma chance de sucesso. Enquanto ponderava a possibilidade de recuar, o lavador de pratos que estava esperando para subornar finalmente apareceu. Sentiu a tensão se esvair, tanto pela emoção quanto pelo medo, quando deslizou para o garoto a nota que havia dobrado meticulosamente.

O fedor do repolho estragado diminuiu quando ela entrou na cozinha do restaurante. Sentindo a confiança voltar, Viv encarnou a *femme fatale* que estivera canalizando, em preparação para aquele plano louco. Ela deliberadamente até se vestiu a caráter, combinando a saia preta com ligas da mesma cor e usando meias com costuras requintadas que envolviam a batata da perna. Prendeu o cabelo em um penteado estilo *victory rolls* perfeito, que em geral não tinha tempo de fazer, e, com todo o cuidado, lambuzou os lábios com um tom de cereja capaz de afrontar os reflexos avermelhados de seu cabelo, mas não.

Viv passou por fogões expelindo fumaça e por homens que esbravejavam blasfêmias. Esses vestígios a envolveram de tal modo que ela poderia muito bem estar andando pelas docas em uma manhã nebulosa depois de ter acabado de matar um amante. A cadência de seu quadril se afetou com o embalo da ideia, os ombros se endireitando.

Aquele sentimento era importante. Reforçava sua determinação, ajudava a compensar as mãos trêmulas.

Porque Viv só teria uma chance, e não podia estragar tudo.

O senador Robert Taft voltaria para Washington pela manhã, e o homem não tinha um bom histórico de responder às cartas dela. O confronto precisava acontecer pessoalmente e naquele momento.

Quando Viv pisou no salão da churrascaria, encontrou Taft com facilidade. Antes de conhecê-lo, meses antes, ela o imaginara como um homem pequeno, com uma estrutura frágil e corcunda. Imaginara olhos malvados e feições arrebitadas. Um maxilar fraco. A personificação da personalidade mesquinha dele.

Na vida real, Taft era muito mais alto que seus acompanhantes de almoço, e a luz das velas refletia em sua cabeça calva. Ele ocupava o espaço com a naturalidade dos homens poderosos, com o braço estendido sobre as costas do banco circular.

Mas Viv estava certa sobre o maxilar.

E sobre a personalidade.

Antes que chegasse ao grupo, foi interrompida por um segurança que surgiu por entre as cortinas ao lado da mesa, uma sombra perigosa que Viv deveria ter previsto. E ela previra, na verdade; só pensou que ele estaria de prontidão na porta da frente, com instruções de não a deixar entrar.

Nos últimos seis meses, Viv havia sido uma grande pedra no sapato de Taft. Ele queria evitar aquela conversa tanto quanto Viv queria que acontecesse. Daí a cozinha, o lavador de pratos e o suborno.

— Senador, posso tomar um momento do seu tempo? — perguntou ela, lançando todas as cartas que tinha.

A conversa na mesa morreu e todos ficaram tensos. Era um momento estranho na história para ser um político, enviando os jovens da nação para a morte enquanto desfrutava de almoços regados a bife e uísque na conta dos contribuintes.

Taft tamborilou sem ritmo no sofisticado estofado de couro, na certa tentando adivinhar a magnitude da cena que Viv faria. Ele não era o único cliente do restaurante, e estava sempre atento à própria imagem.

De canto de olho, Viv até notou um repórter do *New York Post* com quem já havia trabalhado. Como diretora de publicidade do Conselho de Livros em Tempos de Guerra, Viv fizera amizade com um bom número de jornalistas na cidade. O repórter ergueu o copo e as sobrancelhas para saudá-la, parecendo entretido demais para não estar planejando incluir uma notinha sobre o encontro nas páginas de fofocas anônimas.

O gesto deve ter chamado a atenção de Taft, porque estreitou os lábios em uma linha tensa quando olhou para o repórter. Então gesticulou para Viv se sentar, fazendo os outros homens deslizarem pelo banco até ela estar muito mais próxima do senador do que gostaria.

— Sra. Childs — cumprimentou Taft, soltando um suspiro como o que se dá a uma criança impertinente que foi mandada à diretoria na escola. — Como posso ajudá-la?

Viv quase riu da pergunta. Como se ele não soubesse por que ela estava ali.

Sem responder, ela enfiou a mão na bolsa e tirou os livros de bolso que ocupavam o âmago de sua cruzada contra aquele homem, então jogou um deles na mesa diante dele.

— *As aventuras de Huckleberry Finn* — começou, mantendo os olhos fixos nos dele.

Viv se perguntou se o senador já tinha visto um exemplar da Edições das Forças Armadas (EFA). Ela lhe enviara livros de bolso pelo serviço postal, mas a secretária de Taft — a mesma que a informara sobre aquele almoço — avisara que as correspondências de Viv ou do conselho eram imediatamente reaproveitadas como papel de rascunho. Se não houvesse um racionamento em voga, provavelmente teriam sido queimadas. Ela jogou um segundo título sobre a mesa.

— *As vinhas da ira*.

— Sra. Childs, não sei o que acha que vai conseguir com esta artimanha, mas deixe-me assegurar-lhe...

Mas Viv estava a mil.

— *Cândido. Yankee From Olympus. O grito da selva*.

Ao enunciar cada título, ela batia o livro verde no espaço entre os dois.

— Sob sua nova política de censura, todos estes livros serão banidos do nosso programa na Edições das Forças Armadas — disse Viv, se recostando e cruzando os braços para tentar conter a raiva quente e penetrante que a atravessava. — Devo continuar? São muitos.

— Não é uma política de censura, sra. Childs — negou Taft, naquele tom de voz soberano e racional que a fazia trincar os dentes. — Só estou exigindo que seu pequeno conselho não use o dinheiro do contribuinte para enviar às tropas livros que são propaganda política velada.

Ele colocou um palito de dente entre os lábios finos e o rolou de canto a canto.

— Não faltam livros bem-escritos e agradáveis que não tocam em assuntos políticos. Sinta-se à vontade para incluir quantos quiser em seu programa na EFA. A linguagem é muito ampla.

Viv rezou para que Taft não notasse o leve tremor em sua voz. Em parte, ela sabia que permitira que tudo aquilo se tornasse pessoal, como se a EFA e a última carta de Edward estivessem interligadas. Mas não permitiria que o senador a dispensasse pensando nela como uma mulher descontrolada, como mais uma viúva de guerra em um país repleto delas.

— Se o senhor de fato redigiu a legislação de boa-fé, o texto deveria ser alterado. No momento, tudo o que a proibição faz é incapacitar a iniciativa da EFA.

Ambos sabiam que agir de boa-fé nunca fora prioridade para ele. Seu principal objetivo sempre fora prejudicar o conselho sem parecer que o estava fazendo.

Mas Viv precisava tentar.

— Esta questão foi debatida pelo Congresso dos Estados Unidos, e a decisão está tomada. Agora é lei, menina — completou Taft, e Viv ouviu o *você perdeu* nas entrelinhas. — Acha que sabe mais do que o Senado?

Viv queria apontar que ele ameaçara politicamente os legisladores que tentaram enfrentá-lo, mas o argumento não a levaria a lugar algum; Taft estava claramente orgulhoso de suas táticas dissimuladas.

— A linguagem é muito ampla — repetiu ela, tentando se lembrar do roteiro que ensaiara tantas vezes na noite anterior, com medo de não conseguir falar bem naquele momento.

Ela apontou para os livros que levara.

— Olhe nos meus olhos e diga que algum destes livros realmente se configura como propaganda.

Ele permaneceu em silêncio, então Viv insistiu:

— De acordo com a sua política, o Exército terá que proibir o próprio manual de instruções por conter uma imagem do presidente Roosevelt. Como isso pode ajudar?

— Quando a linguagem não é abrangente, as pessoas encontram brechas — rebateu Taft. — Alguns livros inofensivos podem não passar pela triagem, mas é o preço a se pagar. Se soubesse alguma coisa sobre legislação ou elaboração de leis, saberia disso. Mas não sabe. Agora, se me der licença...

— Não são apenas estes exemplos — interrompeu Viv, desesperada. — É a maior parte da nossa lista.

— Bem, então entende por que minha emenda era necessária — justificou Taft, com um sorriso tão largo que seus olhos se enrugaram nos cantos.

Ela o imaginou em um palanque de campanha e se perguntou se as pessoas de fato compravam aquela imagem. O homem continuou:

— Claramente, seu conselho precisava de mais orientação para selecionar obras apropriadas para nossos soldados lerem.

Viv piscou.

— Os soldados estão morrendo por nós. Eles precisam que alguém decida o que devem ler?

Parecendo sentir que dera um passo em falso, Taft tentou ganhar tempo pegando o guardanapo e esfregando o pano no queixo.

— Bom, independentemente disso, estou protegendo os contribuintes que não querem seu dinheiro gasto em propaganda aprovada por um ditador tentando garantir o quarto mandato.

Foi por causa disso que tudo começara. Taft tinha um ódio profundo e duradouro, além de não exatamente secreto, pelo presidente Roosevelt. Mas o presidente era popular o bastante para que Taft precisasse ser astuto ao atacá-lo. E Roosevelt era um defensor aberto do Conselho de Livros em Tempos de Guerra e da iniciativa extremamente bem-sucedida que todos os meses enviava milhões de livros de bolso para os homens servindo no exterior. O programa EFA tornara-se tão popular que Taft sabia que Roosevelt o usaria como um ponto a favor na campanha eleitoral, que começaria no outono. Com aquela política de censura, que essencialmente proibia noventa por cento dos livros que o conselho queria enviar aos soldados, Taft estava atando as mãos da iniciativa, que acabaria irrelevante.

— Sim, estou vendo toda a sua preocupação com o dinheiro dos contribuintes — disse Viv friamente, olhando para os restos de uma refeição que poderia ter financiado o conselho por um mês.

Naquele momento, Taft perdeu o controle e cravou as pontas dos dedos no pulso de Viv. O gesto a deixaria com hematomas no dia seguinte.

— Fui paciente com seu pequeno chilique, mocinha — disse ele, fazendo Viv grudar no encosto do banco diante daquela figura corpulenta. — Mas preciso lembrá-la de que está falando com um senador dos Estados Unidos da América.

Viv se recusava a recuar.

— Então você nega? Nega que isso nada mais é do que uma tentativa de destruir o conselho e atingir Roosevelt?

— Não preciso negar nada a você — vociferou Taft, cuspindo a palavra *você*. Viv era menos do que uma mosca para ser esmagada, ela não era nada.

E talvez Viv — uma mulher cuja experiência na vida até seis meses antes não passava de organizar almoços beneficentes para vender títulos de guerra aos amigos ricos — não fosse nada no grande esquema das coisas, *naquela* guerra, na política.

Porém, naquele momento, com Taft pairando sobre ela, acreditando sem sombra de dúvida que poderia intimidá-la como fazia com todos ao seu redor por meio de arrogância e violência, Viv decidiu comprar a briga.

Podia não ter chance alguma, mas compraria a briga mesmo assim.

— Os rapazes levam esses livros para o campo de batalha — disse ela o mais delicadamente possível, enfatizando a importância do projeto.

Ela não tentou se soltar das garras de Taft. Talvez assim ele sentisse as batidas constantes em seu pulso, a certeza de sua convicção.

— Semana passada, um homem me enviou um exemplar de *As aventuras de Tom Sawyer* com manchas de sangue. Ele fez isso como um agradecimento. Seu amigo dera boas risadas na noite antes de morrer graças àquele livro.

Ela deixou que Taft absorvesse a informação antes de continuar:

— Um livro que ele não teria lido se sua política de censura estivesse em vigor apenas alguns meses atrás.

Se Viv não estivesse observando de perto, deixaria passar batido o movimento no pescoço de Taft, engolindo em seco; por um segundo angustiante e doloroso, pensou que conseguira afetá-lo. Então ele recuou, enfiou a mão no bolso do casaco e tirou algumas notas.

Taft jogou o dinheiro em cima dos livros da EFA que Viv levara para mostrar a ele.

— Compre alguma coisa bonita para você, meu bem. E deixe as questões importantes para os homens.

Ele então se levantou, gesticulou para os comparsas, que observavam tudo dos bastidores, e saiu sem olhar para trás.

Berlim
Dezembro de 1932

As luzes decorativas estendidas entre as barracas do mercado de inverno pareciam estrelas, de tão embaçadas pelo frio que roçava nos olhos de Althea James. As risadas ao redor dela a faziam mergulhar mais fundo no barulho e na agitação que tomava a praça normalmente tranquila a poucos quarteirões da muito mais movimentada Potsdamer Platz.

O mercado vibrava com vida e celebração, apesar de tudo o que Althea ouvira sobre a incerteza econômica incessante que atormentava a Alemanha depois do fim da Grande Guerra. Avós corcundas pechinchavam por bugigangas e por castanhas assadas com os vendedores de rua, todos escondendo como se divertiam com aquilo por trás de semblantes sérios, tentando evitar serem enganados. As crianças riam e corriam pela multidão, casais caminhavam de braços dados e, em algum lugar ali perto, uma banda tocava músicas animadas enquanto as vozes de um coro itinerante se entrelaçavam no ar para fazê-las pulsar e brilhar.

Berlim era mágica, e Althea estava encantada, seduzida, quase enfeitiçada. Como tantas vezes na semana desde que chegara à cidade, estava com a caderneta na mão, desesperada para captar alguma cena esmagadora, muito maior do que qualquer coisa que já tivesse experimentado na infância reclusa na zona rural do Maine.

O professor Diedrich Müller, seu elo com a Universidade Humboldt, a observava com afeto e um sorriso que a fez baixar a cabeça e enfiar tudo no bolso do casaco de inverno que usava.

— Não, não pare por minha causa. Eu estava gostando de observar uma escritora famosa em ação — disse Diedrich, com a facilidade das pessoas boas em lidar com aquelas mais socialmente desajeitadas.

Na semana anterior, quando Althea pisara nas docas de Rostock, depois da longa viagem iniciada em Nova York, ela quase tropeçou ao vê-lo. Fora informada de que um professor de literatura a estaria esperando ao desembarcar na Alemanha, mas imaginara um cavalheiro mais velho, com propensão para casacos de tweed e poemas esotéricos. Não Diedrich Müller, belo como um astro de cinema, com cabelos cor de mel, olhos azuis glaciais como a neve e dono de um charme natural que se derramava em ondas.

Até sua voz era atraente, com direito a um sotaque que evocava visões de castelos góticos altos se assomando entre pinheiros exuberantes e histórias de lobos grandes e maus que devoravam menininhas em uma só mordida.

Se Althea o incluísse em um romance, seu editor o consideraria perfeito demais, fantasioso demais.

— Não é importante — respondeu hesitante, ainda desacostumada a ser vista como se tivesse algo interessante a dizer.

Antes de seu romance de estreia ter inesperadamente chamado a atenção do mundo, a única pessoa com quem ela conversava com regularidade era seu irmão, Joe. E ele era um parente, então não tinha escolha.

— Eram só uns rabiscos tolos.

— Bem, espero que pretenda incluir esses "rabiscos tolos" e outras descrições de nossa magnífica cidade em seu próximo livro.

— Claro.

Althea supunha que aquele era o motivo mais importante pelo qual tinha sido convidada para visitar a Alemanha: retratar o país sob uma ótica positiva.

Não comentou que parecia ter perdido a capacidade de contar histórias desde que fora arrancada da obscuridade por uma reviravolta do destino. Toda vez que tentava começar um novo romance, as páginas em branco zombavam dela. Como dar continuidade a algo tão raro?

Até mesmo os cadernos que ela havia preenchido desde que chegara a Berlim estavam cheios de palavras vazias que não correspondiam ao que via diante de si.

— Não há nada mais lindo do que esta cidade no inverno — continuou Diedrich, entregando-lhe uma xícara de vinho quente fumegante que comprara. — Exceto, talvez, uma dama que saiba apreciar seu esplendor.

Althea tentou não corar e se perguntou se um dia se acostumaria com os flertes daquele homem.

— Só talvez?

O clarão dos dentes brancos surgiu com o sorriso, divertido e genuíno. *Que boca grande você tem.* Será que aquilo a tornava a Chapeuzinho Vermelho?

Diedrich se aproximou e roçou os lábios em sua orelha.

— Depende da dama.

Althea perdeu a batalha contra o calor que subiu por seu pescoço. Diedrich não estava falando dela, não podia ser.

Althea não tinha ilusões quanto à própria beleza. Não que se achasse pouco atraente, mas sempre foi mais elogiada pelo intelecto do que pela aparência. Tudo nela era simples, do rosto com olhos agradáveis e fáceis de esquecer até os respingos de sardas consideradas bonitinhas quando era mais jovem, mas que nos últimos tempos lhe rendiam conselhos indesejados para que usasse pó de arroz.

Naquela noite, ela *havia* tentado fazer jus à imagem que Diedrich devia ter da autora sofisticada e de renome mundial que ela era no papel. Não havia muito a fazer quanto à pesada cortina de cabelos que nunca parecia querer parar onde Althea a colocava. Apesar disso, visitara uma boutique no dia anterior — uma daquelas lojas que a deixavam com medo de tocar em qualquer coisa — para comprar um vestido que não estivesse fora de moda havia duas décadas.

A sensualidade impressa no sorriso de Diedrich quando a viu, confirmou que o risco valera a pena.

Depois que Althea terminou o vinho, Diedrich lhe entregou um doce.

— Precisa provar tudo o que a cultura tem a oferecer, querida.

— Você se inclui nessa lista, professor Müller? — perguntou Althea, sabendo que suas bochechas deviam estar de um tom rosado fora do comum. Torcia para que ele culpasse o frio.

— Srta. James — murmurou ele, com um tom satisfeito de repreensão, um tom que ela ouvira apenas de segunda mão nas noites que passara encolhida no canto mais distante do pub do irmão. Era assim que homens interessados em uma mulher falavam.

Como fazia quando estava nervosa, Althea tentou imaginar que estava escrevendo em vez de vivendo aquela cena. O que faria se fosse a personagem principal e não a amiga deselegante, presente apenas como recurso de contraste? Se fosse Lizzy Bennet, em vez de Charlotte Collins?

Reunindo toda a sua coragem, Althea deu meio passo à frente de Diedrich, apenas o suficiente para olhar para trás com um sorriso atrevido antes de disparar em um ritmo muito mais veloz do que as passadas sinuosas de antes, o desafio implícito.

Pegue-me se for capaz.

Ao deixar Diedrich, Althea receou ficar desorientada, assoberbada. Separar-se de uma companhia no meio da multidão podia deixar a pessoa tonta e enjoada, sobretudo em uma cidade desconhecida, e com pouco domínio da língua.

Mas havia algo naquele mercado — ombros esbarrando de leve nos dela, rostos estampados com sorrisos discretos e distraídos, crianças puxando a bainha de seu casaco. Em vez de ser pega em uma avalanche descontrolada e aterrorizante, Althea era apenas um único floco de neve em uma tempestade muito maior do que si mesma.

Era assim que se sentia desde que descera do trem em Berlim. Antes da viagem, só saíra de Owl's Head uma vez na vida, e para encontrar seu editor em Nova York no dia da publicação de seu romance. A ideia de ir para um país diferente sozinha tinha sido apavorante. Ela desfez as malas mais de uma vez.

Qual é a pior coisa que pode acontecer?, perguntava-se.

Você pode morrer, sussurrava o medo de volta.

Qual é a melhor?

Você pode viver.

Então Althea refez as malas e deixou sua casa de campo junto aos penhascos.

Sempre se sentira em segurança nos mundos que criava para seus personagens e um pouco deslocada no mundo real. Mas, em Berlim, parecia se encaixar.

Precisou de alguns segundos para perceber que havia parado no meio da multidão, então notou o que estava encarando.

Livros.

Althea foi capturada como uma isca, a linha esticada e retesada puxando-a até ela se ver na frente do comerciante, os dedos pairando sobre os volumes encadernados em couro.

— A senhorita tem excelente gosto — disse o homem, em inglês, embora houvesse pausas suficientes entre as palavras para sinalizar que ele não estava exatamente confortável com o idioma.

— Reinmar von Hagenau. — Althea suspirou, recuando a mão para não deixar impressões digitais naquele tesouro sem querer.

Von Hagenau era um amado *Minnesänger* — o equivalente alemão de um trovador. Vivera no século XII e era respeitado pelos pares de sua época, todos eles escritores de poemas líricos e canções de amor e honra.

O comerciante fitou o livro da forma que um pai e uma mãe olham para os filhos precoces. Quando ergueu os olhos, pareceu ler no rosto de Althea que ela poderia ser uma alma gêmea.

— Muito caro, entende?

Althea sorriu, deu de ombros e tentou em alemão:

— Sinto muito.

— Não, não.

O comerciante dispensou o pedido de desculpas com um gesto e se agachou atrás da barraca. Então ergueu um livro grosso que, embora de capa dura e resistente, estava claramente menos deteriorado do que o volume exposto, e o ofereceu entre as mãos.

— Para você.

Althea aceitou, varrendo com a palma da mão os poucos flocos que haviam caído na capa, e quase arfou de felicidade quando viu o título. Era um volume mais simples da coletânea de Von Hagenau.

— Quanto? — perguntou, procurando seu porta-moedas.

Seria mais acessível do que a versão destinada aos colecionadores, certamente, mas ainda assim não sabia se tinha o bastante. O dinheiro que a editora lhe oferecera por outro romance tinha mudado sua vida, mas Althea gastava com cautela, com medo de que exigissem tudo de volta se ela não conseguisse produzir um trabalho da qualidade esperada.

— Um presente — disse o comerciante, curvando-se de leve. Ele bateu com a mão sobre o próprio coração, então apontou para ela. — *Die Bücherfreundin*.

— Um amigo dos livros — murmurou Diedrich, atrás dela, com a palma da mão pesada em sua cintura, o peito perto o suficiente para tocar as costas dela quando inspirava.

— *Die Bücherfreundin* — repetiu Althea para si mesma.

A parte educada dela queria insistir em pagar pelo volume, mas o custo da aparente rejeição à generosidade do homem seria muito maior do que o do livro.

Ela então ergueu um dedo e procurou na bolsa o exemplar de *Alice no País das Maravilhas* que levara consigo como um porto seguro. Os paralelos entre ela e uma Alice desorientada e deslumbrada mergulhada no País das Maravilhas eram fortes demais para não achar reconfortante.

— Um presente — repetiu de propósito, embora tenha tentado em alemão, assim como ele fizera em inglês.

O homem o aceitou com o leve tremor dos idosos nas mãos, sorriu quando percebeu qual era o livro, então apertou-o contra o peito quase em um abraço.

O homem assentiu uma vez: um gesto de reconhecimento, um adeus. Logo voltou a atenção para outro cliente.

Althea queria ficar, queria continuar envolvida na experiência, mas Diedrich já a estava puxando, e ela o seguiu até as laterais do mercado rumo aos planos que fizera para o jantar — e talvez para depois do jantar, se continuasse a agir como a personagem principal da cena, em vez da flor de estufa. Se ela continuasse a ser a versão de Berlim de Althea James.

Embora pensasse que se saíra bem no mercado com seus flertes desajeitados, as poucas tentativas na caminhada ao longo do rio Spree até o jantar fracassaram. Diedrich havia mergulhado em um silêncio pensativo que não era característico da afinidade natural com conversas brilhantes que ela vinha observando. Então, como Althea nunca dominara a arte da conversa fiada, o jantar foi silencioso. Passou o tempo inteiro preocupada, remoendo tudo o que havia dito, tentando entender se fizera algo errado.

Embora a comunidade literária internacional parecesse vê-la como alguém importante, Althea era apenas uma garota simples e pouco sofisticada. Mesmo naquele momento, participando de um programa cultural cujo objetivo era levar "autores conhecidos e respeitados" de origem alemã de volta ao país de origem para residências de seis meses, ela não conseguia deixar de se sentir uma impostora. Não só porque ainda não se acostumara à ideia de ser uma autora de verdade, mas porque nunca pensara em si como nada além de americana.

Os avós eram de uma aldeia nos arredores de Colônia, mas tudo o que sabia sobre eles era os nomes rabiscados na Bíblia da família. E a mãe nunca demonstrara qualquer interesse por suas raízes. Ela e os filhos eram americanos, e ninguém diria a Marta James o contrário.

Depois que Marta morreu, ainda jovem, Althea estivera ocupada demais criando o irmão até a idade adulta para pensar em qualquer coisa além de se haveria dinheiro para comprar açúcar a cada semana.

Ainda assim, mesmo que Althea não se sentisse conectada a seus antepassados alemães, o convite para ir a Berlim foi tentador demais para deixar passar. Se ela concordasse em participar, receberia uma passagem de ida e volta, uma bolsa, um apartamento em um bairro seguro e o contato de uma universidade local para ajudá-la a conhecer a cidade. Em troca, seria convidada a participar de algumas reuniões políticas e sociais, além de apresentar uma ou outra palestra sobre *A luz não fraturada*, romance que a levara de amadora para "conhecida e respeitada".

Ela mordeu o lábio inferior, observando cuidadosamente o rosto de Diedrich. Os vincos entre as sobrancelhas dele não eram profundos, nem estava de cara feia. Não era raiva, então, apenas contemplação.

Althea estava prestes a tentar melhorar o clima — embora não soubesse como — quando Diedrich pareceu espantar qualquer emoção estranha que estivesse pesando seus ombros.

— Você gosta de literatura alemã? — indagou ele, com o mesmo sorriso que abrira no mercado.

Ela se deliciou com a cordialidade na pergunta, aliviada por ele não ter de alguma forma perdido o interesse que demonstrara.

— Sim.

Diedrich sorriu.

— Posso dar uma sugestão?

— Por favor.

— É um dos meus favoritos.

Diedrich se mexeu um pouco para tirar um livro de capa vermelha do bolso interno da jaqueta.

A luz das velas que cintilava sobre a mesa refletiu nas letras douradas gravadas na encadernação já gasta que ele acariciava com os dedos. Seja lá que livro fosse, era claramente valioso, tanto que ele o carregava consigo. A capa era simples, nada muito elaborado.

— Adoraria ouvir sua opinião sobre este livro.

— Claro.

Tocando no livro, Althea abriu o melhor sorriso que pôde. *Mein Kampf*. Sabia ler alemão melhor do que conversar ou escrever, então a tradução veio facilmente.

— *Minha luta.*

Diedrich assentiu em aprovação.

— Tenho certeza de que o achará fascinante.

Embora não gostasse muito de autobiografias, Althea era informada o suficiente para reconhecer o nome do autor como o chefe do partido que financiava sua viagem a Berlim. Por educação, ela murmurou:

— Tenho certeza de que sim.

Nova York
Maio de 1944

O encanto da roupa de *femme fatale* de Viv foi embora junto com sua confiança, completamente aniquilada naquela mesa de churrascaria.

Mas não havia tempo para se trocar e vestir algo menos dramático antes dos drinques que combinara de tomar no West Village. Quando marcara o encontro com Harrison Gardiner, uma das estrelas editoriais em ascensão da William Morrow, Viv esperava que fossem comemorar. Naquele momento, só queria algo forte para apaziguar a estranha mistura de raiva, tristeza e humilhação que se enroscava com desconforto em seu peito.

Como a taverna onde se encontrariam ficava a poucos quarteirões do restaurante e ela precisava de ar, Viv foi a pé, com medo de chorar no metrô e borrar todo o rímel aplicado naquela manhã. Além disso, quando começava a chorar, não conseguia parar. Era como se a dor estivesse à espreita, esperando o menor sinal de vulnerabilidade. Na maior parte do tempo conseguia manter o sentimento apartado, mas, em momentos como aquele, quando tudo o que queria era conversar com Edward, a dor a atingia com força.

Viv avistou Harrison pelas janelas sujas da White Horse Tavern. Estava conversando com uma jovem que parecia ter acabado de chegar de ônibus do Iowa.

Tentou lembrar se, alguma vez, nessas saídas para beber com Harrison, ele não tivesse flertado com a mulher mais próxima. Viv revirou os olhos, mas, pela primeira vez desde que entrara na churrascaria, uma hora antes, deu risada.

Quando adentrou a taverna, ganhou um assovio baixo do sujeito desgrenhado com pinta de artista sentado perto da porta. O homem devia estar com a visão borrada, de tão bêbado, ou não a teria glorificado com aquela suposta admiração.

Não que Viv não soubesse atrair atenção. Tinha traços mais marcantes que as mulheres que enfeitavam as páginas da revista e um corpo esbelto que contrastava com o ideal de Betty Boop que os homens colavam nos painéis de controle dos aviões de combate, mas sabia que suas formas longilíneas, combinadas com um queixo pontudo, maçãs do rosto altas e pesados cabelos tinham um fascínio próprio e a tornavam interessante de olhar. *Como uma raposa* — mais de uma vez fora chamada assim por homens que deviam se julgar criativos. Ainda assim, não era comum para Viv receber assovios de estranhos. Pelo menos não de estranhos sóbrios.

Ignorou o bêbado e atravessou o salão para se sentar ao lado de Harrison. A moça de Iowa levou um susto, fixando os grandes olhos azuis nos de Viv, o rosto ficando vermelho.

— É isso que acontece quando me atraso — brincou Viv, roubando a azeitona do drinque de Harrison. — Você encontra outra companhia. Pelo menos esperou a cadeira esfriar?

— Não, eu não estava... — apressou-se a garota, mas Viv apenas piscou.

A jovem corou, se levantou do banco alto e disparou porta afora, atrapalhando-se com as pernas e a saia.

Harrison a observou partir e, em seguida, olhou de volta para Viv, estreitando os olhos.

— Que maldade.

Viv ocupou o lugar vago pela moça.

— Ora, por favor, não é como se fosse amor. Você nem sabia o nome dela.

— Há coisas mais importantes na vida do que nomes, boneca — retrucou Harrison, sem censura na voz, já sinalizando para que o barman ali perto trouxesse mais dois martínis.

— Sei, como as medidas de um corpo — alfinetou Viv, chutando a canela dele com a ponta do sapato.

Harrison sorriu e surrupiou a azeitona da taça dela antes que Viv pudesse protestar.

Quando se conheceram, Harrison jogara charme para Viv. Magro e de cabelos escuros, ele era quase bonito, embora o rosto fosse um pouco longo demais, e os olhos, muito juntos. Mas ele a fizera rir, e Viv achou que aquilo poderia ser uma grande parte de seu charme. Como não flertou com ele de volta, Harrison recuou de imediato, e ali nasceu uma amizade.

Às vezes, em noites solitárias, Viv ansiava pelo frio na barriga que sentira uma única vez na vida. Nas horas mais sombrias, desejava que, quando encontrasse um homem espirituoso e atraente, pudesse ter aquela sensação vertiginosa de possibilidade que tomava as pessoas ao seu redor.

Então ela se lembrava da dor que acompanhava os fantasmas daquele frio na barriga, e do calor que florescia nela a cada amizade feita. Foi um aprendizado de anos, mas Viv percebera que o amor não precisava ser um casamento perfeito — o amor podia ser compartilhar bebidas e fofocas ao final de um péssimo dia.

— Parabéns por *Too Busy to Die* — disse ela.

Harrison podia ser um amigo, mas também era um jovem brilhante publicado por uma grande editora, o que significava que ficar de olho nele era parte do trabalho de Viv no conselho. Seu escopo de responsabilidades incluía saber o que as editoras lançariam a cada temporada, quais seriam os próximos best-sellers e no que todos os principais editores estavam trabalhando. Esses detalhes a ajudavam a decidir quais livros incluir na remessa mensal das EFA.

Too Busy to Die era um ótimo romance policial com um consultor de relações públicas e uma heroína corajosa que bebia bastante bourbon e era ótima nos dados. Jamais admitiria isso para Harrison, mas Viv talvez tenha canalizado a coragem da personagem na construção daquele plano desesperado para falar com Taft.

— Li tudo de uma só vez.

— Você está me bajulando. O que quer? — Harrison fez uma pausa, olhando para o vestido preto dela. — E tem algo a ver com o motivo de ter se vestido como uma espiã?

Viv fez pose de garota dos romances *noir* das bancas de jornal.

— Socialite com coração de ouro vira espiã internacional. Já posso até ver a capa.

Harrison riu, e Viv saiu do personagem com um sorriso travesso. Aquela leveza foi embora com a mesma facilidade que chegou, e ela virou a bebida em dois goles nada elegantes.

— Roosevelt sancionou o projeto de lei que permite aos soldados em serviço votarem nas eleições, a Lei de Voto do Soldado, semana passada.

— Santo Deus! — Harrison suspirou, porque qualquer um que prestasse alguma atenção entendia o que aquilo significava.

Todos sabiam que o novo projeto de lei, que permitia aos soldados em atividade no exterior votarem, tinha que ser aprovado. A escassez de soldados eleitores na eleição anterior fora vergonhosa. Tecnicamente, o projeto de lei deveria resolver a questão, mas os republicanos sabiam que mais soldados votando significava a vitória de Roosevelt, então criaram o máximo de entraves possível no processo. Quando perceberam que o projeto ainda assim passaria no Congresso, começaram a adicionar todas as políticas que sempre quiseram ver na lei, não importava o quão inúteis, autoindulgentes ou custosas fossem. Aquilo explicava a emenda de censura de Taft e seu ataque ao projeto favorito de Roosevelt.

Harrison pôs a mão dentro da jaqueta para pegar seu maço de cigarros. Ofereceu um a Viv e acendeu um fósforo. Ela mergulhou a ponta na chama enquanto pensava que fora Edward quem lhe ensinara a fumar. Na época, tinha dezoito anos e era nova no mundo; cheio de alegria nos olhos, Edward fazia desenhos com as baforadas.

Uma dor latejou em seu peito, uma memória que Viv prontamente trancou de volta.

— Qual o impacto disso em sua pequena Edições das Forças Armadas? — perguntou Harrison, após dar um trago.

Viv abriu um sorriso que deixava à mostra um pouco mais dos caninos que o normal.

— Não sei bem se eu chamaria uma iniciativa que envia mensalmente milhões de livros para soldados destacados no exterior de "pequena" — rebateu.

Ela suspirou e assentiu quando o barman gesticulou para uma garrafa de gim. Harrison não era o alvo; não era justo descontar sua frustração nele. Apagou o cigarro com violência depois de apenas alguns tragos.

— Continuaremos funcionando — declarou Viv, conseguindo responder à pergunta.

Mas esse era o problema. O programa Edições das Forças Armadas ainda poderia funcionar com a política de Taft. Só seria esvaziado de tudo o que o tornava tão eficaz.

— Ele é um canalha, não é?

— No mínimo. — Viv tomou um gole mais lento do segundo martíni. — É frustrante ver homens como ele vencerem o tempo todo.

— Políticos? — perguntou Harrison, com uma sobrancelha erguida.

— Valentões — corrigiu Viv. — Ele não é Hitler, claro. Mas, para mim, é só mais um valentão, e estou farta deles. Você não?

— Eu fui um moleque magrelo, de óculos, pulmões ruins e fascinado por livros em uma escola pública no Bronx — respondeu Harrison, soprando a fumaça para longe dela. — O que você acha?

— Eu realmente achei que poderia detê-lo. — Ela balançou a cabeça, rindo de si mesma. — Logo eu!

— Você fala como se estivesse desistindo. Vamos lá, a Viv que eu conheço luta até o fim.

Ela mordeu o lábio inferior, o olhar era um misto de orgulho e vergonha.

— Acabei de emboscá-lo durante um almoço em Midtown.

Um silêncio surpreso se seguiu à confissão, até que Harrison soltou uma risada estrondosa que começou no peito e durou o suficiente para Viv sorrir com ironia.

— Ele só vai ficar na cidade por dois dias. Eu precisava fazer alguma coisa! — justificou, enquanto Harrison secava os olhos.

— Como eu queria ter sido uma mosquinha ali — confessou Harrison. Então continuou, sério: — Imagino que ele não tenha se retratado pela proibição.

— Eu nem ousei pedir isso. Só queria que ele reescrevesse a diretiva para que não fosse tão abrangente.

— E agora?

Viv esfregou o pulso dolorido e pensou na respiração rançosa com cheiro de alho de Taft tão perto dela.

— Agora? Quero acabar com ele.

Ela corou um pouco com o tom de vilã maquiavélica que detectou na própria voz, e Harrison emitiu um ruído que chegou terrivelmente perto de uma risada. Viv escolhera a companhia certa para aquela tarde, não restavam dúvidas.

— Como pretende acabar com ele? — perguntou ele, algum momento depois, tendo retomado sua compostura de homem moderno.

— Já tentei tudo o que pude pensar e não obtive sucesso.

— Se isto fosse um livro, sabe em que ponto estaríamos?

— Acredito que você está prestes a me dizer.

— Isto aqui, agora mesmo? — Harrison bateu o dedo na madeira para enfatizar seu ponto. — É o momento do "tudo está perdido".

— Soa bem adequado — acrescentou Viv, seca.

— Mas o momento do "tudo está perdido" não é o final da história, como sabemos. — Harrison parecia entusiasmado. — Ninguém termina o livro no momento em que tudo está perdido. Ainda tem uma ação crescente, o clímax, o final feliz.

— Quantos desses drinques você já tomou, querido? Não estamos em um livro — observou Viv.

— Não estamos? — perguntou Harrison, fingindo um grande choque e olhando para os lados com os olhos arregalados.

Viv chutou a canela dele novamente.

— Olha — recomeçou Harrison, com um suspiro, abandonando a teatralidade —, sei que a vida real é muito mais sombria e sem esperança do que um romance bem estruturado. Nem sempre os finais são felizes, e às vezes o vilão sai vitorioso, pode ter certeza. Mas às vezes os mocinhos da vida real também vencem. Por que esta não pode ser uma dessas vezes?

— Porque não posso tirar um final feliz do nada só porque quero muito.

Quase doía falar daquilo e ainda perceber que o amigo agia como se Viv simplesmente não tivesse enxergado uma estratégia óbvia. Se ela tivesse sido melhor, mais inteligente ou mais astuta, poderia ter abolido a emenda de Taft assim que fora anexada ao projeto de lei.

— Mas e se você pudesse criar seu próprio final feliz? — insistiu Harrison. — Você conta tantas histórias no seu trabalho quanto os escritores, Viv.

— Posso contar histórias até cansar — retrucou ela, um pouco arisca. — Isso não elimina as multas e a sentença de prisão associadas à política de Taft.

— Eu sei, mas...

Viv o interrompeu, levantando a mão.

— O que exatamente está sugerindo que eu faça?

— Não sei — admitiu Harrison, com os ombros caídos.

Viv riu, a amargura que vinha se formando frente ao otimismo arrogante do amigo se dissolvendo.

— Achei que meu raciocínio estava nos levando a algum lugar importante, mas de repente os trilhos terminaram em um penhasco — completou ele.

— Bem-vindo aos meus últimos seis meses.

— Só pense no assunto — disse Harrison, pedindo mais uma rodada para ambos. — E podemos nos embebedar enquanto isso.

— Dessa ideia eu gostei — aprovou Viv, batendo palmas animadas e girando na direção da bancada do bar e de seu copo vazio.

Passaram o resto da tarde elaborando estratégias ultrajantes para passar do "tudo está perdido" ao "grande final feliz" — algumas sem sentido, envolvendo animais de fazenda, outras mais sérias com Viv fazendo um discurso apaixonado no plenário do Senado para envergonhar Taft publicamente. Como ela chegaria até lá, os dois não se preocuparam em descobrir. Sabiam que a conversa se distanciara da realidade algumas horas antes.

Quando a escuridão da noite começou a entrar pelas janelas, Viv não sentia mais o vazio no peito. Mas eles também não tinham chegado perto de um bom plano para derrubar a política de censura de Taft.

— Sabe, ouvi falar de um lugar — revelou Harrison, as vogais já arrastadas pela bebida. — Talvez valesse a pena uma visita, embora seja uma bela distância daqui até o Brooklyn.

Ele enfiou a mão no bolso para pegar uma caneta e um bloco de notas, onde anotou um endereço.

— O que tem no Brooklyn? — perguntou Viv, tentando espiar por cima do ombro do amigo.

Harrison sorriu, deslizando o papel para ela.

— Inspiração.

Viv passou a ponta do dedo sobre as palavras, e sopros fracos de esperança floresceram das cinzas de sua derrota.

BIBLIOTECA AMERICANA DOS LIVROS PROIBIDOS PELOS NAZISTAS

Paris
Outubro de 1936

Hannah Brecht gostava mais de Paris com o inverno no horizonte.

Ela sabia que essa era uma opinião impopular, já que para a maioria os piqueniques nos arredores da Torre Eiffel em um belo dia de verão como o auge da vida parisiense. Mas, assim como acreditava que Paris era melhor para aqueles com o coração partido, achava a cidade mais verdadeira no frio mais sombrio.

Hannah andava de bicicleta nos arredores do décimo quarto *arrondissement*, as pantalonas flertando perigosamente com os raios dos pneus, o chapéu de lã macio cor de pêssego ameaçando voar com a brisa, os cachos escuros escapando do coque *chignon* apertado e roçando nas bochechas que ela sabia que estavam rosadas pelo vento.

O toldo listrado de sua confeitaria favorita estava logo à frente, o brilho dourado das vitrines testando sua força de vontade para resistir à tentação. Hannah tinha mais uma entrega para fazer, mas o compromisso podia esperar cinco minutos.

Deixou a bicicleta encostada na parede do prédio ao lado e entrou na confeitaria.

Notas de açúcar queimado e levedura saturavam o ar, o chocolate e os grãos de café adicionando camadas mais densas aos aromas mais leves.

—Hannah — cumprimentou Marceline, do outro lado da vitrine de vidro, o rosto redondo avermelhado pelo calor do ambiente. — Entre. Um *café noisette*?

— Por favor — aceitou Hannah, sem se dar ao trabalho de tirar a echarpe. Tinha pouco tempo. — E um *canelé*, se tiver sobrado algum.

Marceline sorriu, satisfeita como sempre por Hannah nunca dispensar um de seus inigualáveis bolinhos de baunilha. Hannah descobrira a confeitaria da mulher em seu primeiro dia em Paris, quase três anos antes, e tentava visitá-la pelo menos uma vez por semana.

O fato de Marceline, casada com um alemão, falar a língua nativa de Hannah ajudava. Como a jovem ainda tinha dificuldade para fazer o idioma nativo dialogar com as líricas palavras francesas, Marceline era uma das poucas parisienses com quem ela sabia que poderia conversar sem receber um olhar torto.

— Ocupada? — perguntou, observando-a colocar o leite para aquecer e servir o doce em um prato.

Marceline passou o pedido sobre a vitrine de vidro, e Hannah, sabendo que a mulher não era de cerimônia, pegou o garfo ali mesmo. A crosta externa resistiu à mordida por um curto e perfeito instante, então cedeu, permitindo que afundasse os dentes no recheio cremoso de baunilha.

— *Bah, ouais*. — Marceline deu de ombros como uma típica francesa. — Às vezes sim, às vezes não. Xavier agora se acha sofisticado demais para trabalhar na confeitaria da mãe. Esses jovens...

Marceline estalou a língua, compartilhando um olhar infeliz com Hannah, embora a alemã ainda não tivesse chegado aos trinta. Ela tomou o cuidado de abocanhar mais um pouco do doce, assentindo como se entendesse. E talvez entendesse mesmo.

Hannah pensou nas reuniões da Resistência em Berlim, quando todos eram tão esperançosos e entusiasmados com seus ideais tolos. Só mesmo sendo jovens para acreditar que poderiam mudar o mundo.

— Bem, talvez ele tenha razão — continuou Marceline, completando o café espresso com o leite. — Quem sabe quanto tempo nossos meninos têm antes de serem levados para mais uma guerra...

E havia outra razão pela qual a confeitaria se tornara um dos lugares favoritos de Hannah em Paris: o marido de Marceline tinha amigos suficientes em Berlim para que ambos soubessem tão bem quanto Hannah o que estava por vir.

— É por isso que nunca dispenso um de seus *canelés* — rebateu ela com um sorriso, na esperança de abrandar o clima.

Hannah era a mais cética onde quer que estivesse, mas Marceline tinha três meninos e duas meninas para atravessar a tempestade que se aproximava. Crianças deixam as pessoas vulneráveis, seu coração passa a habitar outra pessoa.

— Mesmo que minhas saias fiquem apertadas se eu continuar me rendendo a eles.

Marceline se voltou para Hannah, o olhar distante se esvaindo do rosto.

— Como se você pudesse deixar de ser a mulher mais bonita de Paris! — Ela se debruçou, os fios de cabelo grisalhos colados nas têmporas. — E saiba que isso inclui minhas próprias filhas.

— Ah, mas eu não sou nada em comparação com você — disse Hannah, terminando o *café noisette*.

— Elogios valem doce grátis, e não deixe que ninguém lhe diga o contrário — garantiu Marceline, recusando o pagamento de Hannah, que lançou um beijo para a confeiteira e deixou algumas moedas no balcão antes de sair.

O céu ficara cinza durante o tempo que passara na confeitaria, e Hannah correu até a bicicleta — a ameaça de um aguaceiro era incentivo o suficiente para concluir suas tarefas da tarde. Os panfletos da *Deutsch Freiheitsbibliothek*, a Biblioteca Alemã da Liberdade, esvoaçavam na cesta de vime frontal enquanto Hannah se dirigia para a última parada do dia. Como sempre, eram um lembrete de como suas atribuições para a biblioteca poderiam destoar de um dia para o outro.

O lugar era parte editora, parte biblioteca, parte ponto de encontro para a comunidade alemã que fizera da Cidade Luz um lar depois de fugir do domínio nazista. Nascida dos fragmentos de outro projeto — uma iniciativa de pesquisa que coletara milhares de recortes de jornais, ensaios e panfletos sobre os perigos do totalitarismo —, a biblioteca parisiense vivia de um esforço diário para combater a crescente onda de fascismo na França.

Por ser bonita e mulher, Hannah muitas vezes era escolhida para distribuir os panfletos antifascistas da biblioteca a lojas e organizações da cidade já conhecidas por apoiar a missão. Às vezes, ela se perguntava o que lhe aconteceria se entregasse aqueles pequenos folhetos a um simpatizante nazista. Hannah já aprendera a dolorosa lição de que não poderia confiar em seu próprio julgamento quanto a isso.

Não precisava de muito para encontrar provas disso. Seu irmão, Adam, estava morrendo aos poucos em um dos terríveis campos de detenção de Hitler, provavelmente espancado e torturado todos os dias, tudo porque Hannah confiara na pessoa errada.

Althea.

O nome se enroscou no vento que chicoteava o casaco de Hannah, enquanto ela descia diante do último endereço do dia. Escondeu o desespero que sentia sempre que pensava em Althea, em Adam e naquele tempo em Berlim que permanecia vívido como se tivesse sido ontem, como se os pesadelos permanecessem enquanto sonhos se dissolviam no nada.

Sua última parada era uma loja de violinos de propriedade judaica. De propósito, deixara aquela para o final. Adorava tanto o homem que a administrava quanto seu neto, Lucien. Toda vez que passava para deixar os panfletos, Lucien tentava convencê-la a participar das reuniões semanais da Resistência que ele organizava nos fundos da loja.

Hannah tinha muita experiência com aquele tipo de reunião; atraíam pessoas que acreditavam que a violência era a única forma de conter a maré fascista que se aproximava e que parecia destinada a varrer a Europa. Não que discordasse, mas Hannah vira o rosto machucado e quebrado de Adam depois da primeira noite em que os nazistas o levaram para a prisão. Vira amigos serem chicoteados e espancados nas ruas pelos *Sturmabteilung*, ou camisas-pardas.

Mesmo que a violência fosse a única resposta no caso em questão, nunca seria a resposta à qual Hannah recorreria.

O sininho dourado acima da porta tilintou quando ela entrou.

Henri estava ocupado, curvado sobre um longo balcão que percorria toda a extensão da loja, então apenas levantou os olhos por trás dos óculos, abrindo um sorriso largo.

—*Bonjour, mademoiselle* — disse ele, sem interromper os movimentos rápidos e experientes das mãos nodosas pelo braço do violino que segurava.

—*Bonjour, grand-père*.

Quando se conheceram, Henri dissera a Hannah que todos de quem ele gostava tinham permissão para chamá-lo de avô, e ter sido incluída entre essas pessoas a deixara muito feliz.

—Lucien?

Ele inclinou a cabeça na direção do corredor que levava aos fundos.

—*Dans le dos*.

—*Merci* — agradeceu Hannah.

Henri estremeceu de leve com o sotaque dela — uma piada interna dos dois.

Hannah encontrou Lucien distribuindo algumas cadeiras na pequena sala que servia de estoque, provavelmente para uma reunião da Resistência naquela noite. Sem esperar um pedido, ela o ajudou a terminar de organizar as fileiras de frente para um púlpito armado no canto.

Quando terminaram, Lucien beijou as bochechas dela e pegou os panfletos.

—Essa sua biblioteca está imprimindo panfletos mais depressa do que conseguimos entregá-los.

—Estão cheios de pensamentos — disse Hannah.

—Como todos nós, suponho. Chá?

—Por favor — aceitou Hannah, agradecida.

Apesar de o café de Marceline tê-la aquecido, ela ainda sentia um calafrio persistente depois de andar por Paris o dia todo. A calça estava com as bainhas úmidas e o cardigã a protegera do vento, mas tanto Hannah quanto a peça de roupa estavam bem cientes das limitações do tecido.

Lucien foi até uma pequena cozinha e colocou uma chaleira no fogo. Hannah observava os movimentos graciosos do rapaz de onde se sentara, junto à pequena mesa no canto. Ele era bonito, de cabelos grossos e escuros, sorriso gentil e o corpo esbelto à moda parisiense, do jeito que todas as meninas dali pareciam gostar. Se Hannah desejasse, poderia imaginar a vida sendo: na aconchegante loja de violinos, oferecendo um ouvido atento para o amado que se preparava para uma reunião política, a música entrando pela porta entreaberta.

Mas nunca quis ser esposa. Ou nunca quis ser esposa de um homem, o que parecia ser a única opção permitida.

— O que você faz? — perguntou Hannah, ao aceitar a xícara. — Digo, nas reuniões.

Lucien, que estava convencido de que Hannah era uma combatente da Resistência fantasiada de bibliotecária, adquiriu um brilho nos olhos que a fez se arrepender da pergunta.

— Venha ver pessoalmente, minha cara.

Ela olhou para o chá e passou o dedo em uma lasca na borda da xícara.

— Já estive em reuniões o bastante na minha vida.

— Eu sabia! — disse Lucien, se apoiando nos antebraços, ansioso. — Em Berlim? Como eram?

— Inúteis — decretou Hannah, amarga e cruel.

Mas Lucien apenas sorriu, paciente, e ela continuou, mais devagar. Mais reflexiva.

— Parecia que estávamos brincando, algo assim. Hitler acabara de ser nomeado chanceler, e as coisas ficaram muito ruins, muito depressa. Mas... ainda era 1933, entende o que quero dizer?

— Vocês nunca imaginaram que ele duraria tanto tempo — concluiu Lucien, seguindo o raciocínio.

— Ele despertou uma chama dentro de tanta gente, detratores e apoiadores. E eu achava que esse tipo de chama queimava forte e logo se apagava. — Hannah fez uma pausa, tentando decidir se deveria responder à pergunta inicial. — As reuniões eram fúteis. Falávamos sobre sistemas econômicos e teorias políticas como se fôssemos debater esses monstros no mercado de ideias. Devíamos, em vez disso, ter falado sobre passagens de trem, contas bancárias no exterior e planos de fuga.

Lucien mordeu o lábio inferior, observando-a, contemplativo.

— Em nosso último encontro, alguém fez uma leitura dramática de *O capital*.

Ele disse isso com autodepreciação suficiente para que Hannah sorrisse.

— Sim, eu já estive em uma reunião assim — afirmou, querendo acariciar o rosto do amigo como se faz com uma criança, mas se conteve. — Esta noite talvez seja mais interessante vocês discutirem quem tem família no campo para ajudar a esconder todos, quando os alemães inevitavelmente cruzarem a Linha Maginot.

— Você acha que é inevitável — observou Lucien, e Hannah ponderou sobre a dúvida no tom de voz dele.

Aquilo confirmava sua crença de que as reuniões da Resistência não eram nada de mais, exceto um lugar para homens falarem sobre todos os grandes pensamentos que tinham. Não muito diferente da Biblioteca Alemã da Liberdade, em seus piores momentos.

— A guerra sempre é inevitável, não é mesmo? — disse Hannah, com leveza, e então mudou completamente de assunto: — Diga-me, querido, andou partindo algum coração nos últimos tempos?

Lucien se endireitou, levando a mão ao peito.

— Você me magoa.

Hannah revirou os olhos, e ele lhe lançou um olhar quase tímido, uma expressão que nunca vira em seu rosto.

— Quem é ela? — insistiu, intrigada.

— Uma estudante universitária — confessou Lucien, então se encolheu. — Americana. Terrível.

— Pelo menos não é nazista.

— Humm. E você, Hannah? — Ele piscou. — Andou partindo algum coração?

Hannah certamente desfrutara de alguma companhia amorosa durante seu tempo em Paris. Mas...

— Não é um momento estranho para se apaixonar?

— Talvez seja o melhor momento para isso — rebateu Lucien, como o parisiense que era, do tipo que amava Paris ainda mais nas noites de verão, com rosas e chocolates. — Quer motivo melhor para lutar do que o amor?

— Talvez seja, para algumas pessoas. — Hannah deu de ombros com total indiferença. — Talvez eu não consiga atravessar a tempestade que se aproxima. Não ia querer deixar ninguém que me ama para trás.

— Hannah. — Lucien estendeu a mão para segurar a dela. — Do que está falando, sua tola? Você vai ficar bem.

— Será? — desafiou Hannah, desviando o olhar, mas sem se afastar.

Parecia que, por mais que tentasse, cada conversa retornava àquele assunto, como um ímã.

— Às vezes, parece que Paris quer estender o tapete vermelho para os nazistas.

Lucien não discordou, limitando-se a acariciar os dedos dela com o polegar.

— Você vai embora?

— Com que visto?

— Mas e se pudesse? — insistiu Lucien.

— Não tenho por que defender Paris. Não é minha terra natal — declarou Hannah. Uma conclusão dura, talvez, mas honesta. — A minha já foi tomada. É por isso que eu me recuso a me apaixonar.

— Como se você pudesse impedir, caso acontecesse — murmurou Lucien.

Aquela havia sido outra lição que ela já aprendera.

— Quero saber sobre a menina.

Lucien a distraiu com uma agradável hora de falatório não apenas sobre a garota, mas também com fofocas lascivas de pessoas que ambos conheciam e outros assuntos leves. Mas, quando a acompanhou até a frente da loja, ele voltou a insistir:

— Você não vem hoje à noite?

— Lute pelo bem por mim, pode ser? — respondeu Hannah, fingindo não notar o lampejo de decepção nos olhos dele ao se despedir.

Ela parou à porta para acenar para Henri, perguntando-se por um breve e inconsequente instante se deveria comparecer à reunião daquela noite. Mas afastou a ideia e contornou um homem que passava com um carrinho de mão cheio de flores para pegar a bicicleta que deixara encostada na grade do canal.

Hannah acabara de pôr as mãos no guidão quando notou um casal olhando para a vitrine da loja, depois para ela. Quando passaram ao seu lado, o homem cuspiu em sua bochecha. A gota de saliva escorreu até sua mandíbula.

— *Juive* — murmurou ele.

A dupla continuou caminhando como se nada tivesse acontecido. Eles nem sequer apertaram o passo para fugir do local. Hannah não limpou a saliva, só ficou encarando as costas cada vez mais distantes dos dois.

Para cada pessoa como Lucien, existiam mais duas como as que tinham cuspido nela em plena luz do dia, bem no meio de Paris.

Hannah sabia que o ataque deveria ter fortalecido sua determinação, gerado nela o ímpeto de empunhar uma espada, mas, a cada dia que passava, tinha menos certeza de que valia a pena salvar o mundo.

Nova York
Maio de 1944

Viv conferiu o endereço no papel que recebera de Harrison no dia anterior, mas era difícil não ver o imponente Centro Judaico do Brooklyn, que aparentemente abrigava a Biblioteca Americana dos Livros Proibidos pelos Nazistas.

— O que você está fazendo aqui? — perguntou-se, baixinho, embora ainda alto o bastante para atrair o olhar torto de um passante.

Viv se questionou se perdera de vez a cabeça. Uma coisa era o que ela poderia chamar de tentativa desesperada, porém razoável, mas haviam também as buscas inúteis — e o limite entre as duas parecia muito tênue naquele momento.

— Você já veio até aqui, então é melhor entrar — instruiu a si mesma, fazendo uma anotação mental para manter a boca fechada quando estivesse sozinha em público.

Viv entrou no saguão, onde um idoso piscou, confuso, por trás de óculos fundo de garrafa e a fez perguntar pela biblioteca três vezes antes de parecer entender o que ela estava procurando.

— Ala oeste.

Ele apontou para um longo corredor e voltou a atenção para o romance que estava lendo.

Quando Viv chegou à porta correta, tocou com cuidado as letras douradas no vidro, antes de entrar.

A sala era surpreendentemente pequena, mas repleta de prateleiras imponentes e mesas cobertas por pilhas de livros desarrumadas.

Raios de sol atravessavam as janelas, revelando a poeira que pairava no ar. A xícara de chá abandonada no peitoril e a música baixa tocando no rádio empoleirado no balcão de atendimento deixavam tudo tão aconchegante e vívido que ela precisou conter o desejo de pegar um romance aleatório e mergulhar nele em uma das poltronas.

— Bem-vinda.

Uma mulher saiu de um escritório do tamanho de uma despensa que ficava atrás do balcão de atendimento, diminuiu o volume no rádio e abriu um sorriso contido.

— Posso ajudá-la?

Viv estreitou os lábios, evitando descarregar toda a sua história triste naquela estranha desavisada. O que parecera uma ideia sensata depois de meia garrafa de gim agora a deixava apreensiva, pensando se questionariam sua sanidade.

Estou tentando tirar um final feliz do nada.

— É... — começou Viv, olhando em volta, inalando o toque azedo das páginas envelhecidas e da cola. Tentava se recompor.

A bibliotecária a observava com atenção.

— Perdoe-me pelo que vou dizer, mas parece que você precisa de uma xícara de chá.

— É tão óbvio assim? — perguntou Viv, rindo e mexendo no colar de pérolas de fio único como se fosse um talismã.

Era a única joia de sua mãe que usava. Viv se lembrava de brincar com o colar da mesma maneira quando, ainda criança, se sentava no colo da mãe e deslizava os dedos pelas pérolas lustrosas. Alguma babá bem-intencionada o colocara em volta do pescoço de Viv na manhã do funeral de seus pais, e ela raramente o tirava.

Seja lá o que a bibliotecária notou no rosto de Viv, fez com que ela estreitasse os olhos.

— Sente-se — orientou, indicando com a cabeça a mesa do outro lado da sala.

— Obrigada — murmurou Viv, e afundou em uma poltrona perto da janela.

Um livro à sua frente chamou-lhe a atenção. Esticou o braço para virá-lo e ler o título.

— Albert Einstein — disse a bibliotecária, colocando uma xícara ao lado de Viv, alguns minutos depois.

Ela folheava as páginas, entendendo uma em cada dez palavras.

— Ele foi o principal orador na inauguração da nossa biblioteca.

— Foi? — perguntou Viv, devidamente impressionada.

A bibliotecária assentiu.

— Isso mesmo. Ouvi dizer que foi uma noite grandiosa, que os convites foram tão cobiçados quanto o açúcar e o café são hoje.

— Você não estava aqui?

— Não.

Havia alguma hesitação no rosto da mulher.

Viv tentou conter sua intromissão.

— Quando foi isso? Anos atrás, correto?

— A festa foi em dezembro de 1934 — respondeu a bibliotecária, relaxando os ombros.

Viv pensou se não seria por estar falando sobre a biblioteca, em vez dela mesma.

— Mas a abertura oficial só aconteceu meses depois, para marcar o segundo aniversário da queima de livros em Berlim.

Viv tentou se lembrar do mês correto.

— Então foi em maio? De 1935?

— Isso.

A mulher apontou para a parede mais próxima, onde havia um cartaz de propaganda. DA LUZ ÀS TREVAS, diziam as palavras sobre as imagens. Semelhante a outros que Viv já vira, o cartaz era uma compilação de vários eventos, o fogo dos livros subindo até o céu para queimar o que Viv reconheceu como o edifício do Reichstag. A silhueta pequena e rígida de Joseph Goebbels supervisionava tudo.

Viv voltou a atenção para a bibliotecária, que também examinava o cartaz com um desespero inabalável estampado em cada linha do rosto.

— Você estava lá. — Viv suspirou, incapaz de se deter.

Depois de um longo momento em que ela pensou que não teria resposta, a bibliotecária abaixou a cabeça.

— Sim, eu estava em Berlim na noite da queima.

Viv engoliu as centenas de perguntas. Não podia se considerar especialista em muitas coisas, mas sabia ler as pessoas. E havia muros altos naquela mulher, muralhas que seriam difíceis de derrubar. Ela apontou para as pilhas de livros.

— E esses livros? Foram queimados naquela noite?

— Muitos, sim. — A bibliotecária olhou em volta como se estivesse lá, vendo os livros pela primeira vez. — Foi difícil listar o catálogo completo. Havia algumas listas, é claro. — Ela disparou um olhar irônico para Viv. — Os nazistas amam listas.

— De fato — concordou Viv, no mesmo tom de voz.

— Mas os incêndios não duraram apenas uma noite. A noite de 10 de maio foi quando ocorreu a grande manifestação, mas os alemães foram encorajados a queimar os próprios livros nas semanas seguintes. Qualquer coisa considerada antialemã ou que pudesse minar o Reich deveria ser expurgada.

Viv levou um instante para absorver a informação.

— Ou seja, qualquer coisa escrita por autores judeus.

— E comunistas e corrompidos e qualquer um que não defendesse a grandeza da raça superior. Acho que nunca saberemos o número real de livros perdidos naquelas semanas e nos anos seguintes.

— Mas vocês tentam. Rastrear, preservar os volumes.

— Tentamos. É um trabalho difícil, mas... — Ela se afastou, fixando o olhar no cartaz mais uma vez.

Viv não insistiu. Sua paciência foi recompensada pouco tempo depois:

— Os livros são um jeito de deixarmos uma marca no mundo, não são? Mostram que estivemos aqui, que amamos e que sofremos, rimos, cometemos erros e existimos. Podem ser queimados mundo afora, mas, uma vez que palavras são lidas, não há volta, uma vez que uma história é contada, não há volta. Estes livros vivem nesta biblioteca, mas o mais importante é que estão imortalizados em qualquer um que os tenha lido.

Um fogo feroz como as chamas que destruíram aqueles livros se infiltrara em sua voz, e um calor ecoante floresceu em Viv. Naquele momento, teve uma visão encantadora por trás da fachada da bibliotecária.

Uma guardiã. Era uma noção fantasiosa, talvez, retratar a mulher como protetora dos livros, mas Viv gostou da ideia.

O que vou encontrar no Brooklyn?

Inspiração.

Era daquilo que Viv precisava, daquela paixão, daquela intensidade. Um dos planos mais sérios da tarde regada a gim com Harrison lhe veio à mente: um discurso para constranger publicamente Taft e fazê-lo se retratar pela emenda.

Claro que nem Viv nem a bibliotecária entrariam na câmara do Senado, mas não precisavam. Viv era diretora de publicidade de uma importante organização de guerra. Quem precisava da câmara do Senado quando se tem o contato dos principais repórteres da cidade?

Antes que Viv pudesse se agarrar com firmeza àquela bela semente de ideia, a bibliotecária se inclinou na direção dela.

—Agora, diga: o que colocou esse fervor nos seus olhos?

Fervor nos seus olhos. Viv pensou na frase e concluiu que gostava.

—Bom, acho que eu deveria me apresentar primeiro. Sou a sra. Edward Childs, mas pode me chamar de Viv, como todo mundo.

O silêncio que se seguiu pareceu confirmar suas suspeitas: a bibliotecária não estava disposta a revelar o próprio nome.

—Trabalho no Conselho de Livros em Tempos de Guerra — apressou-se em dizer, após o silêncio constrangedor que se instalava sempre que alguém resistia a convenções sociais.

—Conselho de Livros em Tempos de Guerra — repetiu a bibliotecária. — Acho que nunca ouvi falar dessa organização.

Viv deu risada.

—Sim, você e muitas outras pessoas. Gosto de dizer que somos pequenos, mas poderosos.

Ela ergueu o braço como Rosie, do famoso cartaz *We Can Do It!*. A bibliotecária simplesmente a encarou, sem dizer nada. Viv pigarreou e assumiu um comportamento mais profissional, o mesmo que usava com doadores que visitavam a sede ou ao dar declarações a jornalistas que escreviam sobre as iniciativas do conselho.

—Somos uma organização composta por voluntários de todo o mundo editorial: livreiros, autores, bibliotecários, editoras de grandes cidades, grupos comerciais... O conselho faz parcerias com o governo em diversos grandes projetos. Mas, essencialmente, o que fazemos é buscar novas maneiras de usar livros para levantar o moral dos soldados em combate no exterior e lembrar aos americanos por que estamos nesta guerra.

— Enquanto eles lutam as guerras pelos homens poderosos — comentou a bibliotecária, exibindo uma pitada de personalidade sob a fachada fria.

— Bom, sim.

Viv até concordava. Mas, considerando que seu trabalho envolvia levantar o moral, admitir essa opinião não seria visto com bons olhos.

— E como tudo isso a trouxe à nossa biblioteca?

Viv suspirou, pensando por onde começar. Decidiu simplesmente relatar toda a história.

A bibliotecária ouviu com atenção enquanto Viv narrava sua guerra com Taft, a maneira desonesta como ele conquistara sua vingança mesquinha contra os democratas, a política de censura que poderia muito bem crescer e se tornar algo ainda mais perigoso se Taft entrasse na Casa Branca, como desejava.

— Tudo isso soa como uma vingança — constatou a mulher, depois de um silêncio pensativo, quando Viv terminou de contar toda a história.

Vingança. Viv gostou da palavra, da imagem que invocava. Mais uma vez, pensou na maneira como contamos uma história, como fazemos as pessoas se importarem. Todos gostavam de histórias de vingança. Elas as achavam interessantes. Era só olhar para a popularidade duradoura de *Romeu e Julieta* para comprovar.

— Eu adoraria ter algo de útil para oferecer — disse a bibliotecária. — Mas acho que não tenho.

Viv, no entanto, balançou a cabeça, ainda perseguindo uma ideia que ganhava forma.

Nunca conseguira criar a narrativa certa para sua luta contra o senador Taft. O trabalho da EFA apenas entrara no pacote do caos maior que era o projeto para a Lei de Voto do Soldado — uma questão agora tão hermética que as pessoas simplesmente deixavam de prestar atenção quando alguém começava a discutir os detalhes.

Os americanos estavam exaustos de tanta preocupação. As dificuldades de um programa de livros gratuitos dificilmente causariam comoção em um oceano de tristeza, perdas e dificuldades que representava aquela guerra infindável. Ainda mais quando a luta maior sempre fora a questão dos direitos dos soldados ao voto.

Mas ali havia uma história importante para contar, e Viv sabia que o público se importaria se compreendesse o que estava em jogo.

Uma *vingança* contra um programa que estava apenas tentando dar aos soldados um pouco de entretenimento? Aquilo chamaria a atenção das pessoas.

— Na verdade — rebateu —, acho que você ajudou mais do que imagina.

A bibliotecária soltou uma risada um pouco incrédula. Viv balançou a cabeça, se levantou e pegou a bolsa com a mente três passos à frente. Já se via saindo da biblioteca e correndo para o metrô, ansiosa para colocar a nova ideia em curso. Mas, antes, fez uma pausa, encarando a mulher nos olhos.

— Acredite em mim, você ajudou.

A bibliotecária ficou em silêncio, como se sentisse mais uma pergunta vindo.

— Posso voltar?

— Claro — afirmou a mulher, com aquela contração dos lábios que era quase um sorriso. — Nossa biblioteca está aberta a qualquer pessoa que precisar. Sempre.

Berlim
Janeiro de 1933

Primeiro Althea viu a luz da tocha.

Ela congelou, paralisada, sem saber se era uma multidão indisciplinada ou uma comemoração organizada.

Um jovem passou com a jaqueta aberta, jogada por cima dos ombros. Se ela não tivesse vislumbrado seu largo sorriso, Althea também teria começado a correr, fugindo de uma ameaça desconhecida. Em vez disso, encostou na parede de pedra da ponte. Para sair do caminho, sim, mas também para assistir.

O homem não estava só.

Atrás dele marchava um grupo de jovens, as chamas trêmulas das tochas erguidas com orgulho em meio à escuridão. Homens vestindo as camisas pardas e pretas que ela passara a associar ao Partido Nacional-Socialista dos Trabalhadores Alemães flanqueavam a multidão, como guardas.

As vozes se propagavam e misturavam, envolvendo Althea, que percebeu que a vontade de fugir tinha sumido, substituída pelo desejo de se juntar às fileiras, à alegria, àquele claro triunfo.

Decidiu arriscar e esticou o braço para a passante mais próxima, segurando seu pulso.

— O que aconteceu?

— Hitler agora é o chanceler — arfou a mulher, com uma alegria quase maníaca no rosto. — Em breve estaremos livres.

Althea ofegou, embora a mulher já tivesse se afastado havia algum tempo. Teria sido por isso que Diedrich estava todo sorridente apenas alguns dias antes? Ele sabia que isso ia acontecer?

Fora a primeira vez em semanas que Diedrich parecera otimista em relação à situação de seu partido. Antes daquilo, ele parecia frustrado porque o *Nationalsozialistische Deutsche Arbeiterpartei*, ou NSDAP, como os alemães chamavam, ainda estava se recuperando do golpe das eleições de novembro, quando perderam representação, apesar dos esforços de campanha revolucionários e onerosos.

O entusiasmo dele pela causa com certeza não tinha diminuído. Althea, alguém que raramente, ou mesmo nunca, prestava atenção à política antes de chegar a Berlim, achava a paixão de Diedrich instigante.

— Chanceler? — perguntou a um dos passantes, desta vez em inglês, para o caso de ter entendido mal.

— Chanceler — concordou o jovem, jogando a cabeça para trás para gritar a palavra em alto e bom som.

A confirmação provocou um aplauso crescente que reverberou pela multidão, e muitos dos homens levantaram os braços para fazer a saudação que Hitler tornara sua.

Conforme os manifestantes se dirigiam para a Alexanderplatz, as chamas queimavam alto e intensamente. Althea hesitou por um instante, depois mais um, então por fim se permitiu levar pela enxurrada de corpos, todos ocupados em entoar coros que ela só entendia metade.

Mais uma vez, como no mercado, Althea esperava se sentir perdida, assoberbada. Em vez disso, se tornou parte da multidão frenética, impulsionada pela euforia, pela animação.

— Como isso aconteceu? — gritou para a jovem ao lado, mas não obteve resposta. Que tolice esperar uma.

A multidão atravessou a cidade ao largo do rio Spree, dirigindo-se para a Chancelaria do Reich, as tochas iluminando o caminho. Todos cantavam em alemão, gritavam, riam e dançavam, e Althea gritou e riu e dançou ao lado daquelas pessoas, o patriotismo pelo país de seus ancestrais pulsando forte em seu sangue, inebriante, ardente e irresistível, muito embora o sentimento de orgulho fosse tão novo para ela.

No mês em que passara em Berlim, a Alemanha começara a parecer mais dela do que o Maine jamais parecera. Achava que se sentiria como Alice, mergulhada no País das Maravilhas, tudo ligeiramente inclinado e de cabeça para baixo, do avesso. Em vez disso, Althea não conseguia se livrar da sensação de que sua antiga vida é que estava distorcida.

Althea tinha sido uma criança estranha. E as outras meninas da pequena escola em Owl's Head faziam questão de apontar todos os motivos de sua estranheza. Pequena demais, inteligente demais, pálida demais, pobre demais e ainda levantava a mão quando sabia a resposta para qualquer pergunta — o que todos diziam que ela fazia vezes demais.

Nas histórias, ela escapava das provocações impiedosas de suas colegas. Quando os livros chatos da estante de sua mãe pararam de entretê-la, ela começou a contar suas próprias narrativas.

As primeiras eram sobre princesas, dragões e castelos, a fantasia era um refúgio para sua mente infantil. E, à medida que Althea crescia, as histórias amadureciam com ela. Logo se tornaram o prisma pelo qual ela via o mundo, com toda a sua crueldade e beleza. Começou a usar as histórias para tentar entender os motivos pelos quais as outras crianças, e mais tarde, os adultos, eram ao mesmo tempo cruéis e belos. O que ela demorou a perceber foi como essa forma de agir criava uma distância entre ela e as outras pessoas — ela era o espectador, o criador, o leitor; os outros eram os personagens, os sujeitos, os fantoches.

Enquanto se apaixonava por Berlim — o anonimato que nunca experimentara, as luzes brilhantes, as risadas, as ruas que pareciam intermináveis, mas que sempre desembocavam em novos lugares que ela ainda não tinha visitado —, Althea então percebeu como aquele desejo de buscar proteção tinha se tornado sufocante.

Era um hábito difícil de quebrar, sobretudo quando ficava desconcertada, como quando Diedrich flertou com ela no mercado de inverno. Mas Berlim a estava ajudando a perceber que não precisava se esconder em uma história para fugir da vida. Às vezes, a vida era suficiente.

Assim, como não se encantar com a onda de nacionalismo alemão varrendo a cidade?

O frio já deixara os dedos de Althea dormentes quando a multidão chegou à praça em frente à Chancelaria, mas algo tão mundano quanto a temperatura, naquele momento, não importava para ela.

— Lá! — ofegante, ela apontou para alguém ao seu lado.

Na janela, se destacava uma silhueta sombria, a figura imponente do homem que inspirara milhares de pessoas a saírem às ruas naquela noite.

Quando Herr Hitler abriu as janelas para cumprimentar seus apoiadores fervorosos, a praça enchera ao ponto de Althea se ver pressionada ombro a ombro com os estudantes em volta. Lágrimas escorriam pelo rosto da menina à esquerda, enquanto o menino à direita tinha o braço esticado para o alto, a devoção evidente em seu rosto erguido, voltado para Hitler.

O novo chanceler não falou, o que foi uma decepção — as habilidades discursivas do homem eram lendárias.

No entanto, Hitler os observava, parecendo se deleitar com os gritos de amor e fidelidade. Althea estava perto o bastante da frente da multidão para imaginar que podia ver como sua boca se abria em um sorriso de satisfação.

A multidão estava bem instalada, contente com a festa improvisada. A cerveja de alguma forma havia se materializado nas mãos dos homens próximos, canções inflando e crescendo. Uma briga ou duas eclodiram, mas a violência foi cortada pela raiz pelos camisas-negras posicionados aqui e ali em meio à multidão.

Althea avistou os homens reunidos perto da porta do prédio e reconheceu Herr Joseph Goebbels, que conhecera em um jantar introdutório assim que chegou à cidade. Althea fizera questão de cumprimentá-lo, o homem que a convidara para visitar Berlim. Tecnicamente, a viagem tinha sido financiada pelo Partido Nazista, mas Diedrich lhe informara de que se tratava do projeto predileto de Goebbels. Ao conhecê-lo, Althea ficou impressionada com o apreço do homem por como os livros, a arte e até as mídias mais recentes, como o cinema, podiam desempenhar um papel na política.

Diedrich dissera que Goebbels com certeza teria uma posição no gabinete cultural, caso Hitler se tornasse chanceler. O que na certa explicaria a expressão presunçosa no rosto do homem naquele momento.

Ao lado dele, a luz do poste refletiu em uma cabeça de cabelo loiro, e Althea arfou.

Diedrich.

Se ela fosse um pouco maior, talvez não tivesse conseguido abrir caminho para se aproximar, mas sua baixa estatura a permitiu se esgueirar pelos espaços vazios até se libertar do emaranhado de corpos.

Tropeçou, mas apenas por um segundo, porque no instante seguinte os braços de Diedrich estavam ao seu redor, quentes, reconfortantes e com o leve cheiro usual de tabaco. Althea enterrou o rosto em seu peito enquanto ele a balançava, ambos rindo por absolutamente nenhuma razão além de estarem felizes.

— Você verá — sussurrou Diedrich, em seu ouvido, o rosto colado ao dela, ao soltá-la de volta no chão. — Verá como tudo será melhor de agora em diante.

Althea não duvidou. Já ouvira os amigos de Diedrich dizerem inúmeras vezes como era crucial que Hitler ocupasse uma posição de poder. Ele era visto como a única esperança, o farol brilhante, o salvador que livraria a Alemanha de homens que queriam manter o país estagnado na pobreza, apenas para encher os próprios bolsos. Homens que queriam que a Alemanha se curvasse aos caprichos arbitrários e cruéis de um mundo que culpara exclusivamente o país por toda a Grande Guerra, um mundo que queria salgar a terra e deixar os alemães morrerem, em vez de oferecer compaixão. Os criminosos de novembro que acompanharam o armistício e assinaram o atestado de óbito do país.

— Eu sei — sussurrou Althea, levantando o rosto com um sorriso para Diedrich.

Ele hesitou por um segundo, então colou os lábios nos dela. Diedrich tinha gosto de uísque e felicidade. Althea soltou um suspiro, surpresa, e ele deslizou a língua para sua boca.

Um arrepio de volúpia a percorreu quando pressionou seu corpo ao dele, desejosa e confusa, experimentando uma onda de prazer nunca sentida.

Tinha 25 anos, e aquele era seu primeiro beijo.

Diedrich recuou depois de um toque mais casto dos lábios no canto da boca de Althea. Algo insuportavelmente afetuoso se acendera em seus olhos, e ele riu mais uma vez.

— Venha, querida, vamos tomar um pouco de champanhe.

Althea se deixou levar.

Adolf Hitler chegou ao poder. Era uma noite para comemorar.

Nova York
Maio de 1944

Viv podia até ter zombado da ideia de Harrison de imitar a grande cena final de um livro na batalha contra Taft, mas, voltando de metrô do Brooklyn, não conseguia se lembrar da razão.

Por anos, os americanos que eram arrastados por aquela guerra aparentemente interminável tinham sido ensinados, por filmes e propagandas, a querer um final espetacular em que os mocinhos triunfavam, o homem bonito ficava com a garota e o vilão recebia uma punição justa.

Viv poderia oferecer pelo menos dois daqueles três tipos de final.

Era só fazer as coisas direito.

O trem sacudiu e parou, e Viv cruzou as portas do vagão pouco antes de se fecharem.

A parada ficava a apenas alguns quarteirões da sede do conselho no New York Times Hall, aninhada entre os cartazes chamativos e as fachadas brilhantes de seus vizinhos da Broadway.

— Viv, suas cartas — anunciou a srta. Bernice Westwood, assim que ela entrou no saguão do teatro renovado.

A saudação a pegou de surpresa, e ela deu meia-volta, deslizando o salto do sapato pelo piso de madeira até a mesa de Bernice.

— Obrigada — agradeceu, um pouco ofegante pelo esforço.

Viv pegou a sacola que sabia estar cheia de pacotes amarrados com barbante que continham inúmeros envelopes.

Provavelmente todos de soldados alocados no exterior que escreviam para agradecer ao conselho pela EFA, pedindo mais livros, perguntando se suas cartas poderiam ser enviadas diretamente aos autores. Algumas podiam até ser de parentes dos soldados, implorando para que seus entes queridos recebessem exemplares adicionais dos romances mais populares. Grande parte do trabalho de Viv era ler tudo, responder quando necessário e escolher as dignas de nota para quando os jornalistas ligavam, procurando citações sobre a iniciativa.

— Dia calmo? — perguntou Viv, olhando para ver se havia mais pacotes atrás de Bernice. Às vezes eram tantas sacolas que mal dava para carregar em uma só viagem.

— Sim — murmurou Bernice, distraída, antes de se debruçar para a frente, de olhos arregalados, a cabeleira cacheada e loira roçando o queixo. — Ouvi rumores de que você emboscou Taft em uma churrascaria ontem. Foi por isso que entrou correndo como uma galinha?

Viv não devia ter se iludido acreditando que os boatos de seu humilhante espetáculo no restaurante não chegariam à sede do conselho. Ainda mais depois de ler menção ao episódio que previra encontrar no *Post*. A notinha estava enterrada nas páginas internas, mas havia bisbilhoteiros de sobra no conselho, e todos liam as páginas de fofocas anônimas religiosamente.

— Não — negou, franzindo os lábios e decidindo que uma distração seria a melhor aposta. — Mas tive uma nova ideia para combater Taft.

— Conte-me tudo.

— Preciso consultar o sr. Stern antes de qualquer coisa.

Viv estendeu a mão para apertar a de Bernice em um pedido de desculpas.

— Deseje-me sorte.

Bernice fez um beicinho triste, mas logo abriu um sorriso animado.

— Você está fazendo a coisa certa pelos meninos, sabe. Não desistindo.

Viv não se deu ao trabalho de ressaltar que tinha grandes chances de quebrar a cara, exatamente como nos últimos seis meses. Aprendera havia muito tempo que bastava fingir ter confiança e as pessoas acreditariam que você sabia o que estava fazendo.

— Taft nem imagina o que o destino lhe reserva — respondeu, com uma piscadela.

O sr. Philip Van Doren Stern, chefe do conselho, era um homem gentil, alto, magro e de rosto comprido. Os óculos de aros finos e ternos conservadores davam uma aparência séria que Viv logo percebera serem uma camuflagem para o humor tácito e a natureza travessa.

Deu leves batidinhas na porta aberta, as cartas ainda debaixo do braço.

O sorriso que Philip estava prestes a abrir se transformou em uma carranca contemplativa quando viu quem estava batendo. Viv deveria ter imaginado que, se os rumores de seu plano de confrontar Taft tinham chegado a Bernice, certamente teriam sido levados ao conhecimento do presidente do conselho.

— Sra. Childs.

Viv se encolheu com a repreensão intensa dele apenas dizendo seu nome. A decepção na voz do homem pesou em seus ombros. O sr. Stern assumira um risco ao recontratá-la no outono, logo após a morte de Edward, e Viv odiava decepcioná-lo.

— Eu sei, eu não deveria ter feito o que fiz — começou, entrando no escritório. — Mas agora tenho um plano muito melhor. Um plano que pode mesmo funcionar.

— Ah, Vivian.

O sr. Stern suspirou e se levantou para servir a ambos um copo de uísque. Ele brindou um copo no outro e entregou um deles a Viv.

— Talvez seja hora de jogar a toalha.

— Mas o Congresso muda as leis todos os dias — argumentou Viv.

Era a parte mais importante de sua ideia. A Lei de Voto do Soldado tinha sido instituída, mas isso não significava que a emenda com a censura de Taft não pudesse ser extirpada dela.

— Suponho que sim.

— E ninguém gostou da proibição de Taft. Só não queriam colocar em risco a aprovação da lei.

— Não queriam ir contra Taft — acrescentou Stern, com gentileza. — E continuam não querendo.

— Por isso temos que convencê-los de que, politicamente, é mais vantajoso ficar do nosso lado — rebateu Viv, imprimindo à voz mais certeza do que sentia. Aprendera que poucos dos colegas do senador o queriam como inimigo. — Meu erro foi focar em Taft. Precisamos nos concentrar em todos os outros e mostrar a eles que estão do lado errado.

— Como propõe que façamos isso? — perguntou Stern, esfregando o polegar entre as sobrancelhas como se estivesse tentando evitar uma dor de cabeça.

Não seria a primeira vez que Viv era comparada a uma enxaqueca.

— Convenceremos seus eleitores a fazerem alarde sobre a questão — respondeu Viv, ansiosa. — E, para isso, faremos um show.

Stern acenou para incentivá-la a prosseguir.

— Realizaremos um evento, convidaremos a mídia, o mundo editorial, os bibliotecários, nossos melhores autores — explicou Viv, deixando as palavras saírem apressadas. O conceito ainda estava sendo formulado, mas, quanto mais ela falava a respeito, mais se convencia de que existia uma chance de dar certo. — Vou ligar para todos os grandes jornais para que tomem conhecimento. Posso até chamar algumas pessoas do rádio. — Viv fez uma pausa e recuperou o fôlego. — Poucas pessoas estão cientes do que está em jogo com a alteração. Precisamos mostrar a elas por que isso é importante.

— E a votação não vai turvar as águas desta vez — completou Stern, assentindo.

— Se trouxermos o público para o nosso lado, os legisladores não poderão ignorar a questão. Você sabe que eles só se importam de verdade com o que afeta as chances de reeleição. Precisamos que eles percebam que isso pode prejudicar seus orçamentos de campanha.

Viv continuou:

— Taft intimidou muitos colegas para que a emenda fosse aprovada, mas, quando lançarmos todo o peso da indignação pública em suas cabeças, eles romperão a aliança em um piscar de olhos. — Ela estalou os dedos. — Toda boa história precisa de um vilão, e, para nossa sorte, Taft se ofereceu numa bandeja de prata.

Viv poderia se sentir culpada se pensasse que estava pintando Taft como o bruto implacável e ambicioso que ele não era. Mas o que estava por baixo daquela fachada folclórica era exatamente aquilo, e ela não teria escrúpulos em remover a máscara.

— Eu posso fazer isso — prometeu Viv, quase acreditando. Ou acreditando apenas em parte, o que já bastava. — Vamos preparar o terreno com matérias e artigos de opinião bem-posicionados. Começaremos a chamar a atenção não só de nossos apoiadores habituais, mas também dos grandes doadores políticos e do público em geral. Tudo ganhará impulso até o grande dia.

Stern estava cedendo, dava para ver, mas ainda não parecia convencido. Como a face pública da iniciativa, ele precisava tomar cuidado com os legisladores, mesmo que quisessem destruir o conselho. Mas, como um homem que acreditava no que estava fazendo, Stern queria ver a emenda aniquilada tanto quanto Viv.

— Um evento, a ser realizado aqui, com palestrantes que oferecerão seu tempo — insistiu ela. — Tudo isso com custos mínimos para o conselho.

Por instinto, Viv enfiou a mão na sacola que Bernice lhe entregara. Sabia que o sr. Stern apreciava o quanto o programa da EFA comovia os soldados. Ainda assim, havia uma diferença entre saber, na teoria, e ler as cartas diariamente, como ela fazia.

Viv pegou algumas cartas, folheando-as o mais rápido que podia, até que ofereceu a ideal.

A quem possa interessar,

Sou o sargento Billie Flick. Estou com o 107º. Não sou escritor nem nada, não tenho jeito com as palavras, mas queria tentar agradecer a todos vocês pelos livros que estão enviando. Perdemos um garoto há três dias. Ele mentiu nos documentos de alistamento dizendo ser mais velho do que seus dezesseis anos. Nós o chamávamos de Cisco porque ele veio de São Francisco.

Nos últimos dias, ele não parava de falar de um dos seus livros. Vento, areia, estrelas *era o nome, e preciso admitir que os caras riram do título. Diziam a Cisco que ele deveria se inscrever em um salão literário. Ele insistia que não, que tínhamos que ler o livro, que falava sobre os "laços de amizade forjados no fogo". Estas foram as palavras que ele usou, dá para imaginar?*

Ele foi baleado por um atirador alemão entediado enquanto urinava do lado de fora do acampamento. Não deu nem tempo de ele notar, o que é sempre uma bênção.

Cisco será lembrado por sua mãe e por sua família, provavelmente. Ele tinha uma coragem silenciosa, do tipo o fez contar uma mentira para vir para cá. Ele não salvou ninguém, nem mudou as marés da guerra. Mas alguém além de nós devia saber da existência dele.

E gosto de pensar que ele ainda vive em qualquer homem que carregue um exemplar desse livro no bolso. Então obrigado por isso.

Respeitosamente,
Sargento William Flick, 107º

Viv se perguntou se o sargento William tinha percebido que não escrevera o nome do rapaz. De qualquer maneira, o nome dele talvez não importasse tanto assim. Para aqueles homens, o garoto havia sido Cisco, e ele provavelmente seria esquecido após a próxima dezena de mortes que os homens vivenciassem.

A guerra era assim. Todo mundo tinha uma história comovente para contar e, no entanto, por causa disso, era quase como se não existisse nenhuma.

—Sob a emenda de Taft, esse livro teria sido banido.

Stern nada disse, mas também não devolveu a carta. Em vez disso, ele a dobrou e a enfiou no bolso interno da jaqueta.

—Quando seria esse grande show?

Viv não perdeu tempo comemorando, só fez algumas contas rápidas de cabeça.

Precisaria organizar o evento, divulgar a notícia, convidar a imprensa, convidar os legisladores, convidar todos os voluntários do conselho... Criar uma lista fatal de palestrantes.

Aquela última parte era a mais difícil, a parte da qual o plano mais dependia. Para seu *gran finale*, precisava de pessoas com discursos que persuadissem até o ouvinte mais cético ou exausto.

— Final de julho.

Pouco menos de três meses.

— De quanta mão de obra precisa?

— Farei tudo o que for possível eu mesma — prometeu Viv. — Vou precisar de ajuda no dia, mas grande parte envolverá coordenar os contatos que já tenho.

— Eu não deveria... — começou Stern, olhando para o copo vazio. Então bateu na jaqueta uma vez, no local exato onde a carta estava. — Tudo bem, Vivian — disse, olhando-a nos olhos. — Mas está esquecendo o maior obstáculo de todos.

Viv hesitou, pensando, procurando, classificando todos os preparativos.

— E qual seria?

— Garantir a presença de Taft — esclareceu Stern, sua expressão oscilando entre o humor e a piedade. — E que ele não vá embora quando perceber o que está acontecendo.

Viv sentiu um aperto no peito e tocou no espaço vazio onde antes ficava a aliança.

A resposta àquele problema era óbvia, mas aquilo não ajudava.

Pensou no frio no estômago e no silêncio que veio depois. Então suspirou, aceitando o que precisava ser feito.

— Deixe isso comigo.

Paris
Outubro de 1936

— Bom dia — disse Hannah, em alemão, depois de atravessar a porta da Biblioteca Alemã da Liberdade, no número 65 do Boulevard Arago, três dias após o incidente diante da loja de violinos.

A biblioteca ficava aninhada em um canto distante de Montparnasse, um bairro na margem esquerda do Sena. Apesar da localização pouco usual, o lugar recebia uma boa quantidade de visitas diárias. Três clientes diferentes levantaram a cabeça para retribuir a saudação.

Era reconfortante vê-los, aquelas presenças eram um antídoto para o ódio que tantas vezes testemunhava. Muitos dos filósofos, pensadores, estudantes e leitores atraídos para a biblioteca eram exilados judeus, e ela sentia uma afinidade com eles que nunca sentira de forma particularmente forte em Berlim.

Os pais tinham sido bastante seculares, inclinando-se para o movimento do judaísmo reformista que se originou em seu país. A família observara o Shabat, frequentara os serviços no templo e defendera os princípios éticos da fé, mas colocava menos ênfase nas leis judaicas e nos rituais pessoais do que as vertentes mais conservadoras do credo.

Aquilo sempre lhe pareceu adequado; Hannah nunca conseguira conciliar completamente quem ela era — quem ela *amava* — com religiões que a condenassem.

Entretanto, o tempo morando em Paris e a biblioteca estavam começando a mudar seu ponto de vista. No mês anterior, na companhia de algumas pessoas de sua recém-descoberta comunidade, celebrara Rosh Hashaná, jejuara no Yom Kipur e, durante o Sucot, fora lembrada da longa história que os unia — a história de um povo forçado ao exílio, perseguido, e ainda assim sempre capaz de encontrar a luz.

Alguns integrantes da biblioteca eram praticantes mais estritos, algumas funcionárias usavam a estrela de davi em um cordão sob a blusa e, embora Hannah não quisesse se juntar a elas, achava bonito que seu senso de pertencimento à comunidade judaica tivesse se fortalecido, não diminuído diante de tamanho ódio do resto do mundo.

Assim que Hannah se sentou para iniciar seu turno, a campainha acima da porta tocou. Otto Koch entrou aos tropeços com um jornal nas mãos, e Hannah tentou não soltar um suspiro ao ver o garoto.

Talvez "garoto" fosse uma descrição equivocada. Como ela, Otto já tinha seus vinte e poucos anos; era um homem pelas definições da maioria da sociedade. Mas Hannah sempre pensava nele como o doce colega de escola que falava rápido demais, com seriedade demais, e esfolava os joelhos a cada dois passos que dava.

Naquele mesmo momento, ele tropeçou duas vezes na travessia pelo pequeno espaço até o balcão.

—Hannah.

O nome saiu quase em um sopro, o rosto dele corado. Ofegante, Otto se apoiou quase todo no balcão de madeira maciça.

—Precisa de água? — perguntou ela, notando o suor que escorria pela testa do amigo.

—Não. — Ele ofegou, mais exalando ar do que emitindo um som.

—Deixe-me adivinhar — disse Hannah, abrindo a capa de *Sidarta*, de Hermann Hesse.

Embora Hesse tivesse sido bastante apolítico na época do grande exílio dos escritores alemães, os nazistas não gostaram da conexão do autor com pessoas que expressavam opiniões contrárias ao regime. Assim, ganhou seu lugar na biblioteca.

— Um dos seus amados autores americanos vai dar uma palestra em Paris.

— Quem me dera — confessou Otto, com os olhos grandes e redondos.

— Ainda vou fazer você ler alguns livros escritos por mulheres, aí vai ver como é fácil superar essa paixão — repreendeu Hannah, embora sem um pingo de irritação.

— Meu amor arde eterno. — Otto soltou um suspiro dramático, se debruçando no balcão, aparentemente de volta ao controle dos próprios pulmões.

— O que deixou você neste estado? — perguntou Hannah, indo até as prateleiras, ciente de que Otto a seguiria fielmente.

Deixou um panfleto de um notável filósofo nazista ao lado de uma edição de *Minha luta*, de Hitler. Quando começou a trabalhar na biblioteca, Hannah recuou ao ver a capa vermelha. Mas o fundador do local, Alfred Kantorowicz, insistiu que quaisquer livros e documentos que ajudassem a informar os leitores sobre o hitlerismo e o fascismo valiam seu lugar na estante. Conhecimento era poder. Ele explicou que, se mais pessoas fora da Alemanha lessem o manifesto de Hitler, não estariam tão dispostas a agradar o louco.

— Estão organizando uma exposição de livros — disse Otto, seguindo o rastro de Hannah enquanto ia puxando os romances da prateleira enquanto avançava, como um gato incapaz de controlar o impulso de colocar as patas em alguma coisa, de empurrar, mexer e destruir. — Será no Boulevard Saint-Germain, e os nazistas estarão lá, exibindo o melhor de sua literatura.

A lembrança de um rosto doce e redondo, cheio de sardas e com um sorriso tímido se insinuara por trás das defesas que Hannah erguera com tanto cuidado. A boca pequena e a astúcia aguçada. Cabelos inacreditavelmente espessos que imploravam para que dedos se enroscassem neles.

Althea.

Uma dor se instalou nos espaços macios de seu corpo, não mais insuportável, mas silenciosa e insistente, um lembrete de que Hannah tinha sido ferida.

— Não existe boa literatura nazista — declarou Hannah, conseguindo manter a voz uniforme e ácida. Estava odiando o fato de ter pensado em Althea duas vezes em apenas alguns dias.

Meu amor arde eterno, dissera Otto. Mas Hannah era a metade prática daquela dupla de amigos, e ela não funcionava desse jeito. A única coisa que queimava eternamente para ela eram rancores e pontes.

— Não importa, eles vão fazer uma exposição — rebateu Otto. — Precisamos revidar.

Hannah parou em frente à seção de Ernest Hemingway, um homem de quem muitos de seu círculo literário parisiense haviam sido amigos íntimos. Pela primeira vez desde que Otto atravessara a porta, deu a ele toda a sua atenção.

— Do que está falando?

Otto encostou em uma prateleira, os olhos escuros e reprovadores.

— Você nunca me escuta.

O descontentamento petulante da declaração fez Hannah sorrir. Ela e Otto cresceram juntos nos arredores abastados de Berlim. Suas famílias eram próximas, o que significava que ambos tinham sido unidos à força desde o nascimento, primeiro como companheiros de brincadeira, depois como *algo* em potencial. Hannah nunca conseguira ver Otto como nada além de um irmão — o que ele retribuía —, então os dois decepcionaram muito os pais.

Mas se tornaram inseparáveis, desafiando todas as suposições de que duas pessoas do sexo oposto não podem ser amigas. Hannah achava que isso era possível porque nenhum dos dois se sentia particularmente atraído por indivíduos do sexo oposto, mas não insistia na ideia.

Bagunçou os cabelos do amigo, mesmo sabendo que Otto ficava horas arrumando o penteado até ficar do jeito que queria. Ele tentou afastar sua mão, mas Hannah já tinha feito o estrago.

Ela dobrou o corredor com um dos livros de Helen Keller na mão, e Otto a interrompeu, fechando os dedos em volta de seu pulso.

— Estou falando sério, Hannah.

Otto se apaixonava por todas as causas do mundo. Estava sempre *falando sério* sobre alguma coisa. Naquele momento, os olhos dele estavam firmes, e a boca era uma linha reta e fina.

— Está bem. O que você propõe?

— Precisamos criar plano brilhante para humilhá-los enquanto estão aqui — respondeu Otto, em um sussurro conspiratório.

Hannah tentou não revirar os olhos novamente.

— Vamos falar disso enquanto tomamos um vinho? — Ela olhou para o relógio antigo no canto da sala. — Eu saio às cinco.

— No lugar de sempre? — perguntou Otto, dando um beijo de despedida no rosto da amiga, depois que ela assentiu com a cabeça.

Hannah o observou sair e afastou os pensamentos sobre Althea, sobre a pele macia ao toque e a cama aquecida pela luz do amanhecer que se infiltrava pela janela. Uma batida na porta afastou esses pensamentos.

Quando o turno na biblioteca terminou, Hannah saiu em meio ao ar fresco do outono e se dirigiu ao café a alguns quarteirões dali. Como não estava com pressa, apreciou a luz que se desvanecia ao longo do Sena. Hannah não amava Paris da mesma forma que Otto. Embora gostasse bastante da cidade, achava que o Sena não se comparava ao rio Spree, de Berlim.

Você está apenas sendo do contra, acusara Otto quando ela comentou sobre isso. E talvez estivesse. Paris não era seu lar, nunca seria o lar que Hannah escolhera. Mas era um refúgio e, por enquanto, isso era muito mais importante.

Seu único arrependimento ao deixar Berlim foi que desejava ter saído antes — antes de conhecer Althea James. Desejava ter conseguido convencer Adam a fazer as malas e fugir do país também. Talvez assim não visse o lábio rachado, o nariz quebrado e os hematomas nos olhos cheios de assombro do irmão toda vez que fechava os olhos.

Otto estava logo à frente, em uma pequena mesa colocada na rua.

Ele praticamente vibrava, demonstrando impaciência enquanto Hannah pedia sua bebida. Já tinha fumado um cigarro até o final, e o deixara esquecido entre os dedos. Ela terminou de apagá-lo.

— Então os nazistas estão vindo para Paris — iniciou ela, assim que o garçom se afastou.

O garçom era sombrio e sensual e a observava por trás das pálpebras pesadas de olhos que ela tentara não encontrar diretamente. Ela sabia que os homens a achavam atraente, ouvira aquilo vezes o suficiente para acreditar. Ouvira sobre os cabelo castanho-escuro e os olhos claros, as curvas nos lugares certos, a covinha que parecia fazer os joelhos dos homens fraquejarem, a pele lisa que muitas vezes era comparada a porcelana. Hannah sabia; ainda assim, não podia se importar menos.

— Assustador, não é?

Otto se apoiou na teatralidade de tudo aquilo, como estava acostumado a fazer.

Hannah pegou o próprio cigarro e deu um sorriso amarelo para o garçom, que serviu o vinho com uma piscadela.

— Minha pele está praticamente arrepiada.

— Você é hilária.

— E você está perdendo meu interesse — revidou ela, soprando a fumaça para longe do amigo.

— Tudo bem, sua chata — disse Otto, brincando com o próprio copo cheio de um líquido cor de âmbar. Hannah tinha certeza de que ele preferia gim ultimamente, mas era um homem de fases. — Não podemos deixar que se safem com isso.

— Uma exposição de livros? — perguntou ela, erguendo as sobrancelhas.

— Não me venha com esse tom. Não aja como se não entendesse a importância disso.

Hannah desviou o olhar, sem querer encará-lo.

— Muito bem.

Otto sorriu satisfeito, recostando-se de volta em sua cadeira, quase derrubando o pobre garçom.

— Desculpe, desculpe — murmurou, observando o homem, os cílios exuberantes.

Hannah cutucou o joelho dele com a perna por baixo da mesa e Otto fez um biquinho brincalhão.

— Você sempre fica com os mais bonitos.

— Só os mais bonitos que eu não quero.

— E alguns que você quer — rebateu Otto.

Novamente, ela desviou o olhar.

— A exposição.

Otto não hesitou nem protestou contra a mudança de assunto.

— Novembro. No Boulevard Saint-Germain.

— Sim, já falamos dessa parte.

— Mas não falamos o que vamos fazer a respeito — devolveu Otto, imitando o tom dela.

— Atirar neles? — perguntou Hannah, fingindo inocência.

— Não seria má ideia — disse Otto, com um sorriso torto.

— Otto!

Ele via a violência como o caminho para combater os nazistas. Quando era mais jovem, não pensava assim. Era tão doce, tímido, engraçado e gentil. Otto continuava sendo todas essas coisas, mas, nos anos desde que ambos deixaram Berlim, desenvolvera uma dureza que assustava Hannah.

Ele a lembrava de Adam antes de ser arrastado pelos camisas-pretas. O irmão sempre manteve um compromisso firme com as próprias crenças, mas, naquela primavera, quando tudo virara um inferno, Adam se tornara um radical. Imprevisível, teimoso e rebelde quando desafiado.

Ela não queria ver o mesmo acontecer com o amigo.

— O que sugere em vez disso? — perguntou Otto, virando o resto da bebida.

Hannah se perguntou quantos drinques ele já tinha tomado, mas se repreendeu pelo pensamento. Nenhum deles estava no melhor momento da vida.

Hannah refletiu um pouco, esfregando distraidamente os calos em seus dedos. Descobrira que gostava deles, um sinal tangível do seu trabalho para combater os fascistas. Mesmo que não concordasse com o uso de balas e bombas, como os jovens radicais queriam, seus esforços não eram menos importantes naquela batalha.

Os homens que buscavam a violência não entendiam que, enquanto espadas podem destruir corpos, mas uma caneta pode destruir uma nação.

Se os nazistas estavam indo a Paris para divulgar sua suposta "literatura", só havia uma forma de responder a esse grito de guerra em particular.

— O que eu sempre sugiro — declarou Hannah, com uma certeza tranquila. — Um livro.

Nova York
Maio de 1944

Viv decidiu encurtar o dia de trabalho logo após o encontro com o sr. Stern e voltar ao apartamento do Upper West Side que dividia com a sogra, Charlotte.

Considerando que não conseguia pensar em nada além do que poderia fazer para garantir a presença de Taft no grande evento, o restante da tarde teria passado em vão. Quando tudo aquilo começou, Viv fora inflexível quanto a quem procuraria para pedir ajuda — e, principalmente, quem *não procuraria*. Mas ela sabia, melhor que a maioria das pessoas, que mesmo os planos mais bem elaborados podiam fracassar.

Esfregou com o polegar o espaço vazio no dedo anelar enquanto dava a volta na Columbus Circle. Um idoso vendia livros nas proximidades, na esquina da rua 60 com a Broadway, e Viv tentava comprar um exemplar sempre que passava por ali.

O vendedor estava mastigando a extremidade de um cachimbo apagado enquanto a observava percorrer com os dedos as lombadas de seus preciosos produtos.

— Procurando alguma coisa em especial?

A voz do homem era rouca e carregada de fumaça, com o sotaque de Nova York em seu estado mais autêntico.

Qualquer resposta que Viv estava prestes a dar morreu quando avistou um volume verde com o título gravado em dourado.

Oliver Twist.

Viv quase riu, ou chorou, ou uma mistura dos dois. Ela não era de acreditar no destino e em coincidências, mas não havia como ignorar aquele sinal.

Que me lembrou Hale, escrevera Edward. Os dois raramente conversavam sobre o irmão dele, e às vezes Viv se perguntava se a menção a Hale na última carta de Edward tinha sido algum tipo de brincadeira divina.

Viv tirou o romance de seu repouso, aninhado entre irmãos, e o levantou para mostrar ao velho.

Ele sorriu, revelando a ausência de três dentes, e citou:

— "Em alguns livros, a capa e a contracapa são, de longe, as melhores partes."

— Mas não este — discordou Viv, recebendo de volta um aceno de cabeça.

— Mas não este — concordou o velho, aceitando o dinheiro e guardando-o debaixo do chapéu de pescador que usava sobre os grossos cabelos brancos.

Apertando o livro contra o peito, Viv continuou o caminho para casa. Imaginou o que Edward pensaria se a visse naquele momento, enfrentando um senador poderoso de igual para igual.

Você pode fazer tudo o que quiser, meu bem, dissera ele, após um daqueles eventos da alta sociedade que sempre faziam Viv se sentir inculta, desdenhosa e revoltada.

Ela tinha perdido as contas de quantas vezes os dois, muito antes de se casarem, terminaram a noite no escritório de Edward — ele descansando em algum estado de nudez no sofá de couro que adorava, ela enrolada em sua poltrona favorita —, ambos tomando suas bebidas preferidas enquanto desconstruíam os dramas transcorridos em uma das festas da qual tivessem participado.

Essa era sua maneira favorita de imaginar Edward: nessas horas brandas e vulneráveis entre a meia-noite e o amanhecer, quando os dois podiam ser mesquinhos, gentis, engraçados, desalentados e toda gama de emoções que um ser humano poderia experimentar. O afeto entre ambos era tão profundo que muitas vezes nem precisavam falar nada, ficavam apenas sentados juntos, imersos em um silêncio confortável.

Viv sabia o que as páginas de fofocas diziam sobre aquelas noites que passava na casa de Edward. Aquelas mesmas senhoras tinham cacarejado o anúncio do casamento, felizes apenas pela prova de que tinham acertado, como se suas insinuações anteriores não transbordassem maldade.

Na época, Viv se sentira satisfeita por nenhuma delas saber de fato como era o relacionamento com Edward. Era uma relação íntima, sagrada, maravilhosa e inimaginável para quem pensava apenas dentro dos estreitos limites do amor romântico.

Porém, ela ficara sozinha com todo aquele conhecimento. Nada nem ninguém prepara uma pessoa para essa realidade: os deliciosos segredos outrora compartilhados azedam quando se tornam o fardo de uma pessoa só.

Na noite em que Edward lhe dissera que poderia fazer qualquer coisa, ele estava inventando maneiras cada vez mais bem-humoradas de prejudicar o herdeiro de Vanderbilt, que a humilhara quando Viv expressou uma opinião sobre assuntos da atualidade, política e investimentos estrangeiros. Ela nem conseguia mais se lembrar o quê.

Venha, chamara Edward, estendendo o braço. Ela resmungou, mas se levantou, cambaleando um pouco por causa do champanhe ainda fervilhando em seu sangue. Edward pegara sua mão e a conduzira até a janela com vista para a Sexta Avenida, então abrira o vidro. *Dê um rugido.*

Viv soltara uma risada, vacilando o corpo contra o dele.

O quê? Você está louco. E bêbado.

Dê um rugido, exigira Edward, inclinando a cabeça para trás e rugindo em meio à noite.

Meu Deus, murmurara Viv, mas como ele simplesmente a encarara com um sorriso atrevido, as sobrancelhas levantadas, ela revirara os olhos e tentara imitá-lo.

Você pode fazer melhor, afirmara Edward. *Você é feroz, você é inteligente, e você é teimosa, corajosa e maravilhosa. Agora dê um rugido.*

Viv rugiu, libertando cada frustração e mágoa da noite, e também de um milhão de noites semelhantes, até os pulmões arderem e a garganta doer.

Um homem na rua gritou para que os dois *calassem a porcaria da boca*, à verdadeira moda de Nova York. Eles desabaram no tapete sob a janela, rindo, desmoronando um em cima do outro.

Você pode fazer tudo o que quiser, meu bem, dissera Edward, antes de inclinar a cabeça para perto dela e sua respiração se acalmar até dormir.

Viv se lembrava de ter sussurrado:

O que eu faria sem você?

Traçou o título de *Oliver Twist* enquanto subia de elevador até o apartamento, fazendo uma promessa mental a Edward de que venceria Taft.

Edward também nunca gostara de valentões.

— É você, Viv? — perguntou Charlotte, quando ela entrou.

Em vez de gritar uma resposta, Viv seguiu a voz de Charlotte até a cozinha.

A sogra estava coberta da porção de farinha para a semana com uma expressão de culpa e rebeldia no rosto doce e redondo.

— Tudo bem por aqui?

Viv deslizou para um dos bancos amarelos ao redor da ilha da cozinha. A cor ensolarada criava um choque abominável contra as bancadas vermelhas e os toques turquesa que Charlotte adicionara à sala, mas Viv sempre gostou do conforto que aquele caos inspirava. Quando era criança e foi morar com o tio Horace após a morte dos pais, tudo era impecável, com combinações perfeitas, no auge da moda. Viv tinha medo de andar pela casa, com pavor até de respirar errado. Ali, com Charlotte, ela realmente se sentia em casa.

— Biscoitos? — perguntou Viv.

Era difícil arranjar ovos, manteiga e açúcar, mas Charlotte tinha seus métodos — e um bolso fundo, que abria sem hesitação para manter o mercado clandestino da rua 32 em operação.

— Um bolo! — proclamou Charlotte, avaliando a bagunça do pó branco que cobria os utensílios de cozinha. Com as mãos nos quadris generosos, ela olhou para cima, esperançosa.

— Meio bolo?

Então deu de ombros e continuou o trabalho, quebrando um ovo na tigela.

— Comprou outro livro?

A pergunta veio carregada de uma leve exasperação e divertimento. As duas estavam ficando sem espaço na estante para a coleção crescente de Viv.

— *Oliver Twist* — murmurou Viv, mostrando o romance.

O rosto de Charlotte se aplacou e seus olhos se encheram de lágrimas que Viv sabia que a sogra não derramaria.

— Pode guardar com as outras edições.

A risada de Viv saiu abalada. Não podia negar que adquirira o mau hábito de comprar todo volume que encontrava.

— Um dia terei uma prateleira inteira deles.

— E será conhecida como a louca que não conseguia parar de comprar Dickens — completou Charlotte, a dor já ausente, substituída por um humor afetuoso.

Viv sempre se admirava com a resiliência de Charlotte e provavelmente se apoiava nela mais do que deveria, considerando que a mulher estava de luto pelo único filho tanto quanto Viv estava de luto pelo melhor amigo.

— E como foi na biblioteca, querida?

Viv esfregou as palmas das mãos suadas na saia amarelo-vivo do vestido e cruzou os tornozelos para evitar bater os pés de nervoso.

— Acho que vou precisar da ajuda de Hale.

— Hale — repetiu Charlotte, com um tom de voz cheio de consideração em vez de desconfiança. — Por que não pensei nisso antes?

Viv pensara.

Emmett Hale, irmão ilegítimo de Edward, passara de garoto desengonçado a amado representante do Brooklyn no Congresso. Era jovem, carismático e apaixonado, e circulavam muitos rumores de que sua carreira política o levaria à Casa Branca.

Também era a pessoa que Viv um dia acreditou ser o amor de sua vida.

Toda vez que se sentia tentada a chamá-lo para ajudar no caso com Taft, algo nela se recusava. Não importava o quão importante a EFA fosse para ela, não conseguia esquecer como Hale partira seu coração e a tratara como se ela fosse um brinquedo que ele descartaria assim que a graça acabasse.

Ela tocou no dedo anelar e fingiu não notar o olhar de Charlotte acompanhando o gesto.

—Acho que agora estou ficando desesperada o suficiente.

—Quer que eu entre em contato com ele por você, querida?

Se a pergunta tivesse vindo de qualquer outra pessoa que não Charlotte Childs, poderia ter parecido absurda.

O pai de Edward, Theodore Childs, fizera fortuna na indústria do aço. Ele era um dos novos ricos da virada do século que levava uma vida de excessos, atitude da qual aquela geração se orgulhava. Os homens se esbaldavam com cantoras de ópera e atrizes antes de desviar para as ruas de Alphabet City, onde as meninas de fato não tinham escolha.

Uma dessas meninas era Mary Kathleen Sullivan, abandonada grávida e sem um centavo assim que Theodore se entediou.

Theodore fingia que Emmett não existia, e a única razão pela qual ficaram sabendo da existência do menino era porque Mary Kathleen confrontara Charlotte em plena Quinta Avenida, na frente da Tiffany's.

Se Charlotte pudesse, teria dado a Mary Kathleen metade da vasta fortuna de Theodore na hora, mas esposas tinham recursos limitados. Então ela entregou todo o dinheiro que tinha em mãos e, em seguida, fez uma campanha para obrigar Theodore a sustentar o filho.

Charlotte teve um sucesso mediano, mas não fez muita diferença no final. Mary Kathleen conheceu o sr. William Hale, um homem gentil que se casou com ela mesmo grávida de cinco meses, deu o sobrenome ao filho e os levou para morar do outro lado do rio, no Brooklyn.

Charlotte, no entanto, manteve contato com a mulher. Mesmo depois do falecimento de Mary Kathleen, Charlotte ainda almoçava com Hale pelo menos uma vez por mês.

—Não. Se vou precisar de um favor, eu mesma devo pedir — recusou Viv, ainda que quisesse muito aceitar.

—Essa é a minha garota.

Charlotte deu um tapinha carinhoso nela e andou na direção do bem-abastecido carrinho de bebidas.

—Isto pede um vinho do porto.

Outras mulheres colocariam uma chaleira no fogo, mas Charlotte serviu o licor cor de âmbar queimado em copos sofisticados.

Viv a observou com o aperto da culpa crescente no peito. Por um rápido segundo, se ressentiu de Edward por colocar a mãe naquela situação.

Charlotte não percebia que, quando pensavam no amor da vida de Viv, estavam pensando em irmãos diferentes. Charlotte acreditava que Viv tinha perdido sua alma gêmea, acreditava que Viv e Edward tinham uma história de amor digna dos grandes romances. Charlotte acreditava que as alturas vertiginosas do romance do filho tinham sido igualadas apenas — como tantas vezes acontecia em histórias desse tipo — pelas profundezas da sua tragédia.

O que Charlotte não sabia, o que ela nunca poderia saber, era que era uma mentira.

Você não pode contar a ela. Aquelas foram as últimas palavras que Edward dissera a Viv, nas docas, pouco antes de embarcar no navio que o levara. Viv as repetiu para si mesma inúmeras vezes nos meses desde a partida. Em alguns momentos, ela quase cedeu e admitiu a Charlotte que ela e Edward não estavam apaixonados quando subiram ao altar apenas uma semana antes de ele partir. Mas engolira a confissão todas as vezes, sabendo, com algum tipo de certeza, que era mais fácil para Charlotte acreditar que o filho conhecera o verdadeiro amor antes de morrer na guerra.

Viv pegou o copo de vinho do porto com um sorriso trêmulo e se perguntou o quanto Charlotte sabia ou suspeitava sobre o verão em que Viv conhecera Hale e Edward. Ela se perguntou se estava mesmo enganando a sogra ou se o romance de Viv e Edward era apenas uma história bonita que ambas concordaram em fingir que era real.

Berlim
Fevereiro de 1933

Helene Bechstein sempre tivera cheiro de naftalina e uma tendência a se intrometer em todas as conversas de Althea.

— Precisa me contar sobre a noite na Chancelaria — pediu Helene, seus dedos compridos apertando a carne macia do braço de Althea.

Althea olhou com tristeza para um jovem poeta que se afastava e que, embora cuspisse quando ficava entusiasmado demais com um assunto, era uma das poucas pessoas interessantes que ela encontrara naquela noite.

De todos os eventos que Althea era quase obrigada a participar como parte do programa de Goebbels, eram aquelas festas que achava mais tediosas. As de Helene talvez fossem as piores, e a mulher realizava um bocado delas.

Helene era casada com Edwin Bechstein, dono de um dos principais fabricantes de piano do país. Era uma mulher alta e elegante, de sobrancelhas escuras e rosto comprido. Na juventude, provavelmente considerada mais jeitosa do que bonita.

De acordo com Diedrich, Helene adorava Hitler desde que o conhecera, mais de uma década antes. Ela foi uma das principais damas a pastoreá-lo pela alta sociedade de Berlim nos primeiros dias dele na cidade.

E o chama de "seu lobinho".

Althea tentou não revirar os olhos quando ouviu aquele apelido. Não sabia bem quando parte do brilho do Partido Nazista começara a se apagar para ela, mas talvez tivesse sido quando Diedrich chamara Hitler de *lobinho* com um semblante sério.

— Foi uma noite que não esquecerei tão cedo — disse Althea a Helene, pegando alguns petiscos de salmão defumado.

Se precisaria se sentar com as matronas da sociedade a noite toda, pelo menos desfrutaria de boa comida.

— Ah, como eu gostaria de ter estado lá — admitiu Helene, seu olhar severo ainda voltado para a pista de dança, onde uma dúzia de casais rodopiava ao som de uma valsa estranhamente formal e desatualizada.

Althea deixou a própria atenção vagar pela bela sala. A mansão dos Bechstein ficava na elegante área ao sul do Tiergarten, na Leipziger Strasse, onde moravam muitos dos comerciantes ricos de Berlim. Para o gosto de Althea, Helene exagerara um pouco no ouro, mas não podia negar que aquela opulência ostensiva tinha seu charme. Ainda mais no caso de uma festa em comemoração ao triunfo de Hitler, como na semana anterior.

— Não deixe que Diedrich se esquive dos deveres para com você, agora que provavelmente estará ocupado com o ministério de Goebbels — aconselhou Helene. — Ele ainda deve reservar algum tempo para lhe mostrar a cidade.

— Isso não tem sido um problema — tranquilizou Althea.

De fato, a presença constante de Diedrich, que parecera tão inebriante nos primeiros dias da residência, estava começando a derivar para a arrogância desde que Hitler fora nomeado chanceler.

Sempre que Althea pensava naquilo, se repreendia. Diedrich e o NSDAP estavam sendo anfitriões acolhedores. Mas ela não gostava de como tudo se transformara de um jeito que a fazia se lembrar de Owl's Head, onde não podia ir a lugar algum sem ser observada ou abordada — estava sentindo a asfixia familiar da vida em uma cidade pequena. Só percebera que estava sem respirar quando chegou a Berlim. Mas a liberdade da qual tanto desfrutara naquelas primeiras semanas estava sendo tirada dela.

Althea só conseguia concluir que a mudança tinha algo a ver com a nova posição de Hitler no poder. Talvez tenha sido aquilo que entorpecera um pouco do entusiasmo que sentira por seu sucesso.

— E imagino que Diedrich esteja cuidando para que você só participe do tipo certo de cultura, não é? — sondou Helene, levantando os tolos óculos de ópera para espreitar do outro lado da sala, em busca de Diedrich.

O tipo certo de cultura. Althea ouvira a frase ser dita algumas vezes em livrarias durante leituras, nos cafés onde ela e Diedrich se encontravam com amigos, mas, pela primeira vez, a frase lhe pareceu estranha.

— Sinto muito, eu não...

— Olá — ronronou alguém atrás de Althea. — Acredito que não tenhamos sido apresentadas.

Tanto Althea quanto Helene se mexeram para cumprimentar a recém-chegada. Ela era mais alta que Althea, embora a maioria das pessoas fosse, e tinha cabelos pretos curtos rentes ao rosto. Em vez do corte fazê-la parecer um garoto, enfatizava seus traços delicados, os grandes olhos verdes cercados por cílios grossos, as maçãs do rosto altas e a boca carnuda. A pele estava coberta de pó e exibia uma perfeição impecável, à exceção de um sinal desenhado acima do canto da boca que era a única distração. O vestido sedoso e decotado se agarrava a curvas suaves, a cor quase combinando exatamente com os olhos da dona.

Althea olhou para trás e percebeu, pelos cantos curvados dos lábios da mulher, que sua expressão era de divertimento, embora Althea tivesse a impressão de que ela estava acostumada a reações cheias de surpresa de estranhos.

Foi isso que fez Althea perceber que reconhecia a mulher, da mesma forma que letras de músicas esquecidas às vezes ficavam presas na ponta da língua.

— Deveraux Charles — esclareceu a estranha, vendo claramente a hesitação na expressão de Althea. — Tenho certeza de que já viu alguns dos meus filmes, se está tentando se lembrar de onde me conhece.

Althea teve vontade de estalar os dedos e confirmar que sim, mas tinha boas maneiras.

— Srta. Charles — cumprimentou Helene, calorosa, beijando as bochechas da mulher antes de se voltar para Althea. — Ela estava em

Munique gravando um filme para Herr Goebbels, então vocês duas ainda não se conheceram.

— O chanceler Hitler despreza Berlim, sabia? — disse a srta. Charles. — Ele prefere Munique como cenário para suas peças publicitárias.

Helene estalou a língua.

— Odeio quando você as chama assim.

A srta. Charles sorriu e deu de ombros.

— Eu chamo um porco de porco.

Althea fitou as duas senhoras e resolveu escolher uma pergunta neutra.

— Você é americana?

Não era como se a mulher estivesse tentando esconder o sotaque arrastado lírico que evocava imagens das noites de Bayou. *Nova Orleans ou algo assim*, adivinhou Althea, embora nunca tivesse ouvido o sotaque pessoalmente.

— Assim como você — confirmou a srta. Charles. — E, por favor, não siga a formalidade de Helene. — Ela cutucou Helene zombeteiramente. — Pode me chamar de Dev.

— Deveraux é um nome interessante — opinou Althea.

Reparar em nomes que poderia usar para futuros personagens era um hábito.

— Culpe minha tolice aos dezesseis anos por isso — disse Dev, com uma risada. — Achei que soava tragicamente romântico e misterioso. Usei como nome artístico uma vez e não pude mais voltar atrás. Mas fazer o quê? Depois que algo pega, é difícil se livrar.

— A srta. Charles faz parte do mesmo programa cultural que você, querida — informou Helene, como um aparte para Althea. — É uma pena que tenha saído da cidade.

— Munique é tão monótona — lamentou Dev. — Política demais, diversão de menos.

A voz da atriz baixou ao dizer aquela última parte e, embora não entendesse a razão, Althea corou.

— Pensei que o programa era para escritores — comentou Althea com cuidado, sem querer insultar ninguém, mas sem saber o que dizer.

Nunca sabia o que falar perto de gente bonita, resumindo-se a ficar sempre em silêncio.

— Ela não estrela apenas filmes — Helene se apressou em dizer.

— Eu também os escrevo, embora ninguém se lembre dessa parte — esclareceu Dev, soando amarga e resignada. — Quando você é o rosto na frente das câmeras, as pessoas tendem a esquecer todo o resto.

Althea arfou e respondeu:

— Que maravilhoso.

Não que tivesse conhecido muitas pessoas sofisticadas de qualquer tipo, mas uma roteirista de cinema desafiava os limites de sua imaginação. Como devia ser diferente do que ela fazia. Os romances eram tão íntimos que ela passava a maior parte do tempo vivendo na cabeça de seus personagens. Até os diálogos eram fortemente influenciados pelo que Althea queria que eles compartilhassem ou escondessem ou fossem vistos compartilhando ou escondendo.

— Não consigo me imaginar escrevendo um roteiro.

Os olhos de Dev se enrugaram nos cantos com o entusiasmo óbvio de Althea, não de uma maneira cruel ou mordaz, apenas achando divertido.

— É muito mais fácil do que um livro, minha cara, e não deixe ninguém lhe dizer o contrário. Você se sairia bem.

— Ficará em Berlim por um tempo, srta. Charles? — perguntou Helene, acenando para um garçom com uma bandeja de taças de champanhe.

— Sim. Herr Goebbels me concedeu pelo menos um mês para escrever o próximo filme — revelou Dev, pedindo ao garçom que ficasse.

Ela terminou o líquido borbulhante em um longo gole, depositou a taça vazia na bandeja, pegou outra e depois acenou para o homem se afastar.

— Pretendo aproveitar meu tempo aqui. Tenho certeza de que logo me enviarão para a Baviera ou algum outro lugar absurdo.

— A Baviera é muito bonita na primavera, querida — repreendeu Helene.

— Diga isso aos meus peitinhos congelados — disse Dev, virando metade da champanhe.

Althea conteve uma tosse, mas Helene não pareceu surpresa com a linguagem.

Dev piscou para ela.

— Preciso dar a Helene algo com que se preocupar.

— Sem vergonha — murmurou Helene, mas ainda soando indulgente.

Assim como Althea, Dev era uma convidada do Terceiro Reich, posição que, Althea estava percebendo, concedia uma imunidade quase ilimitada dentro dos círculos sociais.

— Srta. Charles, você esteve fora da cidade, mas me diga se ouviu as ameaças.

Algo passou pelos olhos de Dev antes que ela assentisse.

— Quem não ouviu?

— Que ameaças? — perguntou Althea, sem pensar duas vezes.

As mulheres se voltaram para ela com surpresa. Foi Helene quem se recuperou primeiro.

— Diedrich não as mencionou? Terei que conversar com ele.

Althea foi apenas parcialmente bem-sucedida em resistir ao ímpeto de gaguejar uma desculpa qualquer.

— Estivemos bastante ocupados com outras coisas.

Dev jogou a cabeça para trás, rindo, exibindo os contornos do pescoço pálido. Althea desviou o olhar.

— Tenho certeza de que sim — disse Dev, cheia de insinuações, aprofundando ainda mais a humilhação de Althea.

Ela e Diedrich só tinham se beijado uma vez. Às vezes Althea pensava nisso, quando ele descia a mão por suas costas ou entrelaçava os dedos nos dela ou a olhava com um fogo ardente nos olhos... Mas, como um perfeito cavalheiro, ele não fora mais longe.

— Não, isto é, bem, sabe...

Helene acariciou o antebraço de Althea.

— Não se importe com a srta. Charles, querida. Ela gosta de arrancar reações das pessoas. Aposto que Diedrich manteve você ocupada indo a todas aquelas leituras.

Tentar se defender mais certamente terminaria em desastre, então Althea apenas prosseguiu:

— Estavam falando de ameaças?

— Ah, sim — concordou Helene. — Dos comunistas. Agora que nosso querido *Fürher* é chanceler, eles começaram a estocar armas e fazer planos para atingir os honrados cidadãos alemães.

— É mesmo? — perguntou Dev, sem emoção, não parecendo muito assustada com a perspectiva.

Althea apertou a taça com força. Podia admitir que levara uma vida protegida. A coisa mais perigosa que já tivera que enfrentar fora uma tempestade de neve particularmente brutal. E, embora tivesse ouvido falar sobre um aumento da violência nas ruas entre os camisas-pardas e os *hooligans*, como Diedrich os chamava, não havia testemunhado nada. A perspectiva de ser surpreendida por um tumulto a aterrorizava.

A culpa se insinuou. Talvez tenha sido por isso que Diedrich não gostava mais quando ela vagava pela cidade sozinha. Estava apenas tentando mantê-la segura. Ela deveria ter lhe dado mais crédito, em vez de se irritar com a vigilância.

— Nosso lobinho emitiu decretos para fechar essas máquinas de mentiras imundas que eles chamam de jornais — continuou Helene, fungando. — Assim que lidarem com essa corja, tenho esperanças de que ele poderá voltar sua atenção para a arianização de lojas e escolas.

— "Arianização"?

A palavra deixou um gosto estranho na língua de Althea.

— Garantir que os bons trabalhadores alemães não estejam sendo forçados a ir embora por causa daquelas pessoas — explicou Helene, com uma satisfação sombria.

— "Aquelas pessoas"? — perguntou Althea, parecendo um papagaio particularmente lento.

— Os judeus, querida — disse Helene, como se fosse óbvio. — Eles simplesmente tomam, tomam e tomam, e não resta nada para os comerciantes alemães esforçados. Precisamos corrigir o equilíbrio.

— Mas... — Althea podia sentir o rosto se franzir em uma expressão desagradável. — O que você...

Dev a interrompeu:

— Querida, acho que vi Theo Carsters ali. Ele também é um artista residente que faz parte do programa de Goebbels. Já o conheceu?

Confusa, Althea se levantou para dar uma olhada, mas o salão de baile estava cheio demais.

— Não, acredito que não.

— Permita-me, então — ofereceu Dev, antes de abrir um sorriso de desculpas para Helene. — Não se importa se eu roubar Althea, se importa?

— Não, não, misturem-se, queridas. Aproveitem — disse Helene com um aceno ausente e indulgente, sua atenção já nos grupos vizinhos, procurando a próxima figura importante para fisgar.

Assim que estavam fora do alcance dos ouvidos da mulher, Dev se inclinou o bastante para que sua respiração soprasse quente no pescoço de Althea.

— A primeira regra do Reich, querida, é não questionar o Reich.

Althea recuou um pouco, desnorteada pelos últimos minutos.

— O quê?

Dev parou e a observou.

— Há quanto tempo está em Berlim?

— Seis semanas — respondeu Althea, não gostando do calor em seu rosto.

O calor não era agradável como antes, quando ficara presa de uma forma muito diferente sob o olhar dessa mulher. Althea cruzou os braços, na defensiva.

— E você ainda é um bom soldadinho de infantaria para o Reich, certo? — disse Dev, mais para si mesma do que para Althea. — Diga-me, você odeia judeus? Comunistas? Homossexuais?

— O quê? — Althea estava abalada o suficiente para abandonar a compostura. — Claro que não.

— Sabia que nossos anfitriões odeiam?

Althea balançou a cabeça, sem saber o que dizer. Aquilo não podia ser verdade, devia haver alguma nuance que estava escapando a Dev. Nunca ouvira Diedrich dizer algo tão intolerante.

Dev a estudou por um longo minuto, depois pareceu ter tomado uma decisão.

— Vamos fugir do seu vigia?

Ela já tinha encontrado Diedrich, que estava ao lado de oficiais nazistas de uniforme.

— Meu vigia? — questionou Althea.

Ela sempre pensara em Diedrich como seu contato, mas a ideia de *vigia* se estabeleceu em sua mente, parecendo apropriada.

Diedrich se preocupava demais com os detalhes de suas idas e vindas, para onde ia e com quem. Ela havia tolerado aquilo, achando que ele o fazia porque estava preocupado com ela, uma jovem mulher e ingênua em uma cidade grande e desconhecida. Mas será que tinha se precipitado?

— Então vamos? — murmurou Dev, observando de perto o rosto de Althea, que ia tirando suas conclusões. — Agora. — A mulher bateu palmas. — Posso mostrar a você a verdadeira Berlim?

Nova York
Maio de 1944

Viv pegou o trem para Coney Island um dia depois de decidir que veria Hale outra vez, buscando consolo na lembrança de onde conhecera o homem que se tornaria seu marido e o que havia despedaçado seu coração.

Não atrasaria a viagem para falar com Hale com uma desculpa qualquer. Não mesmo.

Quando o condutor do metrô anunciou a parada em Coney Island, Viv se levantou e esperou as portas se abrirem. Já longe da cidade, havia apenas alguns outros passageiros no vagão, e ela foi a única a descer.

O mar, o sal e o cheiro fermentado típico do lixo atingiram primeiro seu nariz e depois sua pele. O vento agitou os cachos soltos até que voassem ao redor do rosto. Viv estava de calça por aquela mesma razão, lembrando-se de uma ou duas vezes em que uma brisa marinha particularmente atrevida levantada sua saia e a forçara a tentar abaixá-la freneticamente, envergonhada, aos risos, despreocupada, jovem.

Deus, eram tão jovens.

O calçadão era um fantasma do que havia sido nos dias em que Viv e os garotos o atravessavam como se fossem donos do lugar. Ela sempre adorou as luzes, a multidão, o passeio na montanha-russa de madeira e os cachorros-quentes da barraca de Nathan, fugir para beijar Hale sob o píer enquanto Edward ria ao longe, cantarolando a marcha nupcial, porque ele sempre fora um arruaceiro.

No verão em que estava com dezesseis anos, Viv notou que seu tio Horace não percebia quando escapava de casa à noite. Normalmente, ele adormecia o mais tardar às oito da noite ao lado de um copo de conhaque pela metade.

Os salões de dança eram sempre divertidos, mas, para Viv, nada superava Coney Island.

De alguma forma, tinha convencido uma amiga a acompanhá-la em uma noite úmida de verão, e foi naquela noite que conheceu Edward Childs e Emmett Hale, que sempre fora chamado pelo sobrenome, sua maneira de honrar o homem que o criara como filho.

Viv e sua amiga, Dot, estavam esperando na fila da Thunderbolt quando Edward saiu da montanha-russa e prontamente vomitou nos sapatos de Viv. Dot gritara, um som estridente semelhante a um pássaro que perturbou Viv mais que o vômito resfriando em seus sapatos de salto.

Para se desculpar, os meninos ofereceram algodão-doce para as duas, e Viv abandonou a fila na hora, encantada pelo rapaz mais alto de cachos escuros caindo com um descuido devastador sobre a testa, cativada pela covinha que surgia na bochecha de Hale — de um lado só e apenas quando ele sorria o bastante, de forma que parecia um segredo.

Edward, por sua vez, encantara Dot. Com seu rosto de bebê, risada fácil e cachos cor de bronze, ele sempre foi um encantador de mulheres. Nunca se apaixonava, mas era rápido em se entregar à luxúria.

Hale, sombrio, misterioso e um pouco perigoso, sempre parecera um homem com algumas garotas à sua espera, mas nunca tinha tempo para namorar, como Viv percebeu naquele verão. O pai adotivo tinha uma loja onde o garoto passava todo o tempo trabalhando, economizando para escapar das incertezas do dia a dia.

Enquanto Edward se ocupava conversando e tentando tirar a saia de Dot do caminho, Hale e Viv se abaixaram sob o píer, brincando de gato e rato entre as estacas de madeira enquanto ele lhe contava uma versão abreviada de sua história de vida.

Nem me lembro do meu último sábado à noite livre antes deste, revelara Hale, mas não como se estivesse reclamando. Ele sorriu, a cabeça baixa como se estivesse contando um segredo, algo que só ela podia espiar. Talvez tenha sido. Viv sabia o que era não ser desejada pela família — como sua vida seria diferente se algum estranho a tivesse aceitado e depois a amado incondicionalmente? Dado a ela um nome, um emprego e uma vida que ela talvez até não quisesse, mas que poderia ao menos apreciar?

E está passando a noite com Edward?, perguntara ela. Viv crescera em meio à riqueza e podia detectar a diferença nas roupas dos meninos, em seus modos, na fala. Edward Childs era claramente do seu universo, já Emmett Hale, não. E, no entanto, os dois tinham o mesmo pai, seus destinos determinados por uma mera aliança de casamento. Aquilo não era uma receita pronta para ressentimentos?

Somos irmãos, respondera Hale, como se fosse simples. E talvez fosse. Viv teria feito qualquer coisa para um irmão ou irmã ter segurado sua mão nos últimos anos. Hale de repente olhou para ela. *Está interessada nele?*

Viv ficara vermelha, não estava acostumada com tamanha franqueza. Tio Horace raramente recebia convidados, e Viv frequentava uma escola para meninas no Upper West Side. Mesmo nos salões de dança para os quais fugia, só encontrara rapazes respeitáveis que falavam sobre os filmes mais recentes e as músicas nas estações de rádio.

Não, dissera ela, tão baixo que as ondas quase afogaram o som. Mas ele ouviu, porque abaixou a cabeça mais uma vez para esconder um sorriso e, em seguida, roçou os dedos nos dela. Um convite que Viv aceitou, entrelaçando os dedos nos dele, tudo em seu peito apertado e incandescente. Passaram o resto do verão em Coney Island, ou pelo menos parecia ter sido assim. Viv também conseguiu ir a outras partes do Brooklyn em alguns dos finais de semana em que o tio tinha compromissos em outros lugares. Hale a arrastara para a rua em um dia insuportavelmente quente de agosto e lhe ensinara a jogar beisebol com os jovens do bairro. Os dois comemoraram quando Viv chegou à primeira base, e depois, sob o jato de um hidrante, Hale a beijara — um beijo com gosto de suor e picolé de uva.

Eles liam um para o outro em escadas de incêndio enquanto o sol se punha a distância, repetindo as falas favoritas; passavam horas à deriva pelo Met, demorando-se na frente das pinturas de que gostavam e pinturas que odiavam. Às vezes, andavam de metrô, quase sempre entrelaçados, alvos de olhares atravessados de matronas e olhares invejosos de meninas chegando à maioridade.

Então, no final do melhor verão da vida de Viv, seu tio Horace morreu.

Aos dezesseis anos, Viv alegou aos funcionários do governo que decidiam seu destino que já tinha idade suficiente para ficar sozinha. Tinha a fortuna dos pais, afinal. Os funcionários a enviaram para um internato em Connecticut.

Nem teve a chance de se despedir de Hale antes de ser colocada em um trem para outro estado.

Viv ainda se encolhia quando lembrava das cartas que enviara a ele, cada vez mais desesperadas, depois sentidas. Aos dezesseis anos, não sabia que não podia se entregar tanto a um menino. Não entendia que palavras bonitas sussurradas como promessas poderiam não ser nada além de mentiras vazias. As meninas eram ensinadas a conquistar meninos, não a se proteger deles.

Sinto sua falta todos os dias, a cada hora, a cada minuto.

Era assim que sempre terminava as cartas, mesmo quando entendeu que ele nunca escreveria uma resposta.

A última fora particularmente humilhante. Se a carta estivesse repleta de uma ira justificada, Viv poderia ter encontrado alguma satisfação com a lembrança. Mas era apenas triste e confusa, ainda completamente apaixonada.

Eu errei em acreditar que falávamos a mesma língua? Que as palavras que usamos significavam o mesmo para nós dois? Que a definição de amor é como um dia ensolarado, tacos de beisebol, as pontas dos seus dedos na minha pele; que a definição de para sempre é infinito?

Você me fez sentir algo que eu nunca tinha sentido e eu dei um nome a isso. Eu chamei de amor.

Suponho que esse tenha sido um erro meu.

Sinto sua falta todos os dias, todas as horas, todos os minutos, e não consigo nem odiá-lo por isso.

Porque a minha definição é a correta.

Tudo o que Viv recebeu em troca foi um silêncio sepulcral. Então enfim percebeu que fora apenas um brinquedo, descartado ao primeiro sinal de inconveniência.

Essas alegrias violentas têm fins violentos, pensara, afundando na tragédia de *Romeu e Julieta* de uma forma que, depois de crescer um pouco, considerava um constrangimento de sua versão mais jovem. Mesmo assim, deve ter sentido que, seja lá o que Hale provocara, era único.

Viv nunca entendera o fascínio das outras meninas por meninos — até Hale.

Edward *escrevera* para ela — coisa que, refletindo a respeito, depois de algum tempo, foi bastante surpreendente. Ele sempre esteve presente nas margens daquele verão, mas só quando enviou suas condolências é que Viv percebeu que se tornariam amigos, mesmo quando ambos estivessem ocupados flertando com outras pessoas.

Viv agradeceu a solidariedade, ele respondeu, e então ela respondeu àquela resposta, e assim por diante até que estava se escrevendo toda semana.

Durante os dois anos em que foi forçada a ficar no internato, Edward se tornou seu melhor amigo. Ele nunca mencionava Hale e ignorava todas as suas tentativas sutis — e não tão sutis — dela de obter informações sobre o jovem, mas falava de todo o resto. Os dois compartilhavam medos e sonhos e histórias embaraçosas e tudo o mais. Era mais fácil colocar tudo aquilo no papel, não importava que ambos só tivessem se conhecido poucos meses antes de começarem a se corresponder.

Aos dezoito anos, Viv voltou à cidade e descobriu que a conversa entre ela e Edward fluía com a mesma facilidade pessoalmente. Encontrara o amor ali, na maneira como ele oferecera sua amizade sem esperar nada em troca. Às vezes, entendia a necessidade de Charlotte de achar que Edward se apaixonara antes de morrer. Viv pensara a mesma coisa mais de uma vez.

Outras vezes, porém, queria gritar que Edward tinha sido amado, e se perguntava por que, para algumas pessoas, isso não era suficiente.

Uma vez, cerca de um ano antes de Edward partir, ele lhe lançara um olhar tão semelhante aos de Hale que Viv precisou esconder um estremecimento.

O que aconteceu entre vocês dois?

Os irmãos ainda conversavam, Viv sabia, e Charlotte também tinha um relacionamento com Hale. Mas Viv entendera o recado perfeitamente aos dezesseis anos.

Uma aventura de verão, respondera dando de ombros com desdém. Como se não tivesse sido nada, como se não a tivesse mudado e despedaçado, exatamente do jeito que, supunha, o primeiro amor devia ser.

Viv tentou imaginar como Hale estaria depois de tanto tempo sem vê-lo. Como será que ele envelhecera? Aos vinte anos, Hale ainda tinha alguma suavidade e traços infantis no maxilar, uma mancha ou duas que maculavam a perfeição do rosto. Agora, já estava com quase trinta anos, e aquelas falhas provavelmente tinham desaparecido. Talvez houvesse algumas rugas no lugar.

O jovem Emmett Hale, lojista e filho ilegítimo, não estaria mais lá.

Em seu lugar estaria o deputado Emmett Hale, político amado e ardente defensor dos cidadãos mais pobres de Nova York.

Será que ele a receberia? Será que teria uma explicação para nunca ter respondido às cartas, ou os dois fingiriam que tudo aquilo nunca acontecera? Agiriam como estranhos, mesmo que as mãos de Viv conhecessem os contornos dele, mesmo que Hale soubesse como era o gosto da sua boca?

Viv gostava de pensar em si como esperta, confiante e sofisticada. Trabalhava para uma organização de guerra importante, andava sempre com as pessoas mais inteligentes do mercado editorial, e lia todos os clássicos e romances literários importantes. No entanto, só de pensar nele, voltou a ser uma jovem de dezesseis anos desconcertada que corou porque um menino queria segurar sua mão.

Um gritinho alegre interrompeu seus pensamentos. Viv se virou e viu duas garotas comemorando perto de uma das atrações, as luzes no alto piscando sem parar.

Viv sorriu para as duas, para aquela alegria quase dolorosa de assistir, mas uma dor como a de músculos cansados depois de uma deliciosa caminhada pela cidade.

Então afastou as próprias lembranças e as guardou de volta na caixa bem trancada onde ficavam. Aquilo era uma guerra. Não havia lugar para sentimentalismo.

Paris
Outubro de 1936

Mesmo que estivesse muito cansada, Hannah fazia questão de sempre frequentar o salão semanal na mansão de Natalie Clifford Barney, na margem esquerda, em frente ao Louvre.

Ela alisou o cardigã lavanda — uma referência para o público daquela festa em particular. *Nenhuma lésbica em Paris deixava de honrar aqueles portões*, lhe informara uma das participantes na primeira sexta-feira à noite para a qual havia sido convidada.

O suéter era útil, mas Hannah torceu o nariz para a lama salpicando a bainha de sua pantalona. Decidira ir direto do trabalho, de bicicleta, o que foi claramente um erro. Não havia o que fazer para remediá-lo.

Não que importasse, de qualquer maneira. Apesar da fama e da posição de prestígio de Natalie na cena literária parisiense, ela não era alguém que se preocupava com ninharias indumentárias. A dramaturga e poetisa se arrumava, sim, todas as sextas-feiras, com conjuntos de brocados pesados que pareciam mais adequados para o século anterior, mas jamais expulsara alguém de sua casa por não estar no seu nível estético.

— Hannah — chamou alguém, assim que ela entrou no corredor, a porta sempre destrancada em noites como aquelas.

Em segundos, Hannah estava de braços dados com uma jovem artista que ostentava com orgulho respingos de tinta na pele. Hannah descascou um ponto azul-cerúleo com a unha enquanto beijava as bochechas de Patrice.

— Pensei que você estava na Grécia.

— Aquele lugar é muito chato — disse Patrice, afastando os longos cabelos loiro-claros do rosto.

Vestindo calça preta e blusa branca, ela parecia a própria Paris: elegante e misteriosa demais para se associar a estrangeiros.

— Sol o tempo todo, mar azul, comida magnífica... Céus, tão mundano. Prefiro a infeliz e miserável Paris. Tome.

Sem pensar, Hannah pegou a taça que ela oferecia e olhou para as bolhas.

— Estamos comemorando alguma coisa?

— Tenho uma exibição na próxima semana — revelou Patrice, passando o braço pela cintura de Hannah e guiando-a pelo interior da casa de Natalie. — Mas, Hannah, Hannah, Hannah... Você está aqui há tempo suficiente para saber que não precisamos de uma desculpa para tomar champanhe.

Concordando em silêncio, Hannah virou metade da taça, e Patrice piscou para ela antes de fazer o mesmo. A mulher não era bonita, mas tinha o tipo de rosto que ganhava vida sob a distorção de uma câmera, traços exagerados que adquiriam um magnetismo impressionante.

— Como está Marie? — perguntou Hannah, examinando a sala.

Em qualquer sexta-feira, não seria incomum ver uma escritora ou poetisa famosa à espreita nas sombras.

— Ah, Marie. Arranjou uma amante.

Patrice se desequilibrou de um jeito meio teatral, apoiando todo o peso em Hannah.

— Sinto muito.

— Ah, não sinta. A amante é muito bonita, ainda que uma beleza provinciana. E terrivelmente boa de cama, fenomenal em obedecer às ordens.

Hannah pegou duas taças contendo um líquido cor-de-rosa da mesinha lateral, e, elas duas se dirigiram à sala de estar principal.

— Então é um caso de tudo está bem quando acaba bem.

— Veremos.

Patrice pegou uma das bebidas rosadas e entregou a taça de champanhe vazia a uma pessoa que Hannah acreditava ser uma poetisa em ascensão, de quem Otto sempre falava em êxtase. Patrice não reparou na exclamação descontente da moça, mas ela era assim mesmo: vivia em um universo próprio.

— A menina é muito boba, depois que você a conhece melhor. Não sei bem quanto tempo vai durar aqui. A cidade a engoliria, se a gente já não estivesse de boca cheia.

Hannah engoliu a piada grosseira, provavelmente porque bebera a champanhe rápido demais e, em vez disso, falou:

— Talvez você ainda se surpreenda com ela.

— Aí eu poderia me apaixonar por ela, não seria terrível?

Patrice suspirou, arrastando Hannah para um sofá capitonê.

— Seria? — perguntou Hannah, pensando em sua conversa com Lucien. — Seria mesmo tão terrível assim?

A própria Natalie salvou Patrice de responder, afundando no assento em frente a Hannah com o pequeno buldogue preto acomodado no colo, que observava as três com seus olhos castanhos.

— Você carrega um coração partido — declarou Natalie, à guisa de saudação.

A expatriada viera dos Estados Unidos para Paris e ainda não perdera todo o sotaque incisivo — ou o comportamento incisivo — dos americanos. Em uma cidade de piscar de olhos acanhados e tímidos, Hannah achava Natalie revigorante. Não significava que Hannah era do tipo que compartilhava as próprias emoções, ainda mais com uma estranha.

— É a melhor maneira de viver Paris, não?

Patrice deu risada e se levantou.

— Não bebi o suficiente para esta conversa. Boa sorte.

Natalie estreitou os olhos para Hannah, ignorando a partida de Patrice.

— Não acha que é melhor estar apaixonada na Cidade Luz?

Hannah deu de ombros, ponderando como conseguira se meter em tantas discussões filosóficas sobre um assunto que vinha evitando tanto nos últimos três anos. *Deve ser culpa de Paris*, pensou.

— Se a pessoa for turista, talvez. Ou se for criança.

— Você não é criança há algum tempo, imagino.

— Não — concordou Hannah, baixinho. — A gente só se apaixona assim uma vez... e depois passa a amar com o coração despedaçado para sempre. Por mais curado que esteja.

— Que horror — proclamou Natalie, o cachorro choramingando em seu colo enquanto ela gesticulava, afetada.

Natalie era tão chegada a dramas quanto Otto.

— Ou realista — rebateu Hannah. — Você nunca sofreu por amor?

— Talvez — insinuou Natalie, voltando a acariciar a cabeça do cachorro enquanto observava Hannah, pensativa. — Já ouviu falar da arte do *kintsugi*?

Hannah balançou a cabeça.

— No Japão, quando um pedaço de cerâmica se quebra, as peças são posicionadas de volta no lugar, e as rachaduras são preenchidas com ouro. Dessa forma, o objeto quebrado fica ainda mais bonito do que o original.

— Poético — comentou Hannah, falando devagar para esconder o tremor que do contrário poderia ter escapado de sua voz.

Havia algo mágico na ideia, mas não correspondia à sua realidade. Qualquer ouro que usasse nas fissuras de seu coração seria falso e frágil e lascaria com o menor dos problemas.

Mas Natalie não hesitou.

— Acha que a poesia e a vida não podem existir em harmonia?

Hannah pensou no rosto machucado de Adam sentado diante dela na sala de visitas do campo de concentração, depois nas lágrimas de Althea e no pedido de desculpas inútil.

— Não.

— Que jeito triste de levar a vida, minha querida — disse Natalie, com sua honestidade brutal. — Viver é mais do que sobreviver. Achei que você saberia disso.

— Por quê? — perguntou Hannah, curiosa por aquela mulher saber algo mais do que seu nome.

— Você não trabalha para aquela biblioteca em Montparnasse?

— Trabalho — concordou Hannah, hesitante, já antevendo a armadilha.

— Não é poético que ela exista só para salvar uma cultura da aniquilação total? Sua pequena biblioteca não é um ponto de luz simbólico para o mundo, mostrando que as palavras são mais poderosas do que as armas?

— Pensando assim... — admitiu Hannah com um leve sorriso, se retirando da discussão.

Natalie tinha razão. Hannah sabia que só estava sendo teimosa. Mas era assim que ela ficava quando alguém cutucava suas feridas. E o que era seu coração, senão uma ferida aberta?

— Tenho sempre razão, minha querida — concordou Natalie, com um aceno de cabeça imperioso para mostrar que não guardava rancor. — Agora me conte sobre esse seu grande amor, o que implantou essa sabedoria em seus olhos.

Hannah balançou a cabeça.

— Não foi uma mulher que fez isso — disse, omitindo. — Foi um país.

Natalie levantou seu copo de xerez em um brinde.

— É a mesma coisa, minha cara. A mesma coisa.

HANNAH FICOU na festa de Natalie até tarde e bebeu demais. Quando chegou em casa, quase engatinhou pelas escadas até seu apartamento de um quarto — um pequeno cômodo no último andar de um imóvel em uma rua tranquila no quinto *arrondissement*, não muito distante do Jardim de Luxemburgo.

Seus pais haviam se estabelecido no campo, mas Hannah ansiava pela liberdade da vida na cidade e podia pagar o aluguel com a pequena mesada que o pai mandava todo mês.

Considerando o salário miserável da biblioteca, precisava daquele dinheiro. Era ótimo que todos os funcionários do lugar encontrassem satisfação naquele trabalho, caso contrário a biblioteca teria sérias dificuldades em mantê-los.

Mademoiselle Brigitte Blanchett parou Hannah no meio do caminho até as escadas. A proprietária era uma mulher de busto grande, buço escuro e a determinação de aço de alguém que já testemunhara um bocado de escândalos na vida. Pelas poucas pistas que Brigitte dava, Hannah suspeitava que a mulher ganhara a vida trabalhando em um bordel e depois o administrando.

— Correspondência — ladrou Brigitte, em francês.

Ao que tudo indicava, a proprietária presumia, ainda que corretamente, que o vocabulário de Hannah era limitado, então resumia suas tentativas de comunicação a frases de poucas palavras.

— *Merci.*

Hannah pegou os dois envelopes fingindo não notar o olhar intrometido de Brigitte. A senhoria queria que ela abrisse as cartas diante dela, já que não lhe fornecia entretenimento suficiente, coisa que deixara bem claro inúmeras vezes.

— *Bonne nuit.*

Brigitte a olhou atravessado, os peitos grandes sob o vestido de seda, mas Hannah a ignorou e saiu se arrastando até o apartamento.

Ela tocou na mezuzá pendurada ao lado da porta, uma adição recente. Apesar da inclinação mais secular, os pais também tinham uma, os versículos hebraicos da Torá cuidadosamente inseridos no invólucro de madeira. Sua família não dava muita atenção à própria mezuzá; era apenas um hábito que para eles mais se assemelhava a um amuleto de boa sorte do que uma bênção sagrada.

É um atestado, não é?, dissera uma de suas amigas da biblioteca, ao saber que Hannah não tinha uma. *Indica que ali mora uma família judaica. E é um símbolo que decidimos colocar em nós mesmos.*

Aquela ideia desencadeara alguma coisa nela. Hannah pensara em todas as maneiras pelas quais a Alemanha marcava seus cidadãos judeus para que se sentissem *menores*. Os papéis, os registros, os grafites nas vitrines das lojas assinalando serem de propriedade judaica.

Havia poder em se apropriar — deliberada e alegremente — de uma parte sua que os outros queriam que você odiasse. Hannah temia chegar um momento em que a mezuzá seria usada contra ela e outros judeus, mas, por enquanto, era mais uma forma de assumir a própria humanidade.

Aquela *era* uma casa judaica.

Quando finalmente entrou, Hannah desabou na cama e no abraço suave da colcha amarela da avó, o único toque de cor em um apartamento um tanto monótono. Ela se recostou na parede, sentada, e abraçou os joelhos, segurando os dois envelopes.

Hannah mordeu o lábio quando tocou no endereço do remetente do primeiro.

Owl's Head, Maine.

Ao ver a caligrafia dolorosamente familiar, seus olhos arderam, embora ela não chorasse. Nunca.

Hannah odiava ter pensado tanto naquela mulher nos últimos dias. Tinha melhorado nos últimos meses, a dor tinha reduzido até ser pequena o suficiente para carregar.

Também não era como se conseguisse passar semanas sem se lembrar do que acontecera antes de fugir da Alemanha com sua família — ainda mais porque as consequências foram tão dolorosas. Mas, recentemente e com cada vez mais frequência, conseguia descartar a lembrança de Althea, afastando-a para um canto escuro que não precisava olhar, não precisava sufocar sob o peso esmagador da traição.

Hannah jogou a carta de lado sem abri-la. Mais tarde a guardaria na caixa que mantinha sob a tábua solta do chão do closet, a mesma que continha todas as cartas que recebera e nunca abrira. A que continha aquela preciosa edição de *Alice no País das Maravilhas* com gatos rabiscados na primeira página.

Hannah voltou a atenção para o segundo envelope. Reconheceu a caligrafia tão rápido quanto a da carta anterior e a segurou junto à testa por um longo momento enquanto tentava recuperar o fôlego.

Quando finalmente se forçou a abrir a maldita missiva, Hannah percebeu que as bochechas estavam molhadas.

— Sua boba — murmurou para si mesma, enxugando as lágrimas.

A mensagem era exatamente o que esperava e, por sorte, não o que temia.

Tive notícias de Adam hoje. Mal, mas ainda vivo. Nenhum progresso no julgamento.

Mando atualizações se algo mudar.

Sabia que a assinatura desleixada no final era de Johann Bauer, que tentava escrever para ela e para os seus pais pelo menos uma vez a cada poucas semanas com atualizações sobre o caso de Adam. Seu irmão estava preso em um campo de concentração a norte de Berlim havia três anos. Era um prisioneiro político e Hannah esperava pela notícia da execução todos os dias desde sua prisão.

Sua única chance era que Johann, um dos poucos amigos que permaneceram leais à família depois do que aconteceu com Adam, mexesse os poucos pauzinhos que ainda conseguia no governo. E ele era o primeiro a admitir que, como um advogado que fizera a maioria de suas conexões sob o regime anterior, não tinha muitos aliados na cidade.

Johann prometera que ainda havia esperança. Os pais de Hannah acreditaram na mentira.

Entretanto, na escuridão da noite, Hannah sabia que não havia esperança.

Sob o regime do Terceiro Reich, a esperança era só uma arma.

Berlim
Fevereiro de 1933

Um carro particular esperava por Deveraux Charles na saída da casa de Helene Bechstein.

— Quando você é o animalzinho de estimação favorito, ganha uma gaiola dourada — comentou Dev, notando os olhos arregalados de Althea.

— Você não gosta dos nazistas — constatou Althea, quando as duas se acomodaram no banco de trás acolchoado do veículo.

Dev deu uma olhada rápida para o motorista.

— Eu estou brincando, querida.

Althea entendeu a deixa e se manteve calada pelo resto do trajeto. Não sabia para onde estavam indo, mas percebeu que não se importava. Seu corpo vibrava com uma emoção que não sentia desde as primeiras semanas com Diedrich, explorando uma nova cidade. Seu ressentimento pelas restrições adquiriu uma nova camada.

Seu vigia.

Quase em desespero, Althea tentou analisar o que sabia sobre o Partido Nacional-Socialista dos Trabalhadores Alemães. A maioria das pessoas que encontrara nos campi universitários falava do partido com um arrebatamento fervoroso alinhado às estatísticas muito citadas por Diedrich sobre as preferências de voto dos jovens. Os comunistas que Althea conhecera claramente não gostavam do partido, mas será que ela se importava com o que pensavam? Ainda mais quando estavam tentando incitar uma guerra civil no país? E claramente preparados para recorrer a táticas terroristas?

Pelo visto, todo mundo tinha opiniões fortes sobre política. Althea às vezes desejava poder simplesmente ignorar tudo, mas estava cada vez mais claro que era quase impossível. Existiam lados bem definidos a escolher, e por que não apoiaria seus anfitriões?

Gostava de Diedrich, gostava sobretudo quando ele segurava sua mão e sorria como se ela fosse a pessoa mais encantadora que ele já conhecera. Sim, o homem às vezes podia ser arrogante, quase militante, quando se tratava de seu partido e de suas crenças, mas os comunistas com quem Althea conversara também eram.

Não conhecia Deveraux, mas por algum motivo também gostava dela. Dev não dissera que era comunista, mas Althea percebera quase imediatamente que a mulher não confiava no partido político que a estava hospedando.

A cabeça de Althea disparava ao observar pela janela as luzes néon borradas no distrito dos teatros. O problema não seria resolvido naquela noite. Por enquanto, bastava desfrutar de tudo o que Dev tivesse reservado para ela.

O carro as deixou em frente a um clube na Marburger Strasse. *Chez Ma Belle Sœur*, dizia a placa acima da porta.

— "Minha linda irmã" — traduziu Dev, apoiando o queixo sobre o ombro de Althea.

— Francês? — perguntou Althea, nervosa, passando a mão no cabelo, um castanho sem graça em comparação às madeixas elegantes de Dev. Pelo menos não tinha tentado fazer um penteado muito elaborado, apenas prendera a frente e tentara domar o restante em ondas suaves.

Dev correu para a entrada, lançando uma piscadela por cima do ombro.

— Como todo bom cabaré.

"Decadência" foi a única palavra em que Althea conseguiu pensar ao entrar na boate. A decoração tinha um toque de afrescos gregos, mas era a atmosfera, não a tinta nas paredes, que tornava o lugar sobrenatural.

Althea ficara impressionada com a beleza de Dev, mas a atriz e roteirista era só mais uma entre as mulheres de pé no bar ou sentadas ao redor de mesas e cabines pelo salão. Os homens eram igualmente deslumbrantes, e Althea nunca se sentira tão desinteressante.

Alguns estavam com a atenção fixa no palco do lado oposto, onde mulheres em *lederhosen* curtas, as calças de couro alemãs, levantavam as pernas como as Rockettes, mas muitos outros conversavam, fumavam, riam, cantavam as próprias versões do que a banda estava tocando.

O barulho, a música, a fumaça, as belas mulheres, os belos homens — tudo impressionou Althea, até a realidade ficar um pouco embaçada e ela se apoiar em Dev, que acariciou seu rosto e a equilibrou.

— A verdadeira Berlim — sussurrou Dev.

Então começou a apresentá-la grupo após grupo. Dev parecia conhecer todo mundo, e todos a amavam. A estrela mais brilhante de uma constelação de estrelas brilhantes.

No entanto, algumas pessoas pareceram muito interessadas em Althea, uma peculiaridade com a qual ela ainda não estava acostumada.

— Você é escritora! — diziam, arfando. — Conte para nós quem você conhece.

— Bom, vocês já devem ter ouvido falar dela — respondeu Althea a uma mulher particularmente intrometida. — Deveraux Charles, uma dramaturga promissora de talento monumental.

Todos riram. Dev piscou para ela, e Althea se sentiu tonta e embriagada pela atenção.

— Soube do Eldorado? — perguntou um homem a Dev, que separou os lábios em uma expressão de desalento.

— Não me diga — choramingou ela.

— Ludwig o entregou aos brutos da *Sturmabteilung*.

O homem, cujo nome Althea pensou ser Peter, balançou a cabeça com tristeza.

— Estão usando o lugar como sede agora.

— Que sacrilégio! Pobre Ludwig, ele não teve escolha.

— Não com tantas medidas repressivas — concordou Peter. — Ele estava fadado à prisão.

Dev se voltou para Althea.

— Eldorado era *o* cabaré para pessoas que gostam da companhia de... — Peter e Dev trocaram olhares quando ela hesitou, antes de continuar: — Bom, era *o* melhor clube. Que triste.

— Que medidas repressivas? — perguntou Althea, confusa como uma criança implorando por informações dos adultos.

— Eu explico mais tarde — prometeu Dev.

Em seguida, foram conversar com outro grupo, lamentando os toques de recolher, o fechamento de clubes e a falta de café nas lojas. Althea absorveu tudo e pensou: SA.

Sturmabteilung. O Destacamento Tempestade, as tropas de assalto.

Era o nome mais formal para os camisas-pardas — onipresentes nas ruas. Havia também os SS, ou camisas-negras, que agiam mais como guarda-costas de Hitler e seus funcionários do alto escalão. Mas era a SA que Althea mais via.

Por que estariam reprimindo os cabarés?

Corrompidos, lembrou Althea enquanto examinava a multidão ao redor. Homens usando maquiagem, mulheres de cabelo curto e liso usando ternos. Mulheres de mãos dadas com outras mulheres, homens fazendo o mesmo com outros homens. Tentou imaginar o que Diedrich teria a dizer sobre as demonstrações de afeto. Ele não falava muito sobre o assunto, mas Althea sabia, instintivamente, que era a quem ele estava se referindo quando cuspiu aquela palavra como se fosse uma sujeira na língua.

Seu vigia.

A primeira regra do Reich é: não questione o Reich.

Corrompidos. Althea podia não saber muito sobre o mundo, mas sabia que nunca usaria um termo tão odioso.

Será que entendera tudo errado?

Perdeu a noção do tempo observando as dançarinas no palco. Parecia haver um mestre de cerimônias que aparecia para contar piadas entre os pequenos atos.

— *Heil*... droga, esqueci o nome — gritou o apresentador, em meio aos uivos e às zombarias desordeiras. Em dado momento, ele levou para o palco fotos emolduradas de Hitler, Goebbels e alguns outros homens que Althea não reconheceu. — Agora — disse a uma plateia extasiada, que parecia desesperada pela piada que viria após os retratos —, devo pendurá-los ou enfileirá-los no paredão?

O rugido de aprovação se espalhou em ondas e afetou até quem não estava prestando atenção.

— Já ouviram falar sobre como deve ser a nova raça superior, não? — indagou o homem à multidão encantada.

O público gritava, e ele assentiu como se na verdade tivessem dito algo inteligível.

— Magro como Göring, loiro como Hitler e alto como Goebbels.

O homem que conversava com Dev balançou a cabeça.

— É bom ele ter cuidado. Se continuar assim, em breve receberá uma visita não muito amistosa de Göring.

— Os nazistas adoram, não se deixe enganar — garantiu Dev, fazendo um gesto afirmativo diante da expressão cética do homem. — Acho que eles encaram como uma válvula de escape. Críticas inofensivas que deixam as pessoas desabafarem. Por enquanto, pelo menos — acrescentou, dando de ombros.

— Você é quem deve saber imagino — rebateu o homem, sombriamente. — Mas não vão tolerar por muito tempo.

Uma hora depois, Dev deu um gritinho.

— Ah!

No instante seguinte, segurou Althea pelo pulso e a puxou até uma mesa um pouco para a lateral, longe da área principal do salão.

— Querida, há quanto tempo — disse Dev, cumprimentando mulher que se levantou quando viu que ela se aproximava.

— É o que acontece quando te escondem em Munique — respondeu a mulher, beijando Dev no rosto.

Como o resto do público, ela era quase atraente demais para olhar. Os cachos escuros estavam presos para trás, revelando traços marcantes: maçãs do rosto proeminentes, olhos grandes e lábios macios envolvendo um cigarro fino. Ela soltou a fumaça e observou Althea, que a encarava.

Com o pescoço quente, Althea desviou o olhar, mas, sem poder se conter, logo voltou a encarar. Não havia nada de provocativo nas roupas da mulher, que usava um vestido preto de cintura apertada e um decote marcado destacando clavículas bem definidas. No entanto, usava o vestido como se quisesse que alguém o arrancasse de seu corpo.

Althea mudou o foco depressa para o acompanhante da desconhecida. Era igualmente belo, embora Althea hesitasse em chamar um homem assim. Não havia, porém, palavra melhor para defini-lo. Parecia o retrato de um poema de Byron. Varrido pelo vento e romântico até no fundo de um cabaré esfumaçado em Berlim.

Ele sorriu para Dev.

— Graças a Deus você voltou. Berlim estava terrivelmente chata sem você.

— Você com certeza encontrou com o que se entreter — disparou Dev, dando uma de suas piscadelas maliciosas. Então se virou para incluir Althea na conversa: — Meus queridos, esta é a srta. Althea James. Ela é uma escritora americana inteligente até demais.

Althea corou com a apresentação, mas assentiu, murmurando um tímido "olá" para a dupla.

— Este patife, que claramente não tem boas maneiras nem para se levantar ao cumprimentar uma dama...

— Ah, por favor, me avise quando houver uma por perto, que eu me levanto — interrompeu o jovem com um sorriso atrevido.

— Bem... este é Otto Koch — continuou Dev, como se ele não tivesse dito nada. — Um dos melhores atores que a Alemanha já viu.

Otto por fim se levantou e fez uma reverência dramática. Então levou a mão de Althea à boca, roçando os lábios nos dedos.

— É um prazer.

Dev empurrou o ombro dele.

— E esta — continuou, com um aceno em direção à mulher — é Hannah Brecht.

Nova York
Maio de 1944

Apesar de ter se encaminhado direto de Coney Island para o escritório em ruínas do amado representante do Brooklyn, Emmett Hale, Viv não conseguia entrar no prédio. Ficou na frente do estabelecimento por tanto tempo, andando de um lado para o outro, que começara a chamar a atenção dos velhos jogando damas no final do quarteirão.

Sabia que as pessoas da região protegiam Hale. A forma mais rápida de acabar em apuros era dizer algo pejorativo sobre o legislador. Viv tentou abrir um sorriso tranquilizador para os homens, mas pareceu surtir o efeito oposto. Um deles se levantou, de olhos semicerrados, e aquilo foi o bastante para fazê-la subir o primeiro degrau para a entrada do prédio.

A porta do escritório de Hale se abriu antes mesmo de Viv levantar a mão para bater.

— Estava me perguntando se você ficaria lá fora o dia todo.

A boca de Viv ficou seca, e o coração bateu forte ao ver Hale. Ele se apoiou descuidadamente na porta. Usava uma camisa com o colete cor de carvão aberto por cima e uma calça lisa do mesmo tom cobrindo as coxas musculosas. Aquele cacho devastador e escuro pairava sobre a testa. Hale sorriu, um clarão de dentes brancos e risos às custas dela.

— Eu estava me perguntando se pegaria tuberculose só de entrar no seu escritório — revidou Viv, insegura, mas determinada a esconder qualquer pitada de dúvida. Era só fingir bem o bastante...

Embora Viv fosse uma mulher alta, Hale a superava em muito, o que ficou ainda mais evidente naquele momento, enquanto ele endireitava as costas e ostentava toda a sua altura, os ombros largos fazendo-a se sentir incrivelmente pequena.

Hale desceu o olhar para a mão nua de Viv antes de encará-la nos olhos. Os dele eram uma mistura de verde, dourado e azul que nunca se decidiam por uma única cor.

— Olá, irmã.

Viv abriu um sorriso para evitar torcer o nariz.

— Irmão querido — devolveu, com a mesma doçura. — Você me parece muito vivo.

Devido a algumas menções veladas de Charlotte, Viv sabia que, para Hale, ter perdido o irmão ainda jovem para uma morte tão trágica e não ter morrido também era uma ferida aberta em seu coração.

Por alguns instantes, o sorriso de Hale quase se desfez, mas depois se alargou ainda mais. Ele apontou para o céu.

— É a falta de bombas que faz isso.

— Sim, imagino que seja útil.

— Por mais divertido que esse reencontro seja...

Viv respirou fundo e expirou, cravando as unhas nas palmas das mãos.

— Preciso de um favor.

— Eu imaginei. Ao contrário do que pode acreditar, não sou um idiota — disse Hale, embora não houvesse raiva em sua voz.

Aquela era uma das coisas que Viv mais gostava nele: o homem era imperturbável. Contudo, naquele momento, quando queria tirá-lo do sério, essa qualidade era irritante.

— O que mais faria a sra. Childs mendigar? — Ele ergueu a mão. — Não me diga, deixe-me adivinhar.

Hale inclinou a cabeça e a estudou de perto por um minuto desconfortavelmente longo e, em seguida, estalou os dedos.

— Já sei. — Ele gesticulou como se fosse um daqueles videntes do calçadão de Coney Island. — A Lei de Voto do Soldado e um certo senador cujo nome não devemos mencionar.

Viv sentiu um calor invadir o peito só de pensar que Hale se mantinha informado sobre ela, mas o ignorou, irritada. Aquilo já tinha sido um jogo entre os dois, quase uma dança. Naquele momento, o vaivém só irritava sua pele já em carne viva.

— Dane-se — disse Viv, dando meia-volta.

Deveria haver outra maneira.

Mas sentiu dedos quentes envolvendo seu pulso, impedindo-a de se afastar.

— Ah, Viv, você era mais divertida.

— E você sabia notar quando eu estava falando sério.

Ela o encarou nos olhos, e finalmente — meu Deus, finalmente — a graça pareceu ter acabado para ele.

— Meu Deus! — Hale suspirou, puxando o relógio de bolso prata que ela sabia ser o único pertence que Hale mantinha de Theodore Childs. — Tenho dez minutos. *Mas só isso.*

— É tudo o que eu preciso — prometeu Viv, passando por ele para entrar.

Apesar de implicar com Hale pelo estado do lugar, o escritório estava limpo, organizado e arrumado, embora fosse pequeno. Ela dificilmente poderia culpá-lo por aquilo. Hale recusara todo o dinheiro que Edward tinha oferecido para ajudar a financiar sua campanha quando começou a concorrer ao Congresso.

Hale ocupava uma mesa robusta em um escritório sem frescuras. Um desenho infantil ficava pendurado na parede atrás dele, que parecia ter vindo de um jovem eleitor, e algumas fotografias emolduradas com membros da comunidade. Mas qualquer indício de decoração parava aí.

Viv sabia que era uma imagem que Hale cultivava — um homem do povo.

Também sabia que era uma imagem real. Às vezes, talvez raramente, mas às vezes, era possível ser ambas as coisas: um homem do povo e um político.

— Você tinha razão, é claro, sobre por que estou aqui.

Mas Hale não aproveitou a deixa, como teria feito alguns minutos antes, respondendo algo como "Eu sempre tenho razão".

— A Edições das Forças Armadas foi pega na Lei de Voto do Soldado — comentou Hale, sério e ponderado. — Tentei convencer alguns dos meus colegas a se pronunciarem, mas...

Era raro Viv se surpreender, mas aquela revelação foi suficiente.

— Você lutou por nós?

— Pelo projeto — corrigiu Hale, com as rugas despontando no cantos dos olhos. — Você não é a única que recebe cartas pedindo mais livros.

— Bom, então você sabe a importância do projeto.

— Eu disse que tentei.

Hale abriu o relógio em um gesto distraído, fechando-o de volta sem sequer registrar que horas eram.

Viv mordeu o lábio, tentando conter as palavras que sabia que arderiam como sal nas feridas dele. O mais perigoso em conhecer bem uma pessoa era saber muito bem como machucá-la. E, mesmo depois de oito anos de silêncio, Viv ainda acreditava que o conhecia muito bem.

— Então você não se esforçou o suficiente.

Um músculo na mandíbula de Hale se contraiu.

— Não diga uma coisa dessas. Você não sabe de tudo, Viv.

— Não sei? — bradou ela de volta, ofendida. — Sei que você não pode nem imaginar o que é estar lá com nada além de meias encharcadas e a promessa constante de morte. Você não tem ideia do que é ser responsável pela vida de outros homens.

O comentário fez Hale respirar fundo, como se soubesse que um dos dois precisava segurar as rédeas da conversa antes que acabassem ensanguentados e dilacerados no chão. Ela quase podia ouvir o "E você por acaso sabe?" no silêncio súbito que se seguiu, mas Hale conseguiu guardar o comentário para si.

— Qual é o plano?

A voz dele estava calma outra vez; Hale parecia reconhecer que ambos precisavam deixar um pouco de veneno sair antes que pudessem levar uma conversa razoável.

— Estou organizando um grande evento para tentar fazer Taft mudar de ideia sobre a emenda — explicou Viv, revelando seu jogo com toda a confiança que pelo menos fingia ter.

— Envergonhá-lo publicamente, quer dizer.

— Se for preciso — disse Viv, dando de ombros.

— Viv, nós debatemos esse projeto de lei por quase um ano. Taft não vai ceder depois de uma conversa de uma hora com alguns bibliotecários.

Viv jogou os ombros para trás e endireitou o corpo. Era magra, alta e havia sido criada para saber como reagir bem a uma reprovação só com a postura.

— Entendo.

Ela começou a se levantar. Hale bufou, frustrado, e estendeu a mão.

— Viv, não quis dizer isso.

— Ah, é? — perguntou ela, com a voz gélida. — De que outra forma, que não desdém, eu deveria interpretar o comentário: *uma conversa de uma hora com alguns bibliotecários*?

— Eu sou um idiota, me desculpe — disse ele, passando a mão no cabelo. — Estava só tentando ser petulante para reforçar meu ponto de vista, mas fui descuidado. Sei que isso é importante.

Surpresa, Viv se sentou de volta. Conhecia e trabalhava com muitos homens e só poderia citar um punhado que se desculparia com tanta facilidade e sinceridade.

— Tudo bem — respondeu ela, hesitante.

— Então, o que exatamente você está me pedindo para fazer?

Era a hora da parte difícil.

— Primeiro preciso de pressão suficiente por parte dos colegas do senador para que ele participe do evento, e depois que não vá embora quando perceber o que está acontecendo.

Hale soltou um assovio baixo e demorado.

— Taft não vai aceitar ser humilhado em público. Mesmo que constrangido até aceitar anular a lei, ele dará um jeito de retaliar.

Viv olhou para as mãos. Era impossível garantir que Taft não descarregaria sua raiva em alguém que apoiasse aquela ideia maluca. Ambos sabiam disso.

— Qual é seu livro favorito? — perguntou ela, em vez de continuar dando murro em ponta de faca.

Viv nunca perguntara aquilo a Hale — já quisera muito perguntar, mas se contivera milhares de vezes. Não queria se decepcionar.

— E dá para escolher um?

— Não seja político — repreendeu Viv, relaxando pela primeira vez desde que pisara na calçada do lado de fora do escritório.

Hale riu, se recostando na cadeira e cruzando os dedos atrás do pescoço enquanto a observava.

— Devo responder então o que respondo a todo mundo? Ou o meu favorito de verdade?

— Acho que sabe a resposta para essa pergunta. Mas agora quero saber os dois.

— O que eu recebo em troca? — perguntou Hale.

Viv sentiu a respiração presa na garganta e um nervosismo repentino.

— O que você quer?

A atenção total de Hale recaiu sobre ela como uma colcha pesada no verão. Não indesejada, mas também não exatamente bem-vinda. Viv fez um esforço para não se mexer sob aquele olhar.

— Quero uma resposta — disse Hale, por fim.

— A que pergunta?

— Ainda não decidi.

Os olhos dele estavam enevoados.

Por que você e Edward se casaram?

As palavras soaram altas, como se ele de fato tivesse dado voz à pergunta.

Viv sabia que era isso que Hale queria perguntar, mesmo que nunca o fizesse. Ainda assim, sempre poderia mentir quando pressionada.

— Tudo bem.

Hale estendeu a palma da mão para ela.

— Aperte.

Viv zombou, mas inclinou-se até encaixar a mão na dele. Quando deram o aperto de mão, não houve faíscas, nem eletricidade. Até os fantasmas daqueles frios na barriga tinham sido exorcizados. Viv recuou o braço, sem saber se estava satisfeita ou desapontada, mas não tinha disposição para pensar em nenhuma das hipóteses.

— Eu digo à maioria das pessoas que é *Ratos e homens* — revelou Hale, assim que baixaram os braços.

— Steinbeck — observou Viv com um aceno de cabeça. — *Ratos* não foi escolhido como um EFA, mas *Boêmios errantes* já foi um dos nossos livros.

— Esse eu não li — confessou Hale, mas não na defensiva, como alguns homens ficavam quando ela citava títulos de romance.

— Quase um Camelot na Califórnia, com um alegre bando de cavaleiros — explicou. — Gostei bastante.

— Isso descreve o que senti sobre *Ratos*.

— De fato, não é lá uma das histórias mais edificante — concordou Viv. — E qual é seu verdadeiro favorito?

— *Dom Quixote*. Ou, mais precisamente, *O engenhoso cavaleiro Dom Quixote de La Mancha*.

A resposta a surpreendeu a ponto de ela quase sorrir.

— Uma alma romântica. Eu deveria ter adivinhado.

Hale cantarolou, concordando com um sorriso à espreita sob a expressão franca. Satisfeito por Viv ter se lembrado daquilo, ela supôs. Em vez de reconhecer o passado compartilhado entre os dois, Viv encontrou uma oportunidade de reforçar seu raciocínio.

— Não concorda com Cervantes, então?

Ele hesitou, obviamente para pensar, e citou:

— "Quando a própria vida parece louca, quem sabe onde está a loucura? Talvez o excesso de sanidade seja a loucura, e a maior loucura de todas: ver a vida como ela é, e não como deveria ser!"

— Bravo.

— E é por isso que não digo às pessoas que é o meu favorito — explicou Hale, quase achando graça. — Seria usado descaradamente contra mim. — Ele fez uma pausa, se debruçando mais uma vez para retratar o congressista sincero que era. — Eu nunca disse que não respeito seus esforços, Viv. Mas temo que você tenha tanto sucesso lutando contra Taft quanto Quixote teve investindo contra moinhos de vento.

— Então devemos simplesmente desistir? — perguntou Viv, repelindo a ideia. — Você não quer ver a vida como deveria ser, em vez de como ela é?

— Eu sou um político, não um cavaleiro errante.

— E eu acho que nosso mundo seria um pouco melhor com mais do último e menos do primeiro.

Hale a observou por algum tempo.

— Você ficou bem esperta, não?

Aquilo foi dito como um elogio.

— Isso significa que concorda em ajudar?

— Não posso garantir nada. Eu estou na Câmara, ele está no Senado.

— Mas sua popularidade é extraordinária. As pessoas querem apoiar você, elas sabem que você está crescendo. Garantirei que também haja pressão pública sobre ele. Só estou pedindo que cutuque seus colegas para Taft não ignorar o que vamos fazer.

— Quanto mais legisladores, melhor — ponderou Hale. — Como eu disse, vou tentar.

Hale ia dizer mais alguma coisa, mas fechou a boca, parecendo ter pensado duas vezes.

— O quê? — insistiu Viv, porque nunca conseguia se limitar a coisas simples quando se tratava dele.

— Você sabe que só fazer com que ele participe não é suficiente — cedeu Hale, parecendo cauteloso.

— Sim, obrigada, eu já tinha reparado.

Hale levantou as mãos.

— Só estou dizendo que Taft é teimoso como uma mula. Ele não vai cair fácil.

— Não me importo com Taft — disse Viv, cada palavra vulnerável dando nós em seu estômago.

Não queria a opinião ou o julgamento de Hale, e ainda assim ansiava desesperadamente por sua aprovação para o plano. Não porque um dia tivesse se importado com a opinião dele mais do que com todas as outras, mas porque Hale ganhara em seu distrito com setenta por cento dos votos. Ele entendia de política, e o plano dela *era* político.

— Eu me importo com os eleitores dele. Eu me importo com todos os eleitores, na verdade. No fim das contas, não estarei de fato tentando fazer Taft mudar de ideia. Estarei tentando garantir que outros legisladores saibam como essa questão é venenosa e façam alguma coisa para mudá-la.

— E, para que façam isso, você vai atiçar os eleitores dele — resumiu Hale, assentindo em aprovação. — Devo advertir, porém, que as pessoas estão nas últimas quando se trata de se preocuparem com... bom... com qualquer coisa além de sobreviver.

— Eu sei — respondeu Viv, porque também estava exausta.

Os últimos anos tinham sido sombrios, e as mortes, o racionamento e o desespero geral que acompanhavam a vida durante uma guerra cobraram um preço de todos.

— Mas, Hale, você sabe melhor do que ninguém que as pessoas amam uma boa história. Só preciso encontrar o jeito certo de contar a minha.

Berlim
Fevereiro de 1933

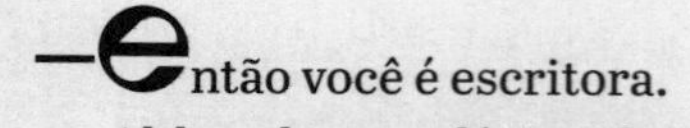

— Então você é escritora.

Althea deteve o lápis sobre o papel ao reconhecer a voz, apesar de tê-la ouvido apenas uma vez.

Hannah Brecht.

Uma semana se passara desde o primeiro encontro naquele cabaré, embora não tivesse passado de uma rápida saudação antes de Dev arrastar Althea para o próximo grupo. Conhecera tanta gente naquela noite que a maioria havia se misturado em uma lembrança nebulosa. Mas, por alguma razão que ela desconhecia, não teve problemas em reconhecer Hannah Brecht.

Elas estavam em outro cabaré, menor, mas não menos animado. Dev parecia ter assumido a missão pessoal de mostrar a Althea todas as casas noturnas de Berlim. Aquela era a quarta que visitavam e, embora estivesse exausta, Althea nunca se sentira tão livre.

Diedrich vinha fazendo perguntas cada vez mais incisivas sobre onde ela passava o tempo livre, mas era fácil ignorar a frustração dele ao pensar na felicidade que aquelas noitadas lhe traziam.

Hannah Brecht se sentou diante de Althea sem esperar resposta, o que foi bom, visto que ela estava tendo problemas em encontrar o que dizer.

Desde que se conheceram, Hannah entrava e saía dos pensamentos dela, que se convencera de que exagerara a beleza da mulher, de que a atmosfera e a animação a haviam levado a ver todos que conhecera naquele dia por lentes cor-de-rosa.

Mas, Hannah parecia ainda mais cativante naquela noite. Usava um vestido amarelo justo com cavas profundas nas laterais, deixando a mostra caixa torácica e as costas, o vislumbre de pele ainda mais interessante pelo jeito como o vestido cobria completamente o peito e as pernas. Um estudo sobre um fascínio sutil.

Algo quente disparou pelo sangue de Althea, e a única explicação que conseguia encontrar era de que se tratava de inveja. Nenhuma outra razão explicava por que não conseguia tirar os olhos do corpo de Hannah se movendo sob a seda.

A mesa era minúscula e ficava escondida em um canto escuro do lugar. O tornozelo de Hannah roçou o dela, e Althea recuou de repente, tentando abrir espaço. Seu nervosismo parecia divertir Hannah.

— Ou está tomando notas para se reportar aos seus mestres nazistas? — continuou a mulher, indicando com o queixo o caderninho em que ela estava rabiscando.

Althea corou e se atrapalhou, tentando enfiar tudo na bolsa pequena que carregava, embora não soubesse do que estava envergonhada. De ser escritora? De agir em público como uma escritora?

— Eu não estou... Eles não são... — começou, até que Dev apoiou a mão em seu ombro.

— Hannah, você não está assustando nossa pombinha, não é? — perguntou Dev, e Althea ao mesmo tempo gostou e se ressentiu desse cuidado.

— Acho que não. Pelo menos não do jeito que você está pensando — respondeu Hannah, após estudar a expressão de Althea. Antes que pudesse perguntar do que ela estava falando, Hannah olhou de volta para Dev. — Essa turnê que você está fazendo com ela está bastante agitada, não?

— Estamos recuperando o tempo perdido — alegou Dev, acariciando os cabelos de Althea.

Otto Koch apareceu atrás de Hannah, corado, feliz e bonito demais.

— Acabei de apanhar na mesa de pôquer. Dance comigo, Dev, por favor. Vai me ajudar a esquecer essa injustiça.

— Como dizer não a esse rostinho — perguntou Dev, estendendo a mão para apertar o queixo de Otto.

O homem apenas riu, pegou a mão dela e a puxou até o pequeno espaço tomado por casais dançando. Por cima do ombro, Dev advertiu:

— Seja boazinha, Hannah.

— Eu sempre sou — retrucou a mulher, embora seus olhos encarassem o rosto de Althea e com certeza Dev não tinha escutado. — Você é escritora.

— Eu tenho um livro publicado — corrigiu Althea.

Hannah deu um leve sorriso, como se entendesse a diferença.

— O próximo será sobre os nazistas, então? Uma história de amor, talvez, entre uma jovem americana e um alemão corpulento a serviço de Hitler?

Althea corou, pensando naquele dia de inverno no mercado, quando fingira ser a personagem principal de um romance flertando com seu belo e loiro vínculo com a cidade. O sorriso de Hannah, presunçoso, que mostrava como ela estava achando graça, se alargou.

— Você os odeia — disse Althea, em vez de se defender. — Eles são mesmo tão terríveis?

Todos nos cabarés falavam dos nazistas da mesma forma que Diedrich e seus amigos falavam dos comunistas. Era confuso e difícil ter uma ideia precisa da política no país.

Hannah franziu os lábios, e Althea não pôde evitar baixar os olhos para admirá-los. Ela piscou e se reorientou.

— Se eu dissesse que sim, que eles são mesmo tão terríveis, o que você acharia?

— Eu... Eu não sei.

— Você sabe — rebateu Hannah. — Você pensaria que somos dois lados tendenciosos da mesma moeda.

Ela estava certa, é claro. Althea estava pensando exatamente naquilo desde que percebera que Dev não confiava nas pessoas que a hospedavam.

Todo mundo tinha histórias sobre como o outro lado estava cheio de monstros, todas as anedotas igualmente atrozes. No entanto, nenhum dos dois lados a tratava mal. Era uma ótica pobre para julgar uma pessoa, Althea sabia. Também era tratada com gentileza em Owl's Head, ainda mais depois que se tornara uma escritora famosa — pelas mesmas pessoas que, no passado, a forçaram a encontrar consolo nos livros.

Para julgar os outros, não adiantava observar como agiam em relação às pessoas que queriam impressionar; era preciso observar como tratavam aqueles que nada podiam lhes oferecer.

Ainda assim, que exemplos deste último cenário Althea tinha? Fora pastoreada por livrarias e leituras, cabarés e cafés, e só testemunhara o comportamento civilizado de ambos os lados.

— Então por que eu deveria perder meu tempo? — perguntou Hannah, como se estivesse lendo os pensamentos de Althea.

— Dev também não gosta deles — comentou, sem saber por que estava insistindo depois que a mulher oferecera uma saída daquela conversa espinhosa.

Talvez porque a resignação decepcionada no rosto dela doera mais do que Althea conseguia entender. Hannah era uma estranha, mesmo assim, Althea queria sua aprovação.

— Mas ela ainda trabalha para Goebbels.

E você é amiga dela, Althea queria dizer, mas não disse. Soaria muito carente e imaturo, a deixaria vulnerável, uma lembrança de quando era mais nova e não percebia que não deveria agir como se *quisesse* ser amada.

Hannah parecia ter ouvido a última parte.

— Não se engane pela propaganda, pombinha. O fervor por Hitler não é tão forte quanto os nazistas querem que você acredite. Muitas pessoas torcem o nariz, mas, a despeito disso, trabalham com ele.

Por alguma razão, aquilo parecia pior do que escolher um lado.

— A vida não é um conto de fadas — continuou Hannah, claramente lendo Althea muito melhor do que deveria depois de apenas dois breves encontros. — Pessoas boas fazem coisas ruins, pessoas más fazem coisas boas. E a maioria está só tentando sobreviver. — Hannah apagou seu cigarro. — Agora conte-me sobre o que estava escrevendo.

— São só detalhes — admitiu Althea, percorrendo a sala com os olhos.

Dois homens de vestido, com os cabelos penteados como os de Dev, os saltos dos sapatos estalando contra o piso enquanto dançavam nos braços um do outro. Uma cantora com a voz doce como mel e lágrimas nos olhos sempre que chegava a um refrão mais emotivo.

Uma dupla de turistas francesas, senhoras na casa dos sessenta, que claramente não sabiam o que estava acontecendo, mas que sorriam o tempo todo, acomodadas em seus lugares.

— Eu... não viajei muito — confessou Althea, tentando não gaguejar enquanto Hannah se mexia, o drapeado na lateral do vestido insinuando as formas de seu quadril. — Antes, sempre que eu escrevia, precisava confiar em revistas, livros e, se tivesse sorte, fotografias dos lugares que estava descrevendo.

— Nunca pensei nisso — admitiu Hannah, a parte externa da coxa apertando o joelho de Althea.

Althea afastou a bebida, a efervescência claramente a estava afetando. Ou talvez fosse só a atenção de Hannah, cheia de curiosidade, em vez de desdém.

— Existem detalhes universais — disse Althea. Ela virou a palma da mão sobre a mesa. — Um pulso sempre será um pulso. Com veias sob uma pele macia e fina como papel. Se você tocar...

Ela se interrompeu quando Hannah colocou a ponta do dedo nas linhas azuis, traçando-as para cima e descendo pelo monte da palma da mão, para depois voltar. A mente de Althea se esvaziou, sua boca ficou seca, um zumbido tomou seus ouvidos.

— Se você tocar... — incentivou Hannah, com a voz rouca, parecendo achar graça.

— Pode sentir o coração de uma pessoa — finalizou Althea, com dificuldade.

Hannah sustentou o olhar de Althea.

— Mas, existem coisas que dá só para imaginar.

— Sim.

Althea desviou o olhar, depois lamentou a falta do toque de Hannah quando ela se recostou de volta na cadeira.

Seus olhos pousaram em dois homens encostados em um pilar ao lado de sua mesa, imersos em um beijo ardente. O clarão de uma língua deixou Althea muito consciente de todos os pontos em que a perna de Hannah tocava a dela.

Se você tocar...

O suor se acumulava em sua lombar e ela sentia o corpo todo quente, um arrepio perseguindo o rastro das chamas.

— Algum problema? — perguntou Hannah, sua expressão indecifrável. Mas Althea percebeu que ela se importava com a resposta.

— Não. — Pigarreou, forçando-se a eliminar a hesitação de sua voz. — Está tudo bem.

— Você estava me explicando sobre detalhes — disse Hannah, e Althea tentou desesperadamente se lembrar do que já tinha falado.

— É... alguns detalhes você pode extrapolar. Um pulso é um pulso. Pode haver pequenas diferenças, como a cor da pele, o tamanho dos ossos, se é grosso ou fino, mas as características básicas são as mesmas em qualquer lugar do mundo — elaborou Althea. — Um carro é um carro, uma caixa de gelo é uma caixa de gelo.

"Posso construir um mundo que pareça real para meus leitores. Todos nós sabemos que um pulso se dobra para trás apenas até certo ponto, que uma geladeira mantém a comida fria e que um carro faz você chegar a lugares depressa. Mas há limitações para isso. Eu sei como é um restaurante no Maine, mas não sei como é um restaurante na Índia. O que o torna diferente de um restaurante na Austrália, e o que torna esse restaurante diferente de um na Califórnia?"

— Ou de um cabaré em Berlim? — completou Hannah, acompanhando o raciocínio.

— Então eu pesquiso e adivinho e espero. Mas sempre percebo, pelos detalhes, quando um autor esteve em outro lugar que não os três quilômetros quadrados ao redor de onde nasceu. — Ela olhou para os lados, catalogando a cena como fazia antes. — Eu nunca poderia ter imaginado isto.

— E está gostando? — perguntou Hannah, a voz mais gentil do que no início da conversa.

Althea imaginou que parte de seu espanto já estivesse evidente.

— É o retrato do que é a vida, não é? — perguntou, corando com a seriedade de sua própria voz. — É como se os cabarés usassem luzes diferentes para tornar tudo mais vibrante, mais intenso. A raiva, a alegria, a paixão. Vida. Tudo é *mais* aqui.

Uma aprovação cintilou nos olhos de Hannah, e Althea desejou se banhar nela.

— Então me diga, pombinha, você dança?

Surpresa com a pergunta, Althea só conseguiu piscar enquanto imaginava um emaranhado de membros, coxas encaixadas, barrigas pressionando uma à outra enquanto a música rápida tocava ao fundo da cena. Imaginou seus dedos roçando a seda daquele vestido, a seda da pele de Hannah.

Se você tocar...

— Não, eu nunca... Não — respondeu, desajeitada. — Não, eu não sou de dançar.

Por um longo instante, Hannah não reagiu. Então ficou de pé assim que uma mulher com cabelos escuros esbarrou na mesa. A morena sorriu para Hannah com uma facilidade que fez com que as faíscas sob a pele de Althea se apagassem.

— Pena — comentou ela, sem tirar os olhos da outra garota.

Althea pôde apenas observar as duas se misturarem à multidão.

Dev desabou no assento vazio onde Hannah estivera, passou o braço ao redor de Althea e plantou um beijo molhado em sua têmpora.

— Cabeça erguida, querida. Não é uma noite no cabaré de verdade se não tiver um pouco de mágoa.

— Você sabe que isso não é nada reconfortante.

Dev riu, um som alegre como um sino de vento, e puxou Althea da cadeira rumo à pista de dança, ignorando seus protestos.

— E você não é tão sem graça quanto pensa.

— Nada reconfortante — repetiu Althea, sem conseguir conter o riso quando Dev a girou antes de puxá-la de volta para perto.

Nem uma única pessoa na boate prestou muita atenção a elas. Bom, talvez alguns tenham olhado por causa de Dev, mas não porque duas mulheres estavam dançando juntas.

Althea acabou encostada ao corpo de Dev, apenas por um momento, mas muito mais intimamente do que como a perna de Hannah havia roçado a dela. No entanto, apesar da beleza indiscutível de Dev, as palmas das mãos de Althea não suavam, seu coração não disparava. Estava feliz, mas o tipo de felicidade decorrente de risadas compartilhadas com uma nova amiga.

Ela não conseguia parar de olhar para a outra mulher e sua parceira, fixando os olhos nos de Hannah do outro lado do espaço lotado.

A mulher se entregara aos braços dela, o balançar de seus corpos sensual e hipnotizante.

A cantora entoava algo com uma batida rápida e também melancólica, os trompetes impetuosos e os acordes do blues acompanhando sua voz. Quem dançava junto se separou, era impossível ignorar o ritmo. A multidão se juntou ao coro, as mesas e cadeiras arrastando no piso e anunciando mais pessoas chegando à pista de dança.

Durante tudo aquilo, Hannah não desgrudou os olhos dos de Althea. Devagar, sem nenhuma pressa, Hannah levou o pulso de sua parceira de dança até a boca e deu um beijo na pele fina.

Althea quase sentiu o sussurro quente contra o próprio pulso.

Se você tocar... pode sentir o coração de uma pessoa.

Nova York
Maio de 1944

Fazia uma semana desde que Viv visitara a Biblioteca Americana dos Livros Proibidos pelos Nazistas no Brooklyn, e, por algum motivo estranho, estava nervosa em voltar.

Talvez por saber que a bibliotecária seria a peça perfeita para seu confronto com Taft, talvez por saber que a mulher provavelmente recusaria se fosse convidada a falar.

Havia muito a fazer em vez de ir até o Brooklyn. Tinha pouco mais de dois meses para organizar sozinha um grande evento com a presença da imprensa. No entanto, toda vez que duvidava de si mesma, nos últimos dias, pensava naquele lugar e na bibliotecária com ardor na voz.

Outra dose daquilo só poderia lhe fazer bem.

Desta vez, a bibliotecária não estava perdida entre as prateleiras, e sim ajudando uma jovem à mesa, ambas de cabeça baixa olhando o livro aberto.

Viv não queria interromper, mas, quando seu salto arranhou o chão de madeira, os olhares de ambas dispararam até ela, um cheio de pânico, o outro, gélido.

— É... — murmurou Viv, constrangida pela sensação desconfortável de parecer uma policial que acabara de entrar em um bar clandestino.

Em segundos, a jovem passou correndo por Viv, esbarrando nela em seu evidente desespero para escapar.

Viv a observou partir, consternada. Quando se virou de volta para a bibliotecária, o rosto da mulher era de pedra.

— Sinto muito. Eu não...

A bibliotecária suspirou e fechou o livro em que estava imersa com a jovem.

— Como posso ajudá-la, sra. Childs?

— Não é um bom momento, me desculpe — repetiu Viv, irritada com o universo por enviá-la ali na hora errada.

A bibliotecária olhou para a porta por onde a visitante havia fugido.

— Não adianta mais.

Viv se aproximou, tentando ter um vislumbre da capa, mas a bibliotecária puxou o livro junto ao peito. Um gesto de proteção.

E mais uma vez, Viv a viu como mais do que uma bibliotecária.

Uma guardiã.

Algo naquela ideia era tão convincente que Viv não conseguia deixá-la de lado, apesar de não ter direito de pedir um favor àquela mulher.

— Talvez eu possa ajudá-la, então — sugeriu Viv, secando as palmas das mãos na elegante saia vermelha antes de apontar para o carrinho ao lado da bibliotecária, sobre o qual havia uma pilha de livros. — E podemos falar mais sobre a biblioteca.

— Tudo bem — concordou a mulher, com uma cordialidade que não estava lá antes e que se espalhou para os cantos dos olhos e da boca. — Você empurra. Siga-me.

Viv correu até o carrinho, segurando ansiosamente as alças de bronze e empurrou.

Os livros balançaram, mas não caíram.

— Sabia que não foram somente os livros de ficção que foram queimados naquela noite em Berlim? — começou a bibliotecária, conforme as duas avançavam para as prateleiras dos fundos. — Poucas pessoas sabem que, poucos dias antes das fogueiras, estudantes invadiram o *Institut für Sexualwissenschaft*.

Ao notar o silêncio e a confusão de Viv, a bibliotecária olhou para trás antes de traduzir:

— O Instituto de Estudos Sexuais.

Viv corou.

— Ah.

— Eles destruíram o local, que estava conduzindo pesquisas inovadoras sobre mulheres, homossexuais e intermediários sexuais — prosseguiu a bibliotecária, sem um só sinal de hesitação na voz.

Viv queria ser blasé daquele jeito, queria ser sofisticada, mas, nos círculos que frequentava, nunca ouvira duas daquelas palavras pronunciadas em voz alta.

— Interessante — conseguiu dizer.

— Os vândalos roubaram o busto do fundador, Magnus Hirschfeld, do saguão do instituto e, dias depois, o levaram como um troféu de guerra para as fogueiras na Opernplatz — continuou a mulher, sem notar ou ignorando o constrangimento de Viv. — Eles queimaram grande parte de sua pesquisa, além das únicas cópias que existiam. O ataque fez o mundo retroceder décadas.

Viv superou o próprio desconforto.

— Que horror.

A bibliotecária parou em frente às seções de livros e deslizou o que ainda segurava junto ao peito de volta no lugar. Viv captou o nome do autor.

Hirschfeld.

Ah.

Mulheres, homossexuais e intermediários sexuais.

Viv pensou na jovem que se assustara tanto com sua chegada, então levou a mão ao peito.

— Ah.

— Mas, como eu disse, depois que palavras são escritas, não podem deixar de existir só porque alguém as queima. Ideias não podem simplesmente ser apagadas. Pessoas não podem ser apagadas. — A bibliotecária tocou a lombada do livro com delicadeza e respeito antes de continuar: — Queimar livros sobre coisas que você não gosta ou não entende não significa que essas coisas vão deixar de existir.

— Como foi aquela noite? — perguntou Viv em um tom abafado, quase desejando ter se contido.

A atenção da bibliotecária estava toda no rosto de Viv, que se perguntou o que a mulher estava procurando.

Uma curiosidade deselegante, talvez?

Viv não podia chamar suas razões de completamente puras — ainda estava desesperada atrás de uma história, algo que comovesse o público e o tirasse da apatia generalizada em relação a qualquer assunto político. Mas também não podia negar que simplesmente queria conhecer a mulher, ouvir suas experiências.

— Molhada — respondeu a bibliotecária, com ironia, estendendo a mão para que ela entregasse o próximo livro.

A risada de Viv preencheu o espaço.

— Foi?

— Os nazistas não estavam conseguindo manter as fogueiras acesas, na verdade. Os cantos de sua boca se curvaram de uma maneira que denunciava estar achando alguma graça na questão, misturada ao que poderia ser ceticismo.

— Tiveram que ficar o tempo todo jogando gasolina nas pilhas de livros.

— Mas, por fim, conseguiram.

— Às vezes, o que me incomoda mais são os livros que eles não queimaram — refletiu a bibliotecária, arquivando um volume da pesquisa de Freud.

— Como assim?

A bibliotecária disparou um daqueles olhares avaliativos de novo para ela. Era cautelosa, embora Viv julgasse que não fosse à toa.

— O que você acha que acontece com os livros do povo judeu enviado para os campos de concentração?

— Eu acho... Nunca pensei nisso.

A bibliotecária inclinou a cabeça.

— Poucos pensam. Os nazistas começaram a invadir as bibliotecas privadas dos judeus alemães quando precisavam recolher livros suficientes para queimar e fazer um espetáculo. E nunca pararam.

— Invasões. Como fizeram com o... — Viv teve dificuldades com o alemão. — *Institut für Sexualwissenschaft*?

Aquilo lhe garantiu um quase sorriso.

— Chegou perto. E sim, as tropas de assalto confiscaram livros "não alemães" de livrarias comunistas, bibliotecas, casas... Havia um prédio em Berlim que abrigava e protegia escritores que lutavam ativamente contra a censura. Todos os quinhentos apartamentos foram revistados e vandalizados antes das queimas.

— Eles ainda estão incinerando livros esse tempo todo? — perguntou Viv, traçando com a ponta do dedo um dos volumes mais bonitos do carrinho, uma dor no peito ao pensar naqueles livros como nada além de cinzas.

— Acredito que não. Pelo contrário. Acho que estão acumulando livros. Os canalhas estudam.

— Conheces teu inimigo? — sugeriu Viv, baixinho.

A bibliotecária assentiu.

— Os nazistas são retratados na propaganda como anti-intelectuais ignorantes, mas os líderes sabem como o conhecimento é poderoso. É por isso que querem mantê-lo sob um controle tão rígido.

Viv não pôde deixar de pensar em Taft, mas não queria distrair a mulher com seus problemas.

— Eles têm um clube do livro nacional, sabia? — revelou a bibliotecária, o humor ácido mais uma vez marcando sua voz.

— Os nazistas?

Viv não sabia por que estava horrorizada, mas estava. Certamente não era a coisa mais atroz que Hitler tinha feito, mas, por algum motivo, parecia uma violação.

— São milhares de associados lendo Goethe, Schiller e qualquer literatura pró-alemã que quiserem. — A bibliotecária balançou a cabeça. — Suponho que seja como a sua EFA.

— Não. — Viv arfou. — Não somos nada disso. Não temos interesses políticos.

A bibliotecária a fitou com um olhar duvidoso.

— Todo mundo tem interesses políticos. No entanto, peço desculpa; não foi justo da minha parte.

Mas aquilo só atiçou a curiosidade mórbida de Viv.

— Quem dirige o clube do livro?

— Ah, o Ministério da Propaganda de Goebbels tem uma Câmara Nacional de Literatura.

De repente, qualquer graça que a bibliotecária estivesse achando vacilou, uma sombra atravessando seu rosto. As muralhas tinham sido erguidas novamente, e Viv ficou um pouco abalada com a mudança abrupta.

Às cegas, a mulher arquivou o último livro, então olhou para o carrinho vazio.

—Bom, não a ajudei muito, sra. Childs.

Com cada pedacinho de sinceridade que possuía, Viv disse:

—Fez mais do que imagina.

—Você já disse isso antes, e eu continuo não acreditando — refletiu a bibliotecária, voltando para a recepção.

—Acho que tem algo neste lugar.

E em você, pensou Viv, embora tenha guardado aquela parte para si.

—A missão, a história... Sei que nossas batalhas são muito diferentes, mas vir aqui me faz lembrar de por que estou lutando tanto.

—Os loucos podem ser barulhentos, mas nós também podemos ser. À nossa maneira.

Viv se esforçou para formular outra pergunta que não a levasse a pedir à bibliotecária que revelasse todos os seus segredos em um palco na frente de alguns políticos e de toda a imprensa da cidade de Nova York.

—Qual é o seu livro favorito?

—Livro favorito — repetiu a bibliotecária, se ajeitando no banquinho. — Acho que é como escolher um momento favorito na vida. Talvez você possa até citar um, mas não significa que não haja uma centena de outros igualmente importantes.

Ela continuou, antes que Viv pudesse se retratar pela pergunta:

—Tem um livro que me traz conforto e ao qual recorro quando quero aquela sensação de um chá quente em um dia de neve.

—E qual seria? — perguntou Viv, ansiosa pela resposta.

—*O Parnaso sobre rodas*, de Christopher Morley — revelou a bibliotecária, com um sorriso suave, os olhos um pouco sonhadores, um pouco distantes. — "Quando você vende um livro a um homem, não vende a ele apenas doze onças de papel, tinta e cola; você vende uma vida totalmente nova. Amor, amizade, humor e navios no mar à noite. Todo o céu e a terra estão em um livro."

Era como se alguém tivesse condensado a vida de Viv e a engarrafado em uma simples citação.

— Preciso ler esse.

— Acredito que você vá achar interessante.

Havia um tom de encerramento na voz dela, e Viv decidiu se despedir para não extrapolar as boas-vindas. No entanto, antes de se afastar, tentou a sorte:

— E posso saber seu nome?

Uma parte dela quase não queria desvendar aquele mistério fascinante. Por isso, Viv não ficou chateada quando a bibliotecária a observou por um longo momento e inclinou a cabeça de um jeito que era característico.

— Talvez outro dia.

Paris
Novembro de 1936

A Biblioteca Alemã da Liberdade fora convertida em uma espécie de oficina para a próxima exposição contra os nazistas.

Os membros do conselho da biblioteca concordaram com Hannah e decidiram imprimir o romance que escreveram para representar a versão da comunidade emigrante do ideal alemão. Na semana anterior, no entanto, o plano evoluíra para algo ainda maior.

O objetivo não era só combater os nazistas, mas também sensibilizar os parisienses. Talvez não os que já torciam para que a agenda de Hitler se espalhasse pela França, mas os que não tinham certeza, que não sabiam o que era verdade e o que era mentira.

Estudantes e voluntários tinham transformado a mesa central em uma fábrica de panfletos. Membros do conselho da biblioteca se amontoavam em cadeiras de ponta a ponta, ocupados em selecionar os melhores materiais para exibir no espaço alugado para a exposição, e o restante da equipe estava mais ocupado com tarefas genéricas do que com o arquivamento de livros.

Hannah não se importou; a emoção de fazer *alguma coisa* para combater a retórica odiosa que certamente seria manifestada era emocionante. A última vez que sentira uma esperança tão intensa e iminente fora na primavera antes da prisão de Adam.

Heinrich Mann, presidente da biblioteca, a encarregou Hannah de visitar livreiros locais e pedir ajuda para mostrar o melhor da literatura alemã. Sua tarefa era persuadir as lojas a fornecer alguns exemplares de graça, de modo que estivessem disponíveis para os curiosos folhearem sem a pressão de ter que comprá-los.

Hannah estava vestindo o casaco quando o sininho acima da porta tocou. Era Lucien, da loja de violinos, com as mãos enfiadas no bolso.

— Veio me ver? — perguntou Hannah, surpresa e satisfeita.

Não estava com tempo para cumprir o cronograma habitual de distribuição de panfletos e sentia falta de algumas das pessoas que visitava.

Os olhos de Lucien percorreram o lugar, os ombros se curvando como se ele não quisesse estar lá. A animação de Hannah desapareceu. Não parecia uma visita social.

— Tem alguns minutos? — perguntou ele.

Hannah olhou para o relógio. A Shakespeare and Company fecharia em breve, e queria falar com Sylvia Beach ainda naquele dia.

— Podemos conversar no caminho?

Lucien ficou em silêncio até estarem a quarteirões de distância da biblioteca, e Hannah também não o pressionou, ainda que a preocupação dele fosse evidente na testa franzida e na inclinação da boca.

— Você é amiga de Otto Koch, não é? — perguntou ele, ao dobrarem no Jardim de Luxemburgo.

— Sim.

— Ele não está ferido — apressou-se em dizer Lucien, como que para tranquilizá-la, provavelmente notando a angústia na voz dela. — Otto tem frequentado minhas reuniões.

Hannah não sabia por que aquilo a surpreendeu, exceto a própria presunção de que Otto era tão tímido quanto ela, quando se tratava das reuniões da Resistência. Ele também havia sido próximo de Adam.

— Você não estaria me dizendo isso se não tivesse acontecido alguma coisa — respondeu ela, da forma mais calma possível.

Mais uma vez, Lucien ficou mudo. Eram em momentos como aquele que Hannah sentia as diferenças culturais mais intensamente. Um alemão como ela não teria se preocupado em chocá-la ou magoá-la.

— Pode dizer.

— Você disse que seu irmão foi preso pelos nazistas — continuou Lucien.

Hannah cravou as unhas na palma da mão para não estender o braço e sacudi-lo até arrancar a informação.

—Sim.

— Otto está... ele está falando como se estivesse prestes a se meter no mesmo tipo de problema. No início, quando ia às reuniões, ele se sentava no fundo, sempre reservado. Ultimamente, tem falado mais. Então, ontem à noite, ele começou uma briga com um dos homens que estava lá. — Lucien parou e olhou para ela. — Uma briga física, Hannah.

Ela soltou uma respiração, trêmula. Aquilo não era bom, mas podia ser pior.

—Eu tive que expulsá-lo — contou Lucien. — E mandei que não voltasse.

Ambos sabiam o que aquilo significava: Otto poderia buscar um grupo mais radical que acolhesse seu temperamento ardente e aprovasse seu ímpeto de violência, em vez de sufocá-lo.

—Preciso pensar nos outros —justificou Lucien, como se implorasse a Hannah que não ficasse com raiva dele.

Ela então percebeu que estava em silêncio há vários minutos.

—Claro, querido — respondeu, interrompendo a caminhada para abraçá-lo.

Hannah pousou os lábios de leve na bochecha de Lucien, para mostrar que ainda eram amigos. Aquilo era problema dela, não dele. Lucien fizera o que era necessário para proteger seu grupo.

—Eu vou falar com o Otto.

—Obrigado — agradeceu Lucien, parecendo ter tirado um peso dos ombros. — Ele se virou para ir embora, mas parou e olhou para trás. — Precisamos do tipo de ardor que ele tem, mas, se queimarmos o mundo para destruir os nazistas...

Hannah concluiu o pensamento:

—Não haverá mais mundo onde viver depois que eles se forem.

HANNAH ACORDOU perturbada, sem saber ao certo o que a arrancara do pesadelo cheio de corpos espancados e ossos quebrados, mas grata pelo que quer que fosse.

Então notou uma batida na porta, muito abaixo de seu pequeno apartamento no terceiro andar.

Algo sombrio embrulhou seu estômago, como uma premonição, e ela chutou longe os cobertores finos, saiu apressada da cama e atravessou o quarto até a janela.

— Hannah — chamou alguém, em um soluço. — Hannah.

Um coração devastado, assolado. Desesperado.

— Otto, pare.

Ela falou o mais baixo possível, mas ele a ouviu, levantou o rosto e procurou por ela com os olhos.

No instante seguinte, a porta da casa se abriu. Brigitte segurou Otto pelo colarinho do casaco e o sacudiu. Hannah sabia que Brigitte não se importava com a propriedade, mas não suportava ser acordada no meio da noite. Otto teria sorte de escapar sem um olho roxo.

Hannah colocou um vestido e correu degraus abaixo.

— *Mademoiselle, je suis désolée, désolée* — balbuciou Hannah, com seu sotaque terrível. — Por favor. Por favor.

Algo na voz dela chamou a atenção de Brigitte, que parou de sacudir Otto para encará-la. Então a mulher começou a praguejar o que Hannah só podia imaginar ser a mais terrível das maldições enquanto ainda segurava Otto, que soluçava. Por fim, Brigitte o empurrou na direção de Hannah e voltou para dentro.

Desde que nada do que Brigitte dissera fosse sobre um possível despejo, Hannah decidiu encarar o ataque verbal como a melhor das alternativas para a situação.

— Otto, querido, o que eu faço com você? — perguntou, principalmente para si mesma, visto que Otto estava perdido na própria turbulência emocional.

Ela passou o braço em volta da cintura dele e o arrastou pelos três lances de escadas, já sentindo dor nos braços ao chegar ao quarto.

Hannah o guiou para que, quando o soltasse, ele caísse na cama.

Otto a encarou com olhos intensos e vermelhos, seu queixo tremendo enquanto tentava reunir algum autocontrole. Hannah se sentou ao lado dele e acariciou seus cabelos. Tentou não se lembrar do aviso de Lucien no início daquele dia, mas era impossível.

Empregando o tom de voz que usaria com uma criança doente, ela perguntou:

— O que aconteceu, querido?

— Eu os odeio.

Lá estava aquele ardor, tão belo, mas ainda assim tão mortal.

— Eu sei — murmurou Hannah, puxando um de seus cachos em um gesto quase maternal.

— Eles tiraram tudo de nós — continuou Otto, não, com um gemido, mas com um sussurro. — O que mais a assustou foi aquela nova determinação na voz do amigo. — Tudo.

— Não tiraram nossa vida — lembrou Hannah.

— Só porque tivemos sorte — rebateu Otto, com um suspiro. — Somos os poucos sortudos.

Ela assentiu. Nenhum dos dois precisava mencionar Adam.

— O que aconteceu, meu bem? — insistiu Hannah.

Aquele era um terreno bem trilhado, e, embora Otto estivesse cheirando a uma destilaria, não era só o álcool que o deixara tão sentimental ultimamente.

Ele às vezes sentia o mundo com intensidade demais. Tanto as alegrias como as crueldades. Ainda assim, nos últimos meses, aquilo parecia ter piorado, as fortes emoções alimentadas pela bebida e pelo que ela suspeitava ser o uso ocasional de drogas. Hannah não quis enxergar até que Lucien a forçou.

Devia ter feito alguma coisa antes, devia ter interferido, mas não queria essa batalha. O simples ato de sobreviver já era exaustivo o bastante.

Otto sorriu, fitando-a nos olhos, então tirou a camisa de dentro da calça, levantando-a o suficiente para revelar os ossos estreitos do quadril. E o punho de metal de uma pistola.

Hannah prendeu o ar, áspero e doloroso, que se alojou no fundo da garganta.

— Otto, não!

— Fiz amigos.

— Não os amigos certos, se estão fornecendo armas — atestou Hannah, ouvindo a hesitação que tanto odiava na própria voz.

Mas, tudo o que via era o rosto de Adam quando ele contou sobre seus planos de destruir um prédio nazista em Berlim. Havia um fervor, uma luz que Hannah jamais conseguira apagar com lógica e advertências. E via a mesma coisa nos olhos de Otto naquele momento, mesmo lacrimejantes como estavam.

— Contei a eles sobre a exposição — continuou Otto, como se ela não tivesse dito nada. — Eles também acham que está chegando a hora, Hannah. A guerra. Eles *sabem*, assim como nós.

— Ser baleado por nazistas não vai impedir a guerra — decretou Hannah, mal conseguindo falar mais alto que o lamento agudo e penetrante dentro de sua cabeça.

Precisava pensar, precisava fazer ele desistir.

— Talvez impeça — discordou Otto. — Talvez isso faça Paris acordar. E faça Paris ver os nazistas como os bárbaros que são.

— Não vai. — Hannah apertou as mãos de Otto com as mãos pegajosas. — Não vai, Otto. Você conhece os nazistas e sabe o que vão fazer se você matar um deles. Eles vão descontar nos judeus na Alemanha. Você sabe que vão. Farão da vítima um mártir da violência judaica.

— Nós nunca vamos convencer os nazistas de nada — disse Otto, soando mais lúcido. — E convencer eles não é nosso trabalho. Precisamos convencer o mundo.

— Seus amigos estão usando você, Otto. Eles querem causar problemas. Isso é anarquia, não vai convencer ninguém.

— A anarquia é tão ruim assim? — desafiou Otto. — Quando a outra opção é Hitler?

Hannah cerrou os lábios para encerrar a discussão. Otto não se deixaria convencer; não no estado em que estava.

— Conte mais sobre esses seus amigos.

Otto olhou para ela com desconfiança, como se sentisse uma armadilha, mas estava acostumado demais a compartilhar as coisas com Hannah para se conter.

— Eles já estão formando um grupo de Resistência. Querem ter um grupo estabelecido, com códigos e abrigos já estipulados antes que os alemães cheguem.

— Eles têm certeza? — perguntou Hannah, mesmo possivelmente sendo, das pessoas que conhecia, aquela que mais alertava os outros sobre a inevitabilidade da guerra.

E estava tão acostumada que não a ouvissem que parecia suspeito outros reconhecerem o que estava acontecendo.

— São todos dramaturgos e atores de teatro, têm laços com pessoas na Alemanha. Eles viram o que vimos. Eles *sabem*.

Otto repetiu aquele último trecho várias vezes até sua fala ficar ligeiramente arrastada.

Hannah tentou manter a voz equilibrada para perguntar:

— E eles querem que você leve essa pistola para a exposição de livros?

— Eu que pedi — afirmou Otto, retomando o tom agressivo e teimoso. — Eles não precisaram me convencer; eu pedi.

— Tudo bem, querido — apaziguou Hannah, acariciando os cabelos dele mais uma vez.

De manhã, ela falaria com ele e o faria ouvir a razão.

Os olhos de Otto se fecharam sob os cuidados gentis da amiga, a respiração se acalmando.

O céu já começara a clarear, os raios de luz se esgueirando pelo tapete puído, quando Hannah tomou sua decisão. Lentamente, como Otto fizera horas antes, ela levantou a camisa dele, com os olhos fixos em seu rosto. Ele não se mexeu, então ela puxou o cabo da pistola com dois dedos, relutante em tocar naquela coisa.

Assim que a tirou da cintura da calça dele, Hannah envolveu a arma em um xale velho e se ajoelhou ao lado do closet, tateando em busca do entalhe que precisava empurrar para levantar a tábua do piso. Encontrou o ponto que queria e, o mais silenciosamente possível, jogou a arma na escuridão abaixo.

Berlim
Fevereiro de 1933

Dev apressou Althea, com um olhar furtivo para a noite atrás de si. Althea achou aquela cautela estranha, considerando que Dev nunca parecia preocupada por serem mulheres sozinhas enveredando pela cidade.

Naquela noite, porém, ela estava claramente tensa.

— Alguma coisa errada? — perguntou Althea, pulando a cada poucos passos para acompanhar as longas passadas de Dev e seu ritmo aflito.

— Quero te mostrar uma coisa — explicou a amiga, uma resposta que já se tornara familiar.

Althea já perdera a conta de quantas vezes Dev aparecera em sua porta com aquela mesma fala desde que se conheceram, três semanas antes.

Quero te mostrar uma coisa poderia ser qualquer coisa — desde um espetáculo obsceno em alguma boate até uma pintura de uma das galerias da Ilha dos Museus, ou uma banda de músicos de rua especialmente animada que se instalara no Tiergarten. Althea conhecera mais da cidade na companhia de Dev do que teria conseguido durante toda a residência, se tivesse contado apenas com Diedrich.

Althea nunca tivera uma amiga de verdade. Amava o irmão, que largava qualquer coisa quando ela precisava de ajuda, mas seus amigos sempre estiveram nas páginas dos livros ou na escrita. Aquele tipo de proximidade ela até então só pudera imaginar e, claramente, nunca entendera.

Com Dev em sua vida, marcando todos os momentos com sua presença, Althea passara a ter plena consciência do quanto havia perdido.

Esbarrou de leve na amiga, quando ela. Sem nenhum aviso, Dev segurou o pulso de Althea e a puxou para o beco mais próximo. De lá, caminharam em um ritmo ainda mais acelerado, saindo em uma rua e depois voltando a se esconder nas sombras.

Cinco minutos depois, Dev atravessou a porta de um café discreto. Não havia nome na placa ou na porta, nada além de um desenho de uma xícara de café. Ainda assim, Dev nem hesitou.

Era uma noite tranquila de segunda-feira, e o lugar refletia esse fato, com apenas alguns clientes solitários espalhados pelas pequenas mesas. No fundo, contudo, havia um grupo de homens e mulheres próximos da idade de Althea ou mais jovens. Tinham reunido cerca de quatro mesas, as cadeiras apertadas, com canecas, xícaras e até algumas taças de vinho espalhadas por toda parte. Um dos jovens estava de pé, claramente o alvo das atenções, gesticulando com ares de ator shakespeariano.

Quando avistou Dev, ele gritou uma saudação e cruzou a sala depressa para abraçá-la.

Dev estava rindo quando ele a soltou e olhou para Althea, que recuou um passo para não arriscar a mesma recepção. Já estava se acostumando a conhecer novas pessoas o tempo todo, mas não tinha interesse algum em ser levantada do chão por um estranho.

O sujeito entendeu a deixa e apenas sorriu para ela.

—Olá.

O homem tinha olhos de cachorrinho, de um marrom brilhante, grandes o suficiente para usar em prol de conseguir o que quisesse a qualquer hora. As bochechas coradas e os cabelos castanhos desgrenhados intensificavam a sensação de ebulição ofegante que se derramava dele em ondas.

Althea se surpreendeu com a vontade de segui-lo onde quer que ele a levasse. Já tinha lido sobre personalidades que inspiravam aquele tipo de devoção imediata, mas nunca conhecera uma pessoa assim na vida real.

— Althea, você já conhece Hannah — disse Dev, talvez com insinuações demais na voz, para o gosto de Althea. — E este é o sr. Brecht.

Por um momento que pareceu mais um soco no estômago, Althea imaginou que o homem era marido de Hannah. Seus olhos se voltaram para o grupo, procurando Hannah, e a encontrou observando-os. Ela ergueu uma sobrancelha com a atenção de Althea.

— Irmão de Hannah — esclareceu o homem, permitindo que Althea voltasse a respirar; ela notou que, Dev parecia satisfeita demais por não ter explicado quem ele era de propósito. — Mas, por favor, soube que é amiga de Dev e Hannah, e não gosto de formalidades entre amigos. Pode me chamar de Adam.

O grupo entoou boas-vindas igualmente entusiasmadas para Dev enquanto todos se ajeitavam, se remexiam e pegavam mais cadeiras. De alguma forma, quando toda a agitação se acalmou, Althea se viu junto de Hannah mais uma vez.

A mulher não estava tão sofisticada, o que fazia sentido, considerando que das outras vezes se encontraram em boates, mas estava igualmente bela, usando calça de cintura alta e suéter cor de ameixa, os cabelos penteados para trás em um coque torcido que realçava tanto seus traços quanto o leve toque de *rouge* nas bochechas.

Hannah cheirava a laranja, linho recém-lavado e fumaça de cigarro, um aroma inconfundível que Althea estava começando a descobrir que era distintamente dela.

— Bem-vinda ao nosso grupo de estudo — murmurou Hannah, enquanto Adam chamava a atenção da plateia de volta.

— Grupo de estudo?

Hannah piscou.

— Hoje estudaremos *Os miseráveis*.

Althea sabia que não estava entendendo alguma coisa, mas, no mesmo instante, Adam bateu com um dos pés na cadeira e abriu os braços.

— "Há pessoas que observam as regras de honra como nós observamos as estrelas, de muito longe" — entoou, como se estivesse no palco.

A garota no balcão da loja revirou os olhos, mas havia um sorriso nos cantos de sua boca. Os poucos outros clientes no café ignoraram o grupo, ninguém parecia muito incomodado.

— "Morrer não é nada. Assustador é não viver."

— Ele está só recitando trechos aleatórios? — perguntou Althea a Hannah, com um sussurro. — Essas partes não estão juntas na história.

Hannah arregalou os olhos e apertou a boca com força. Althea pensou que a tivesse ofendido, mas logo viu como os ombros dela tremiam com um sorriso que escapava de seu controle. Acabou que Hannah perdeu a luta e gargalhou. Foi um som calmo e rouco que combinava com ela, e Althea imediatamente quis ouvi-lo mais uma vez.

Queria ser a responsável por fazer aquela risada acontecer.

— Minha nossa! — exclamou Hannah, secando o canto do olho com os nós dos dedos. — Por favor, não deixe Adam ouvir você, isso acabaria com ele. Meu irmão considera os próprios discursos o cúmulo da inspiração.

— Para ser justa, a plateia parece inspirada — ponderou Althea.

Todos no grupo estavam inclinados para a frente como se quisessem se aproximar de Adam e de seu entusiasmo, seu magnetismo, seu vigor juvenil. Althea ficou impressionada com a diferença entre os irmãos, como Adam era intenso em contraste com a frieza de Hannah. O sol e a lua.

— Mas, sim — Althea prosseguiu —, faz você se perguntar se eles de fato leram o livro.

Hannah bufou, contendo outra risada silenciosa, pronta para dizer alguma coisa, então tocou a coxa de Althea.

— Espere, espere, aí vem a melhor parte.

Adam estava *em cima* da cadeira, as mãos estendidas para a frente.

— "Até mesmo a noite mais escura vai terminar."

Althea conhecia a citação, mas ficou surpresa quando alguns dos outros ao redor da mesa se levantaram, com os punhos no ar, enquanto entoavam de volta em uníssono:

— "E o sol vai nascer."

Os aplausos eclodiram, e Adam pulou de volta para o chão para dar tapinhas nos ombros das pessoas mais próximas, aceitando apertos de mão e abraços.

Althea olhou para Hannah espantada e viu que a mulher tinha lágrimas de alegria nos olhos.

— Eles são muito jovens e muito fervorosos às vezes. É adorável, mas também...

Hannah não terminou de falar, mas não precisava; Althea já estava concordando com a cabeça. Geralmente, ela fugia de qualquer pessoa que se levasse a sério demais. Aquela foi a primeira coisa de que não gostara em algumas das senhoras da sociedade que conhecera com Diedrich. Não poderia ser amiga de alguém que chamava Hitler de *lobinho* sem nenhum traço de ironia.

Mas a atmosfera era diferente ali, naquele pequeno café abafado onde todos pareciam prontos para marchar até a barricada e lutar pela liberdade. Era mesmo adorável, mas também fazia Althea se sentir velha e cética.

No entanto, não podia ignorar o calor que sentiu florescer ao ver que Hannah parecia sentir o mesmo.

— Isto é mesmo um grupo de estudo? — indagou Althea, mesmo sabendo que era uma pergunta boba.

Hannah mordeu o lábio, mirando Althea, depois Dev, depois Adam, então de volta para Althea.

— Está com medo de que eu conte aos meus "mestres nazistas" — adivinhou Althea. — Não vou fazer isso.

— Dev parece confiar em você, mas o quanto vale a confiança, sob o nazismo?

Parte de Althea queria ir embora só para escapar de mais conversas políticas. Era tudo o que todos queriam debater, e ela não queria decepcionar Hannah, ainda mais se verbalizasse as ideias erradas. Só queria saber quais eram as ideias erradas.

Althea tirou os olhos de Hannah, examinando o grupo mais uma vez, os rostos felizes, os corpos aconchegados como se não houvesse necessidade de espaço pessoal, a... talvez *alegria* não fosse bem a palavra, mas a *ânsia* compartilhada.

— Eu não gostaria que nenhum de vocês se machucasse.

Naquilo, Hannah pareceu acreditar. Ela apagou o cigarro no cinzeiro disforme logo em frente e suspirou.

— Os nazistas começaram a invadir reuniões políticas organizadas por qualquer um, exceto eles mesmos. Espancam qualquer um até derramar sangue e prendem pelo menos metade.

— O quê? — exaltou-se Althea.

— Isso se os brutos não os matarem na hora — continuou Hannah, com a voz calma, como se falasse sobre o clima.

— Eles não podem simplesmente matar...

— Herr Göring tem o controle da aplicação da lei da Prússia — disse Hannah, e mais uma vez não parecia tentar convencer Althea, apenas comentava os fatos da vida. — Os assassinatos sequer são relatados por lá. Não sabemos quantos inimigos políticos dos nazistas foram mortos, mas sabemos que só vai piorar.

Hannah acenou para o grupo e, em seguida, alguns dos exemplares de *Os miseráveis* surgiram sobre a mesa.

— Portanto, somos um grupo de estudo de universitários locais.

Althea olhou para os outros presentes, e Hannah pareceu ver a dúvida em seus ombros repentinamente tensos.

— Estamos seguros aqui. — Hannah hesitou, então acrescentou: — Por enquanto.

Antes que Althea pudesse perguntar mais, Adam deu um empurrão de brincadeira, no sujeito ao lado de Hannah, tirando-o de sua cadeira, e se acomodou de volta. Com os cabelos úmidos de suor e aquele ardor nos olhos, ele poderia mesmo ter saído das páginas do livro de Victor Hugo.

— Li seu romance — começou ele, se debruçando sobre a mesa para dedicar toda a sua atenção a Althea.

— Leu? — interrompeu Hannah, imediatamente apertando os lábios como se não quisesse demonstrar interesse.

— Sim. — Ele abriu um sorriso para a irmã e disparou: — Posso emprestar, se você pedir com jeitinho.

— Patife.

— Achei fascinante — prosseguiu Adam, voltando-se para Althea, que detectou a mais pura sinceridade na declaração.

Alguns amigos de Diedrich tinham menosprezado seu trabalho, zombado por ela só saber escrever em inglês, ou feito comentários sarcásticos sobre perder tempo em coisas tão *frívolas* como a ficção.

— E foi seu primeiro romance. Impressionante.

— É o meu 25º romance — admitiu Althea, com um sorriso tímido. — Este só foi primeiro a ser publicado.

— Você nunca me falou isso — disse Dev, atrás dela.

Envolvida como estava pelos irmãos Brecht, Althea quase esquecera de sua presença.

— Achei que você tinha sido arrancada da obscuridade.

— Essa parte é verdade — respondeu Althea, voltando a incluir Dev na conversa.

Otto Koch, que estava esparramado em uma cadeira do outro lado de Dev, também se inclinou, e Althea tentou não se encher com tanta atenção.

— Foi um acaso. O trem do meu atual editor quebrou perto da nossa cidadezinha, e ele se hospedou no quarto que fica no pub do meu irmão.

Althea sabia que era uma boa história. A editora inclusive a usara para vender o livro, e o editor se gabava de ter encontrado um diamante bruto nas entranhas mais profundas de uma pequena cidade de pescadores.

— Eu publicava uma série de mistério no jornal local, principalmente porque não havia muito mais para preencher as páginas. Meu irmão guardava exemplares no salão para os clientes terem algo para ler. Meu editor leu toda a série, depois caçou as anteriores. No dia seguinte, insistiu em saber quem eu era e se eu tinha algum trabalho inédito que ele pudesse ler.

— Corta para você se tornando uma estrela literária — disse Dev, anunciando a conclusão óbvia.

— Eu não me adaptei totalmente — admitiu Althea, um eufemismo.

Todos riram, mesmo que não tivesse sido uma piada.

— Acho que meu editor gostou mais da ideia de me descobrir do que do livro em si, então quis que o romance fosse bem-sucedido. Isso bastou.

— E então o livro chegou à mesa de Goebbels — disse Adam, balançando a cabeça, ainda com aquele sorriso fácil.

Althea estava percebendo as semelhanças físicas dele com Hannah, embora a expressão da irmã raramente fosse tão amigável e aberta.

— Não sei bem como aconteceu — admitiu Althea, levando os outros a trocar olhares.

— Os nazistas gostam de listas de ascendências — articulou Adam, depois de um tempo. — Ouvi dizer que você não sabe muita coisa sobre o estado atual de nossa política.

A sondagem foi mais delicada que a de Hannah, embora mais direta que a de Dev.

— Confesso que não sei se tenho cabeça para isso — disse Althea, encarando a mesa para evitar todos os olhares. — Nunca prestei muita atenção em casa.

— Deve ser bom poder escolher a ignorância — disse uma mulher pequena de cabelo curto e cuidadosamente bagunçado, se jogando no colo de Adam.

Ele deu um beijo no canto da boca da mulher e acariciou o rosto dela, o que mais uma vez lembrou Althea de um filhote pidão.

A expressão de Hannah se tornou ao mesmo tempo afetuosa e divertida.

— Olá, Cl...

A saudação foi interrompida de repente pela mulher, que a chutou na coxa.

— Só usamos nomes se necessário. Só porque vocês acreditam que este ratinho não vai voltar para a *Schutzstaffel* dando com a língua nos dentes, não significa que precisam aniquilar todos nós.

— Eu não... — começou Althea, reconhecendo o nome dos camisas-pretas que agiam como segurança de Hitler.

Foi então, porém, que Althea percebeu que a mulher tinha tinta nas palmas das mãos, nos pulsos, na calça masculina que usava e no colete aberto.

— Você está imprimindo alguma coisa?

A mulher respondeu com um olhar irritado.

— Não ligue para ela — disse Adam, e Althea notou que ele não usara o nome da mulher. Respeitara o pedido. — Ela fica irritada sempre que está perto do prazo.

— Prazo?

— Os nazistas fecharam quase todos os jornais da oposição — explicou Adam, mesmo com a mulher levando a mão à sua boca como se para impedi-lo fisicamente de responder. — Se quisermos que todos saibam das atrocidades que estão cometendo, precisamos imprimir as notícias em segredo.

— "Segredo" é a palavra-chave. — A mulher bufou, se levantando do colo de Adam. — Preciso voltar. Só vim dar um oi.

— Se cuide — disse Adam, pegando a mão da mulher e dando um beijo na palma, apesar da tinta.

O estômago de Althea se revirou com a lembrança do cabaré, de como Hannah levara o pulso daquela moça à boca em um gesto semelhante. Todo o tempo sem tirar os olhos de Althea.

Com uma olhada rápida, notou Hannah olhando fixamente para ela, achando graça. A mulher sempre estava rindo dela, pelo visto, mas suas risadas não magoavam como as dos que riam dela quando jovem. Em vez disso, o riso parecia envolver Althea em nuances suaves e acolhedoras.

— Não sou eu que preciso ser lembrada disso — retrucou a mulher, antes de sair, com um último olhar incisivo para Althea.

— Eu não pedi para vir — murmurou Althea, tão baixo que só Hannah conseguiu ouvir.

— Dev é assim mesmo — explicou Hannah. — Quando ela gosta de uma pessoa, acha que a conhece melhor do que a si mesma.

— Isso não seria difícil — respondeu Althea, e Hannah deu um sorriso irônico.

— Ela também achou que Adam...

Hannah não terminou a frase, mas Althea já imaginava o resto. Adam tinha uma personalidade capaz de persuadir uma pessoa em cima do muro. Isso acontecia, em parte, por causa da forma como ele olhava para a pessoa, como se ela fosse a única na sala. No caso de Althea, Adam tinha lido o livro dela, o que só aumentava a conexão. E, além disso, Adam tinha um charme inerente que poucos poderiam sonhar em ter.

— Diga — disse Hannah, desta vez em um volume normal —, ainda acha que somos apenas monstros de um tipo diferente dos nazistas?

De repente, Althea se tornara alvo da atenção de todos que ouviram a pergunta. O que acabou por ser metade do público.

Claro que, se o que eles alegavam fosse verdade, os nazistas eram bárbaros abomináveis que assassinavam seus oponentes políticos para tomar o poder. Mas os nazistas diziam a mesma coisa sobre essas pessoas.

Nem todas as informações eram iguais, no entanto, tampouco a fonte. Althea pensou sobre os nazistas que conheceu, seus apoiadores, a superioridade mesquinha impregnada em tantas conversas. Pensou em Helene falando sobre os supostos "alemães de verdade", nos comentários desdenhosos de Diedrich sempre que Althea mencionava autores específicos.

Então pensou em como fora acolhida pelo grupo diante de si, a curiosidade e a mente aberta com que encaravam o mundo, a bondade que demonstravam para com pessoas diferentes e um pouco estranhas e provavelmente excluídas por toda a vida, assim como Althea havia sido.

O silêncio se arrastara por tempo demais, as expressões murchando, os rostos se fechando. Althea odiou aquilo. Não sabia por que era tão resistente em considerar seus anfitriões como maus. Parte dela imaginava que era por não saber o que aquilo diria a seu respeito. Afinal, foram os nazistas que a encontraram e a convidaram para visitar a Alemanha. Algo nela os atraiu a ponto de pagarem pela viagem.

E ela não queria reconhecer isso.

Althea abriu a boca para dizer alguma coisa — uma negação, uma explicação, um apelo, mas não sabia o quê.

Não importava.

A porta da loja se abriu de repente, revelando um jovem ofegante, de rosto vermelho, apoiando as mãos nas coxas.

O silêncio sepulcral que recaiu sobre o café arrepiou a pele de Althea.

Quando o garoto finalmente se endireitou, deu a notícia com uma voz atravessado pelo medo:

— O Reichstag está em chamas.

Paris
Novembro de 1936

Hannah arquivou o último livro do carrinho de devoluções — *Nada de novo no front*, de Remarque — e se alongou. O dia na livraria fora longo, e faltava pouco mais de uma semana para a exposição no Boulevard Saint-Germain.

Ela voltou para a mesa que ocupava e, por instinto, olhou para a imagem pendurada logo em frente: uma fotografia de Goebbels monitorando as fogueiras em Berlim, três anos antes. Sempre que estava ali, Hannah se obrigava a olhar para aquilo. Uma vez perguntou por que mantinham uma imagem daquele homem cruel na parede, assim como perguntara por que mantinham aqueles homens cruéis nas prateleiras. A resposta foi de que havia sido uma decisão do próprio fundador, Alfred Kantorowicz.

Para que ninguém nunca se esquecesse do propósito da biblioteca.

O tempo e a distância, sempre presentes na história, podiam fazer as pessoas esquecerem.

— Devia descansar um pouco, srta. Brecht — sugeriu o sr. Mann, atrás dela.

Hannah se virou e viu o rosto do homem, também exausto. Como presidente da biblioteca, ele estava trabalhando mais do que todo mundo. Hannah não conseguiu evitar a pergunta que lhe escapou:

— O senhor acha que faremos diferença?

O silêncio dele mostrou que a indagação o deixara pensativo, não ofendido.

— Suponho que seja como a própria biblioteca, não? É importante que os nazistas vejam que não têm o mundo inteiro ao lado deles — respondeu, por fim. — É importante que haja esforços da Resistência que os nazistas vejam. Mesmo pequenos. Mesmo que não façam nada além de mostrar a essas pessoas que não são a única voz no mundo.

— Na Alemanha, eles são a única voz que pode ser ouvida — constatou Hannah, amargurada.

— Mas não em Paris — devolveu o sr. Mann, com um aceno de cabeça decisivo, e Hannah se apegou àquele otimismo durante todo o caminho para casa.

Brigitte a interrompeu antes que chegasse às escadas de seu apartamento.

— Correspondência! — ladrou.

Desde a cena de Otto, a proprietária andava ainda mais concisa do que o habitual, embora não tivesse expulsado Hannah, que só podia ficar grata.

Ela pegou o envelope com um sorriso tímido e viu o carimbo de prioridade.

Seus joelhos cederam, e o grito assustado de Brigitte foi apenas vagamente registrado sob o martelar em seus ouvidos.

Hannah rasgou o papel, com medo de destruí-lo, mas sem conseguir esperar o segundo a mais que levaria para abrir com cuidado.

Apesar das letras borradas, quando notou a assinatura de Johann na parte inferior, ela soube.

Hannah pressionou os olhos com as palmas das mãos antes de tentar encontrar sentido nas palavras.

O julgamento de Adam foi uma farsa. Foi realizado em 2 de novembro de 1936, e ele foi executado no dia seguinte. Sinto muito, Hannah. Meus pensamentos estão com você e sua família.

Um grito baixo e agudo encheu o vestíbulo, e só quando Brigitte deu um leve tapa em seu rosto é que Hannah percebeu que o som vinha dela.

— *Je suis désolée* — disse Hannah, com dificuldade, limpando os olhos com as pontas dos dedos. — *Je suis...*

Suas palavras foram interrompidas por um soluço tão atípico que Hannah se assustou. Brigitte estalou a língua e a puxou para baixo do braço, levando-a para o pequeno apartamento no andar principal.

Brigitte enrolou um cobertor em volta dos ombros de Hannah, depois colocou uma xícara de chá com uísque em suas mãos. O líquido queimou ao descer pela garganta, fazendo o mundo recuperar os contornos quando chegou ao estômago.

Sua pulsação ainda martelava em seus ouvidos, mas a náusea diminuíra para um nível suportável.

— Seu amante? — perguntou Brigitte.

Pressionando a carta junto ao peito como se pudesse sentir os batimentos cardíacos de Adam na madeira morta e na cola, Hannah balançou a cabeça.

— Irmão.

— Ah. — Brigitte deixou a farsa do chá de lado e encheu a xícara com mais álcool, diretamente da garrafa. — Bendita seja a sua memória — continuou a mulher, em um inglês quase perfeito.

Então bateu a borda de sua xícara na de Hannah.

Ao ver seu olhar questionador dela, Brigitte deu de ombros.

— Tenho amantes judeus. Tenho amantes ingleses.

As duas ficaram sentadas em um silêncio reconfortante. Hannah não sentia urgência em mover as pernas.

Ela entendera o destino de Adam assim que ele foi preso e estivera de luto pelos últimos três anos. Quase parecia cruel que o mantivessem vivo, torturando-o. Na maioria das vezes, quando pensava no irmão, Hannah o imaginava como naquele dia na sala de visitas do centro de detenção, com os guardas nazistas se assomando sobre a família.

Hannah e os pais tinham levado o bolo favorito de Adam, um par de meias, um baralho — que provavelmente fora confiscado —, mas o que mais poderiam ter feito?

Mesmo machucado, com o lábio rachado e o rosto encovado, Adam tentara sorrir. Tentara *tranquilizá-los*. Nos anos que antecederam a prisão, Hannah o provocara impiedosamente — do jeito que só irmãos sabem fazer — quanto ao seu otimismo. No entanto, nunca contara o quanto ele a inspirava.

Era uma mulher com muitos arrependimentos na vida, mas aquele era um dos maiores. Adam provavelmente sabia — sabia como era difícil olhar para um mundo frio e estéril e ver não o ódio, a morte e a destruição, mas a possibilidade.

Pela primeira vez, Hannah não o imaginou naquela sala, e sim antes, na primeira noite em que um ardor surgiu em seus olhos. Foi no verão de 1930, quando o então chanceler promulgara decretos de emergência que lhe permitiam passar leis sem a aprovação do Reichstag. Adam sempre fora passional, um líder nato, curioso e esperto, ainda que não muito estudioso. Mas ainda não encontrara a válvula de escape certa para tudo aquilo até então.

O que podemos fazer?, perguntara Hannah, certa de que a resposta seria *Nada*.

Alguma coisa, qualquer coisa, respondera Adam. *É a inação que devemos temer, não o fracasso.*

Hannah decidiu que era assim que o imaginaria a partir daquele momento, convencida de que, se Adam quisesse viver em um mundo melhor, precisava ajudar aquele mundo a se tornar o que ele acreditava que poderia ser.

— Eu sabia que uma hora aconteceria — confessou para Brigitte. — A execução.

— Isso não significa que não dói — respondeu a proprietária, bebendo direto da garrafa. — Já vimos morte demais. E o mais triste? É só o começo, eu acredito.

— Um intervalo.

Era isso que todos estavam vivendo. A Grande Guerra podia ter concluído seu primeiro ato, mas não acabara. E Hannah sabia que o espetáculo continuaria ceifando a vida do público pelos próximos anos.

— Vamos rezar para que não volte — resmungou Brigitte.

Por fim, Hannah conseguiu reunir forças para subir as escadas. Ela permaneceu parada diante da mezuzá por mais tempo que o habitual e, quando beijou as pontas dos dedos, pensou em Adam. *Bendita seja a sua memória*, dissera Brigitte. Na tradição judaica, significava que era responsabilidade dos que ficavam levar adiante a bondade do falecido.

Hannah estava encarando seu trabalho com a biblioteca como a antítese do que Adam fizera, mas talvez aquilo jamais tivesse sido muito diferente do que ele fazia.

Era importante que os nazistas vissem que não tinham o mundo inteiro ao lado deles.

No dia seguinte, distribuiria panfletos para a exposição, arrumaria nas prateleiras os romances que os nazistas não queriam ler, trabalharia duro ao lado das pessoas que os nazistas estavam ensinando milhares de pessoas a odiar.

Aquela noite seria para o luto.

Mas no dia seguinte, e no outro, e todos os dias depois disso, levaria adiante a bondade de Adam.

Nova York
Maio de 1944

Sentada no chão de seu escritório, Viv levantou a cabeça quando Edith Stone, a bibliotecária que trabalhava no conselho de seleções de livros da EFA, enfiou a cabeça pela porta.

— *Strange Fruit* foi aprovado para uma das séries do próximo ano. Contanto que você derrote Taft — anunciou. — O que vai acontecer.

Viv olhou para o alto e deu um soco no ar.

— Você é um presente do céu, Edith. Sabia que eu precisava de uma vitória, não sabia?

Strange Fruit, uma história sobre um romance inter-racial no sul dos Estados Unidos, fora publicado em fevereiro e, desde então, censurado em Boston e Detroit. No início de maio, o Serviço Postal dos Estados Unidos tentou se juntar ao movimento para bani-lo. A decisão foi revertida depois que a própria Eleanor Roosevelt interveio, mas o livro ainda era um assunto controverso.

Edith fez do romance seu projeto de estimação, argumentando que os soldados das tropas no exterior o adorariam. Além de histórias que os faziam lembrar de casa, como *Uma árvore cresce no Brooklyn* e *Chicken Every Sunday*, os livros mais populares tinham, bem, *bastante* sexo. Sexo, escândalo e qualquer coisa que combinasse os dois.

— Como anda o bafafá com Taft? — perguntou Edith, sentando--se em frente a Viv.

— Elaborei uma lista de afazeres muito extensa — começou Viv, em tom brincalhão, mas sem perder a seriedade — e fico bastante sobrecarregada toda vez que olho para ela.

— Deixe-me ajudar — pediu Edith, inclinando-se para a frente como se fosse começar a pegar papéis aleatoriamente.

— Você já está sobrecarregada — protestou Viv.

Todos os voluntários estavam, mas bibliotecárias como Edith, que também tinham outros empregos, estavam particularmente atarefadas.

— Posso dar conta de tudo, eu só...

— Qual é a meta? — perguntou Edith. Quando Viv a olhou, confusa, ela explicou melhor, gesticulando: — Já sei o objetivo final. Estou falando do dia em si. Qual é a meta para o dia?

— Fazer as pessoas se importarem — declarou Viv, sem pestanejar.

— E como você vai fazer isso?

— Bom, primeiro eles precisam conhecer o assunto. — Viv bateu com o dedo nos papéis sobre a mesa e continuou: — Vou entrar em contato com os grandes jornais de todo o país, especialmente os que já escreveram artigos sobre o programa. Também tenho uma lista dos jornais em distritos de legisladores que Taft considera influentes. — Mais um favor de Hale. — Escrevi uma carta explicando a situação a cada um e os convidei para cobrir o evento.

— Parece um bom começo. O que mais?

— Tenho um amigo no *New York Times* que pode ajudar a encontrar um espaço vantajoso para qualquer artigo no jornal.

— Então a cobertura de imprensa está resolvida. O que mais precisa fazer?

— Definir a lista de convidados e organizar a programação de palestrantes.

Era ali que as coisas começavam a se complicar. Acionar repórteres e garantir matérias e artigos era da natureza de Viv, pois sempre fez parte de suas responsabilidades como diretora de publicidade do conselho. Já elaborar o dia do evento era diferente. Importante.

— Eu posso ajudar com os convites para os voluntários — sugeriu Edith, arrancando um sorriso de agradecimento de Viv.

— Seria ótimo — respondeu, tentando ignorar o aperto de culpa em seu peito.

Aquela cruzada era dela, e Viv odiava envolver outras pessoas, sabendo como era improvável vencer a luta.

— Quero dar o que falar com a lista de convidados. Grandes nomes, doadores políticos e afins. Quero que todos os congressistas percebam que essa questão afetará seus fundos de campanha.

— Claro. E eu quero um milhão de dólares — brincou Edith. — Como exatamente vai fazer com que o clube dos milionários participe de um evento em prol de um programa de livros gratuito?

— Charlotte — revelou Viv, com um sorriso atrevido. — Ela é minha arma secreta.

— Ah, a sogra. — Edith assentiu, parecendo entender. — Uma aliada rara, mas poderosa.

— Charlotte tem alguma influência sobre todos os moradores de Nova York com bolsos fundos o bastante para gastar em campanhas políticas. — Viv pegou uma caneta e rabiscou uma anotação na lista de tarefas. — Isso me lembra que preciso enviar um convite aos colunistas de fofocas. Será *o* evento do verão.

— Quem diria que um evento sobre censura seria uma atração para os fofoqueiros de plantão — comentou Edith, que não tinha paciência para coisas tão frívolas, mas ambas sabiam que aquelas senhoras da sociedade eram poderosas.

— Bom, isso me leva ao meu maior problema — admitiu Viv.

— Qual?

— Ainda não tenho um gancho. Algo que faça com que as pessoas se preocupem com a causa. Ter os mesmos velhos apoiadores de sempre pregando para o coro não dá o que falar. Eu poderia convidar o próprio Roosevelt para o evento, mas, sem alguma grande arma, todos esquecerão a história no dia seguinte.

— Nem os muitos artigos e editoriais já escritos sobre nosso programa bastaram para que Taft cedesse.

— Exato. Preciso de algo chocante e interessante, algo que as pessoas não poderão fingir que não viram.

— Com quais palestrantes pode contar? — indagou Edith, com um biquinho reflexivo e o olhar um pouco distante. — Algum deles será um chamariz?

— Betty Smith disse que ficaria feliz em vir.

— Um belo golpe. — Assim como Viv, Edith sabia que *Uma árvore cresce no Brooklyn* era um romance tão popular que seria enviado pela segunda vez pela EFA. — Mas ela tem sido franca desde o início.

— Sim. E alguns outros, não tão grandes — continuou Viv. — Alguns oficiais do Exército também vão falar, talvez alguns soldados.

— Mas...

— As pessoas que comparecerão para ver Betty Smith e alguns homens feridos já são do tipo que escrevem aos congressistas em apoio à EFA. Eu simplesmente não acho que vão falar mais alto que o ruído das outras notícias.

Viv pensou na bibliotecária, no jeito que ela disse: "Eu estava em Berlim na noite da queima". Talvez aquilo fosse suficiente. As pessoas eram fascinadas pelas circunstâncias da época em que os nazistas assumiram o poder. Se a bibliotecária falasse sobre seu tempo na Alemanha, *poderia* garantir a cobertura que Viv planejava ter.

Edith interrompeu aquele pensamento:

— Já ouviu falar de Althea James?

— Quem não ouviu?

A mulher era lendária pelo isolamento. Escrevera dois dos romances mais vendidos das últimas duas décadas, mas não dera uma única entrevista sobre nenhum deles. O fato de ser uma eremita a tornava ainda mais atraente para seu público. Todos queriam saber exatamente quem era Althea James, mas ninguém jamais tivera acesso a ela. Viv nem sequer sabia como era a aparência da mulher, e duvidava ser a única.

— Já leu os livros dela?

— Ainda não — admitiu Viv, um pouco envergonhada. — Mas vamos oferecer o segundo na lista da EFA no outono. Se eu conseguir que Taft desista da emenda.

— *Uma escuridão inconcebível*. — Edith soltou o título do livro distraidamente. — Tem tudo a ver com censura.

— É mesmo? — perguntou Viv, girando na cadeira como se um exemplar pudesse aparecer milagrosamente em seu escritório.

— Sim, e a tornou mais famosa do que o primeiro.

— *A luz não fraturada*.

— Sim. Acho que você vai gostar desse.

Edith era sua fonte de recomendações mais confiável, de modo que Viv fez uma anotação mental para ler o livro.

— É sobre a Guerra Civil. Uma família com filhos e filhas em diferentes lados da linha Mason-Dixon. É bastante...

— Desolador? — adivinhou Viv.

Edith balançou a cabeça, procurando a palavra certa.

— Ingênuo. Mas esperançoso.

— E você acha que eu vou gostar? — questionou Viv, tentando não se ofender.

— Não finja que no fundo você não é uma manteiga derretida.

— Que calúnia! — acusou Viv. — E o segundo livro?

— Mais sombrio. Eu lembro que muitos críticos comentaram sobre a mudança de tom. É bem marcante.

— Isso foi antes da guerra?

Edith assentiu.

— Então não poderia ter sido a guerra que influenciou o novo tom.

— Quem sabe tenha sido algo mais pessoal? — Edith deu de ombros. — Mas o livro em si se passa em um julgamento. Um conselho escolar local está sendo processado para remover do currículo um livro escandaloso escrito por um ex-escravizado.

— O livro existe?

— Não, mas a história toda é bastante deprimente. Sem final de conto de fadas, sem cavaleiro chegando em um cavalo branco para salvar o dia. É... — Ela fez uma pausa. — Brutal. Doloroso, até. Uma lição sobre batalhas que valem a pena e como muitas vezes são perdidas, não importam os esforços.

— Bem, isso soa familiar — murmurou Viv, mas logo em seguida compreendeu o que acabara de dizer. Então se animou. — E perfeito.

— Ela certamente seria um grande atrativo, se conseguisse convencê-la a participar. Qualquer um se acotovelaria até a frente da fila para poder dizer que viu Althea James pessoalmente.

O sangue de Viv começou a correr mais rápido, despertando uma sensação de eletricidade sob sua pele. Era isso. Podia sentir. Uma reclusa famosa que escrevera sobre o mesmo assunto que Viv estava defendendo.

— Ela nunca aceitaria, não é? — perguntou, encarando o olhar firme de Edith, sabendo que os próprios olhos estavam arregalados e atordoados pela possibilidade.

— Não sei, mas sabe de uma coisa, Viv? — Edith bateu uma unha no queixo, pensativa. — Estou começando a aprender a não apostar contra você quando quer alguma coisa. A editora dela é a Harper & Brothers, a propósito.

Viv se levantou, deu a volta na mesa e tascou um beijo demorado e barulhento na bochecha de Edith.

— Você é a melhor!

— Nunca se esqueça disso.

Althea James. Podia ser um tiro no escuro, mas toda aquela luta também era. E, se iam perder, podiam pelo menos perder lutando.

Berlim
Março de 1933

Althea nunca ouvira o som muito distinto de um chicote esfolando camadas de carne.

O couro estalou no ar, abafando os gemidos e o baque de socos atingindo o osso.

No início, não entendeu o que estava vendo.

Punhos e movimentos borrados, por um breve momento, lembraram Althea dos manifestantes a caminho da Chancelaria. Mas não havia sorrisos largos ali na pequena praça, em um bairro comum no meio de Berlim.

Sua visão ficou turva pelas lágrimas antes mesmo de poder compreender completamente o horror da cena que testemunhava. Althea secou os olhos impiedosamente e tentou recuperar o fôlego.

Corpos demais para contabilizar jaziam inconscientes no chão, com manchas de sangue espalhadas por rostos, pernas e braços retorcidos em ângulos estranhos, soltando gemidos que soavam mais como animais feridos do que como humanos cedendo sob maldades tão cruéis.

Alguns homens ainda estavam envolvidos na briga, gritando obscenidades uns para os outros. Embora houvesse uma mistura de camisas-pardas e civis, nenhum dos homens no chão usava uniforme.

Althea conteve um soluço com a mão, engolindo-o de volta para não chamar a atenção.

Uma cruz de Santo André fora colocada no centro da praça, o homem amarrado a ela preso de modo que apenas seus pulsos sustentassem o peso do corpo. Suas costas, voltadas para a multidão, estavam tão rasgadas que parecia não haver mais pele para protegê-lo da arma bárbara.

Aos pés dele, uma mulher de joelhos soluçava.

— Por favor, chega! — implorou a mulher. — Chega! Chega!

Não havia um único traço de misericórdia no rosto do camisa-parda que olhava os dois de cima. Sem hesitar, o homem desceu a ponta pungente do chicote na carne já exposta.

O respingo de sangue salpicou as botas do policial e o rosto da mulher. O homem na cruz não chorou, não gritou; estava inconsciente.

Ou morto.

— São bolcheviques, querida — sussurrou uma mulher de meia-idade ao lado de Althea. — Está desperdiçando as lágrimas com eles.

A indiferença com que as palavras foram ditas fez Althea cambalear. Ela deu um, dois passos para longe da mulher. Então seu cotovelo bateu em alguém atrás de si.

Ela rodopiou e se deparou com o olhar gélido de um camisa-parda com os lábios finos franzidos, os olhos a avaliando. Althea baixou o olhar depressa, os braços dormentes com a ideia de ser arrastada para aquela violência.

No entanto, o homem não perdeu tempo com ela; simplesmente olhou para algum ponto atrás dela, então de volta para a pessoa que estava arrastando. A cabeça da mulher estava raspada e, ao redor do pescoço, havia um cartaz pendurado: TRAIDORA DA RAÇA.

Quando a mulher passou por Althea, a luz do sol reluziu no ouro da aliança em seu dedo, seus olhos encontrando os de Althea com puro ódio, puro desprezo. Aquilo queimou cada parte recém-esvaziada do corpo dela.

Então o camisa-parda arrastou a mulher para mais longe, e Althea se tornou apenas mais um rosto em uma multidão de espectadores que não estavam fazendo absolutamente nada para impedir aquilo tudo.

A mulher foi jogada no chão, mas não se deitou, não se tornou uma pilha de ossos indigna. Ela era pura fúria contida, o corpo rígido, quase vibrando de raiva. A mulher ergueu a cabeça, em desafio, e uma cusparada quase acertou as botas do camisa-parda.

Althea temeu e amou aquela desconhecida, mas nem sequer conseguiu olhar para ela naquele momento, tão profunda era a própria vergonha. Se aquela cena fosse de um livro que estivesse escrevendo, Althea teria ido a passos largos até a praça, parado na frente da mulher e enfrentado seu agressor, não importava as consequências. Na vida real, ela permaneceu nas sombras, só assistindo.

No segundo seguinte, o camisa-parda deu as costas para a mulher.

— O que ela fez? — murmurou Althea.

A mulher mais velha de antes se inclinou para perto, aparentemente nem um pouco desencorajada pelo desgosto de Althea.

— Ela se casou com um judeu — respondeu, simplesmente.

Althea quase vomitou ali mesmo.

A mulher de cabeça raspada estava ajoelhada, imensuravelmente graciosa, uma fina linha de sangue escorrendo do canto da boca.

No fim das contas, não foi o sangue ou as contusões, a carne destruída ou os ossos quebrados que fizeram Althea se afastar. Foi o olhar no rosto daquela mulher.

Com as mãos trêmulas e lágrimas quentes escorrendo pelo rosto, Althea foi aos tropeços em direção a um beco, as pernas quase cedendo, quase levando-a para a sarjeta, onde achava que deveria ser seu lugar.

Suja. Era assim que se sentia. Como se mesmo esfregando e esfregando e esfregando com água escaldante, nunca mais fosse ficar limpa.

O coração batia tão forte contra as costelas que Althea achou que os ossos fossem rachar; não conseguia recuperar o fôlego. Alguém a parou, perguntou como ela estava, primeiro em alemão e depois em inglês. Ela balançou a cabeça.

Depois vieram mais mãos, segurando seus braços.

Arrastando-a de volta para a praça.

Onde a carne seria arrancada de suas costas com aquele chicote maligno.

Não. *Não*. A pessoa a soltou, se afastou.

Precisava encontrar Diedrich, precisava fazê-lo explicar, dar sentido ao que acabara de testemunhar.

Althea parou e se encostou na parede.

Um fio fino de sangue escorrendo por um queixo erguido em desafio.

Diedrich. Ele estaria no café que visitava quase todas as tardes. Estaria com os amigos no fundo do estabelecimento, depois sairiam atrás de um bar e algumas cervejas.

Althea avistou a cabeleira loira quando tropeçou no limiar.

Ele estava ao lado dela em segundos.

— Althea, querida — murmurou Diedrich, as mãos quentes nas costas dela, esfregando círculos lentos e reconfortantes em sua pele.

Ela se afastou por instinto.

— Por quê? — conseguiu perguntar.

Diedrich piscou aqueles olhos glaciais como a neve, que ela achara tão encantadores nos primeiros dias em Berlim e que só recentemente passara a considerar gélidos. Calculistas.

— Bateram em uma mulher — disse Althea, sem saber onde encontrou forças para descrever o que vira. — Por se casar com um judeu.

Diedrich ficou completamente imóvel.

— Ah.

— Por quê?

— Estamos passando por uma guerra civil — disse Diedrich, baixo e urgente, protegendo a conversa do resto do café com o corpo. — Depois do ataque ao Reichstag, você sabe que não é seguro estar nas ruas.

Althea assentiu; sabia mesmo. Na outra noite, o grupo de Adam se dispersara quase antes de o rapaz sem fôlego terminar de falar. Ainda assim, ela levou alguns dias para perceber como aquele momento tinha sido perigoso.

Milhares de comunistas haviam sido presos desde o incêndio. Dev contara que um deles era a moça que se sentara no colo de Adam e, apesar de ser uma estranha sem nome, Althea quase chorou com a notícia.

Diedrich e os jornais nazistas justificaram as prisões, é claro. Alertaram sobre bandos itinerantes de comunistas que assassinariam crianças inocentes que olhassem para eles. Sobre monstros que queriam destruir a Alemanha só porque podiam. *E veja*, diziam os nazistas, *eles começaram atacando a sede do poder.*

Os nazistas estavam só tentando proteger os cidadãos alemães cumpridores da lei.

— Mas... por quê? — perguntou de novo, sabendo que não estava fazendo muito sentido.

A mulher na praça estava tão magra, suas maçãs do rosto já tinham sido machucadas muito antes de ser forçada a se ajoelhar diante daquele carrasco.

— Althea, você simplesmente não entende — retrucou Diedrich, visivelmente tentando parecer calmo. Com o polegar encaixado sob a mandíbula dela, o homem levantou seu rosto para que Althea o encarasse e continuou: — Você está assustada, eu sei. Mas tudo vai melhorar em breve. Eu prometo. É a guerra, querida. Não é bonito, mas é necessário. Para a segurança de todos nós.

Althea queria se apoiar nele. Seria muito mais fácil simplesmente acreditar no que Diedrich estava dizendo do que enfrentar a própria vergonha.

Ela recuou um passo. Se soltou dos braços dele. Deu meia-volta. Saiu do café, para a rua.

Ninguém tentou impedi-la.

No café com o grupo de Adam, Althea não conseguira condenar os nazistas porque admitir que eles eram monstros significava que ela também era. Ninguém se descrevia como o vilão na própria história.

Althea podia não ter estudado literatura em uma faculdade de renome, mas era capacitada o suficiente para saber como criar um vilão convincente. Nenhum personagem era completamente bom ou mau — eram diversos todos compostos por uma série de atributos. Esses atributos, somados às escolhas que faziam, definiam o papel que desempenhavam na história.

Um herói podia ser teimoso e usar isso para defender sua terra natal. Um vilão podia ser teimoso e, por causa disso, se recusar a compreender que seus pontos de vista eram imorais. Apenas alguns atributos eram inerentemente ruins.

E a covardia devia ser um dos ruins.

Olhando ao redor, Althea foi tomada de remorso quando finalmente viu o que não quisera encarar, quando catalogou tudo o que deveria tê-la horrorizado o tempo todo. O que tantas pessoas lhe *disseram* que deveria tê-la horrorizado o tempo todo.

As vitrines das lojas estavam quebradas, a palavra JUDEN pintada em um amarelo berrante nas poucas vidraças intactas. Ninguém se cumprimentava na rua, todos caminhando de cabeça baixa a passos apressados e decididos. Cartazes cobriam cada centímetro dos espaços públicos, anunciando em letras grossas e garrafais as atrocidades sofridas pelos arianos nas mãos dos vermelhos, dos judeus, de qualquer pessoa além deles mesmos.

De volta à hospedagem, sua alma parecia envolta em um arame farpado que havia sido puxado e a fizera sangrar por todo o caminho.

Ela caiu de joelhos ao lado da estante onde guardara o exemplar de *Mein Kampf* que Diedrich lhe dera para ler, meses antes. Nunca conseguia passar do primeiro capítulo, mas, naquele momento, ela se forçou a sentar e ler.

Estava ficando escuro quando terminou.

Não importava o que as pessoas em Berlim quisessem pensar, Althea não era simplória, ela apenas preferia a segurança dos livros à realidade. Para o bem ou para o mal, histórias fictícias permitiam que usasse viseiras, permitiam que se aproximasse das pessoas, por mais inventadas que fossem, sem conhecer a vulnerabilidade inerente do contato com os outros. Quando tinha seis, nove, treze anos, os livros ofereceram um refúgio, um abraço reconfortante, uma melhor amiga que nunca existira na vida real, às vezes até mesmo um plano vingativo que a própria Althea nunca realizaria contra seus inimigos, mas no qual era bom pensar mesmo assim.

Quando recebeu o convite de Goebbels, Althea foi à biblioteca e pediu para que a velha sra. Malikowski a ajudasse a procurar artigos mencionando o NSDAP. Nenhum lhe dera medo de ir para a Alemanha.

Depois veio a acolhida de Diedrich, que a encontrou no porto e conversou com ela sobre literatura, temas e escolhas de estilo; nada fizera Althea pensar que ele era mau.

Althea tinha sido criada para confiar no governo, confiar nas pessoas que agiam bem com ela.

Nunca aprendera a encarar o mundo com desconfiança.

No entanto, ao terminar a leitura de *Mein Kampf*, qualquer inocência que ainda possuísse após aquela tarde estava completa e irremediavelmente perdida.

Era o tipo raro de livro que não oferecia segurança, apenas uma realidade assustadora e terrível.

Nova York
Maio de 1944

A gordura impregnava o ambiente na pizzaria de Midtown, a conversa de funcionários e famílias preenchendo o lugar. Os fornos na parte de trás deixavam a loja quente e sufocante, e a clientela da hora do almoço excedia a capacidade do local.

Um dia havia se passado desde que Viv decidira que Althea James podia ser sua melhor arma contra Taft, mas, quando começou a elaborar seu plano de ataque, Charlotte interveio:

— É sábado, Viv, e você tem se matado de trabalhar. Vá descansar, pelo amor de Deus.

Ela simplesmente olhou para a amiga sem saber o que fazer com o tempo livre. Charlotte revirou os olhos.

— Você tem 24 anos e não sabe como passar um dia agradável em uma das melhores cidades do mundo? Isso é vergonhoso.

Viv não tinha como negar a veracidade do comentário, então acatou o incentivo e tirou o dia de folga. Depois de atravessar a cidade; Viv jurava que era melhor em passar o tempo. Por fim, deu de cara com uma pizzaria que vendia fatias enormes, e lá estava, rindo do queijo escorrendo para o prato enquanto tentava manobrar a coisa até a boca.

— Melhor dobrar a pizza para comer — instruiu o garoto ao lado, fazendo-a se virar para encará-lo.

Não era um garoto, embora Viv duvidasse que tivesse muito mais que os dezoito anos necessários para se alistar. O belo azul do uniforme da Marinha realçava o verde de seus olhos grandes. O rapaz tinha alguns sinais no queixo, cílios grossos e o corte rente que Viv desejava nunca mais ver, depois que aquela guerra maldita acabasse.

— Assim — mostrou ele, seu sotaque gentil.

Geórgia, adivinhou Viv, e decidiu chamá-lo assim.

O rapaz riu, mas não a corrigiu. Viv pensou em Cisco, o rapaz de dezesseis anos que amava *Vento, areia, estrelas* e fora baleado por um atirador de elite alemão entediado.

Depois, não pensou em nada além da explosão de orégano na língua.

— Vou embora amanhã — contou Geórgia, olhando para uma queimadura de cigarro na mesa que os dois tinham decidido compartilhar.

— Aposto que diz isso para todas — brincou Viv, apesar do nó na garganta.

Os olhos de Geórgia dispararam para os dela. Sérios. Jovens.

— Não, senhora, eu não digo.

— Bom, então vou te mostrar um pouco da Big Apple.

Viv o levou a todos os pontos turísticos em que conseguiu pensar. Pararam na entrada do Empire State e debateram os méritos de *King Kong*. Viv não mencionou como Hitler amava o filme, e Geórgia só fez um comentário malicioso sobre os quadris de Fay Wray.

Viv o arrastou para o Met, mas o tirou de lá assim que notou seu tédio. Seu último dia nos Estados Unidos devia ser divertido, não uma tortura. Ao descer a escadaria do museu, comprou um cachorro-quente para ele e mostrou como lambuzá-lo de mostarda e comê-lo, esperando para atravessar a rua. Passearam pelo Central Park, e Viv permitiu que ele entrelaçasse os dedos nos seus.

— Não há nada que você queira fazer? — perguntou, observando o balão escapar das mãos de uma garotinha, subir e atravessar a copa das árvores.

Era final de tarde, e o tecido de seu vestido azul-claro suado e úmido grudava na lombar. Viv o desgrudou com a mão livre, tomando cuidado para não soltar a do rapaz.

— Acho que fui eu que escolhi tudo até agora.

Geórgia a encarou com um olhar emoldurado pelos cílios cheios, e Viv o acotovelou de leve.

— Engraçadinho — repreendeu.

Ele riu, e Viv mais uma vez foi lembrada de como devia ser jovem.

— Eu estava pensando em um bolo de chocolate.

— Claro que estava.

Uma de suas padarias favoritas ficava a apenas dez minutos a pé, próxima ao lado oeste do parque. Escolheram uma mesinha perto da janela, os joelhos esbarrando ao se sentarem. Uma das funcionárias da loja varria o chão — era quase hora de fechar —, mas a proprietária olhou para o soldado com os olhos cheios de lágrimas e serviu para ele uma fatia enorme, com direito a sorvete e tudo.

Por um segundo, Viv se perguntou se quem a mulher perdera fora um filho ou marido, mas logo deixou aquilo de lado. Aquele não era um dia para pensar.

— Qual é seu livro favorito? — perguntou Viv, mesmo sabendo que a pergunta era um pouco próxima demais da lista de assuntos proibidos que Charlotte recitara antes de forçá-la a sair de casa naquela manhã.

Geórgia mais uma vez assumiu um olhar travesso, que Viv já estava começando a reconhecer depois de tão poucas horas. O que o salvava era que ele nunca parecia levar nenhuma das próprias insinuações — nem a si mesmo — a sério. Ele a provocava como talvez provocasse uma colega de classe.

— Os *bluesies* contam? — perguntou, se debruçando e franzindo as sobrancelhas.

Viv o satisfez com uma reação positiva, sem coragem de mencionar que era amiga de homens suficientes para não corar com uma menção àqueles quadrinhos para maiores. Até já folheara alguns, embora não compreendesse o apelo.

— Seu sem-vergonha.

Ele apenas sorriu e comeu mais uma garfada de bolo. Então Viv bateu o joelho no dele, desta vez de propósito.

— Agora quero a verdadeira resposta.

Geórgia pareceu deixar de achar graça, e foi só quando ficou sem expressão que Viv percebeu como aquele humor descontraído era parte da personalidade dele.

— Hum... Nunca fui muito de ler.

Não é como se Viv não tivesse ouvido aquela resposta diversas outras vezes, mas teve a sensação de que a aversão do jovem tinha a ver com algo diferente de desinteresse. Com cuidado, sondou:

— Por quê?

— As letras nunca ficam paradas.

— Ah — murmurou Viv, com uma pontada de culpa no peito. Claramente era um assunto delicado. — Tudo bem.

— Eu acho... — começou Geórgia, engolindo em seco. — Acho que sou meio lento. Isso nunca me incomodou, mas estou com medo de não conseguir ler as cartas da minha mãe. — Ele mordeu o lábio inferior e acrescentou, desnecessária, mas apressadamente: — Quando eu estiver lá.

Viv queria abraçá-lo, mas especulou que qualquer demonstração de solidariedade poderia ser entendida como pena.

— Você não é lento. — Ela baixou o garfo e decidiu que valia a pena quebrar as regras de Charlotte. — E alguém vai ler para você.

Ele finalmente a olhou nos olhos.

— O quê?

— Recebo cartas de soldados todos os dias. Faz parte do meu trabalho como... Bem, não importa. O que importa é que muitos homens que estão lá também não têm facilidade de ler. Os outros vão ajudar você. Só não tenha medo de pedir.

— Você não acha que vão rir de mim?

— Pode ser que isso aconteça — admitiu Viv, resolvendo ser sincera, afinal, estavam falando de soldados. — Mas só para te provocar. Depois, lerão as cartas para você. E ajudarão a escrever uma resposta, tenho certeza.

Geórgia franziu os lábios, assentiu uma vez e reassumiu seu ar travesso.

— Será que também vão ler os quadrinhos obscenos para mim?

— Como se você os comprasse pelo que está escrito — retrucou Viv, com um revirar de olhos que arrancou de Geórgia uma risada surpresa e satisfeita.

Viv queria congelá-lo naquele instante, como uma fotografia. Como se pudesse mantê-lo seguro em uma imagem e libertá-lo quando a guerra terminasse. Voltar para a Geórgia, voltar para a mãe e para sua vida.

Ela se forçou a sorrir também e o deixou mudar de assunto.

Depois da padaria veio o jantar, e depois um táxi rumo a um lugar que Geórgia afirmou tocar um bom jazz.

Os dois se encontraram um amigo dele em um clube na rua 115, e, alguns minutos depois, Viv se viu espremida em uma mesa com três homens de uniforme e duas damas envoltas em seda e lantejoulas. As mulheres eram lindas de uma forma que Viv nunca seria, e teve que resistir ao desejo constrangido de se ajeitar quando elas a olharam.

— Eu acho você muito bonita — confessou Geórgia, em seu ouvido, a voz ainda mais extrovertida depois de todo álcool consumido desde a chegada ao clube.

Ele era doce, Viv percebera ao longo da tarde, com um senso de humor sujo e uma curiosidade cativante. Em outra vida, teria sido um bom marido para uma boa moça da Geórgia.

Mas naquela vida provavelmente acabaria como alvo de um canhão.

Viv fingiu que sua respiração não fora interrompida ao pensar naquilo e bateu com o quadril no dele.

— Vamos dançar.

Geórgia não hesitou e simplesmente a puxou para perto, o gemido impetuoso dos trompetes, o toque do violoncelo levando ambos a algo muito mais íntimo do que Viv teria permitido em qualquer outra situação.

— Vou embora amanhã — sussurrou Geórgia, com a boca colada no maxilar de Viv.

Nenhum desejo se acumulou no berço de seus quadris. Em vez disso, Viv sentiu a tristeza de milhões de mulheres que não podiam fazer nada além de ver seus homens partirem.

— Aposto que diz isso a todas — respondeu.

E então — porque ele iria mesmo embora no dia seguinte — abriu espaço para que ele colasse os lábios nos dela.

E não pensou em nada.

Berlim
Março de 1933

— Você está quieta — comentou Diedrich, a voz carregada de preocupação.

Fazia dois dias que Althea testemunhara os camisas-pardas esfolarem as costas de um homem e espancarem o rosto de uma mulher, e se o pior que Diedrich podia dizer de seu estado era que ela estava quieta, Althea só tinha a agradecer.

Quieta era melhor do que aterrorizada, confusa, enfurecida.

Estava agindo normalmente desde então, sem saber o que mais poderia fazer. Quando lembrou que precisava participar daquela festa, uma celebração das eleições, simplesmente pegou um vestido, calçou os sapatos e entrou no elegante carro preto que Diedrich enviara para buscá-la.

No momento, fazer qualquer outra coisa parecia difícil demais.

Diedrich levou a mão de Althea à própria boca, roçando os lábios em seus dedos. Ele a olhou nos olhos, criando um momento íntimo como o beijo trocado em frente à Chancelaria, em janeiro.

Ela assistiu à cena se desenrolar como se estivesse separada do corpo e, a distância, entendeu a estratégia. Sempre que Althea tinha dúvidas, sempre que começava a questionar os nazistas, Diedrich era romântico. Um beijo, um toque na lombar, um sussurro, uma provocação. Ele tinha seu charme, mas só agia como amante quando queria controlá-la.

O ácido queimava sua garganta e ela o engolia convulsivamente, tentando não chorar. Não era tola o bastante para pensar que ele estava apaixonado, mas não percebera o quão indiferente Diedrich devia ser para fazer aquela farsa funcionar.

— Parece que viu um fantasma, querida — disse Lina Fischer ao se aproximar.

Lina era uma jovem aluna de pós-graduação que estudava literatura e história, e Althea nunca se sentira tão intimidada por alguém na vida. As duas se conheceram em uma das leituras de Althea, e, quando Diedrich tentou enfiar um exemplar do livro de Althea nas mãos de Lina, recebeu como resposta um zombeteiro: "Não tenho tempo para leituras frívolas".

Ela e Diedrich tinham sido amantes; talvez ainda tivessem. Pela maneira como muitas vezes se esqueciam de manter algum espaço entre si, Althea desconfiava que ainda fossem, mas que estavam sendo discretos por causa dela.

Sempre que Lina falava com Althea, sua voz vinha carregada de uma espessa camada de condescendência, mas, naquela noite, entre pessoas que queriam falar com Althea por quem ela era, estava particularmente pesada.

Deveriam estar comemorando. Os nazistas não haviam conquistado assentos suficientes nas eleições na semana anterior para ganhar a maioria no Reichstag, mas Hitler banira oficialmente os 81 comunistas eleitos no dia seguinte. Afinal, segundo Diedrich, foram os comunistas que conspiraram para incendiar o Reichstag. Quem agia feito traidor não tinha direito de chorar por ser tratado como um.

Isso a fez questionar o momento do incêndio — pouco antes da eleição, quando os nazistas mais precisavam do apoio do eleitorado. Não seria perfeito rotular um louco como representante de um partido inteiro e espalhar pânico entre as massas quanto à iminência de uma guerra civil?

A família que organizara a festa era fabulosamente rica até para os padrões dos apoiadores dos nazistas. O champanhe circulava livremente, assim como a comida. Não havia sinais de dificuldades econômicas.

Os convidados cantaram a canção de batalha nazista "Kampflied der Nationalsozialiste", bem como a "Horst Wessel", e dançaram, sorriram e se abraçaram como se tivessem certeza de que estavam fazendo o que era melhor para a nação.

— Um fantasma — explicou Lina, diante do silêncio de Althea. — É assim que vocês dizem, não?

— É. — Diedrich a tranquilizou, ainda segurando a mão de Althea.

Quando ele a apertou, Althea percebeu que antes teria interpretado a atenção como uma preocupação afetuosa.

Ela o encarou nos olhos e se lembrou de quando ele lhe entregara o exemplar de *Minha luta*. O exemplar que tinha era dele e estava bem gasto. Lido com frequência — as páginas finas e os vincos na encadernação deixavam isso claro.

— Com licença.

Foi tudo o que conseguiu dizer, se soltando do domínio dele. Althea se forçou a andar, em vez de correr como queria. Calma, sem qualquer pressa. A multidão eufórica a engoliu depois de poucos passos, corpos a imprensando, vinho respingando nos sapatos, e o tempo todo Althea lutava contra as lágrimas que pesavam suas pálpebras nos últimos dois dias.

Desde que chegara a Berlim, estava na cova com os leões. Usada por eles, colocada em exibição como um exemplar das realizações da raça superior.

E participara de tudo de bom grado, com um sorriso no rosto e brilho nos olhos porque um homem finalmente lhe dera atenção. Para uma mulher que nunca fora convidada para sair por um único rapaz, aquilo era inebriante, avassalador, vertiginoso. Diedrich não fora escolhido pelos nazistas para ser seu contato por ser um dos principais professores de literatura da universidade; tinha sido escolhido pelos lindos olhos, lindo cabelo, lindo sorriso... armas que poderia usar à vontade.

Mais uma vez, Althea tropeçou pelas ruas, sem saber para onde ir, até olhar ao redor e reconhecer o bairro.

A escuridão já tinha se instalado quando chegou à casa de Dev.

Uma parte sua sussurrou que era perigoso estar na rua naquela noite, com toda a violência que crepitava pela cidade.

Outra parte sussurrou que ela talvez merecesse qualquer violência que encontrasse.

Althea tocou a campainha e esperou.

Quando Dev abriu a porta, seu rosto se iluminou e depois se fechou.

— Ah, querida.

Ela puxou Althea para um abraço com cheiro de rosas, fumaça de charuto e algo puramente picante que Althea não conseguiu identificar, mas que trazia um conforto inimaginável.

— Venha, estamos quase devidamente bêbados.

Althea não se preocupou em perguntar com quem ela estava, apenas seguiu Dev obedientemente escada acima rumo a um apartamento luxuoso em comparação à sua hospedagem simples. Hannah Brecht estava esparramada no sofá de veludo, usava um vestido de seda esmeralda que abraçava cada curva do corpo como o toque de um amante. Otto estava esparramado artisticamente no chão ao lado dela.

— Olha só quem deu as caras — disse Hannah, seu olhar pesado e avaliador.

O último encontro das duas tinha sido no café, na noite do incêndio. Quando ela perguntou se Althea ainda achava que o grupo comunista era como os nazistas.

Na noite em que Althea hesitou tempo demais para responder.

Dev enfiou um copo de algo forte nas mãos de Althea e disse a Hannah:

— Ela está tendo um momento de revelação, como dizemos nos Estados Unidos.

Hannah riu, uma risada rouca e atraente com um toque de desdém.

— Meio tarde demais para isso.

— Nunca é tarde demais — discordou Dev, atipicamente séria.

Althea piscou para conter as lágrimas e engoliu a bebida, então tossiu quando o líquido desceu queimando pela sua garganta até se estabelecer, quente e pecaminoso, na barriga.

— Eu não sabia — disse Althea, por fim, a voz embargada.

— Você não queria saber — corrigiu Hannah, franzindo os lábios carnudos e analisando Althea.

— Era só ter perguntado — disse Otto, unindo forças com Hannah.

Althea se perguntou sobre os dois. Parecia raro um estar sem o outro por perto. Eram claramente próximos, mas agiam mais como irmãos do que amantes.

— Ninguém quer ser o vilão da história — respondeu Althea, afundando no sofá em frente a Hannah.

Dev se acomodou em uma bela poltrona *wingback* perto da janela, embalando um copo contendo uma bebida cor de âmbar. Ela não parecia inclinada a aliviar a tensão entre Hannah e Althea.

— O vilão. É isso que você é? — perguntou Hannah.

Althea procurou a resposta certa em cada parte de seu ser.

— Do que mais chamar uma pessoa que deliberadamente finge que não vê o mal que ocorre ao seu redor?

Os cantos dos olhos de Hannah se enrugaram.

— De alemão.

A piada pairou entre elas por um segundo tenso e, em seguida, Althea cobriu a boca com a mão para conter as risadas eclodindo de seu pânico agonizante.

— Você devia ser um daqueles mestres de cerimônia nos cabarés.

— Eles parecem se safar com tiradas vergonhosas, não? — observou Hannah. — Acho que eu não teria tanta sorte.

O bom humor de Althea não durou muito.

— Você deve me odiar.

— Por favor, você não é pior do que todos os outros países do mundo, nem diferente de todo líder que vê Hitler como um lunático que chegou ao poder por pura sorte — declarou Hannah, levando Otto a erguer o copo em um gesto indicando que concordava. — O mal deveria ser ainda mais aparente para eles, mas se recusam a olhá-lo e vê-lo pelo que é. Não culpo você.

— Pois deveria — sussurrou Althea, as palavras machucando sua garganta. — Como está Adam?

Hannah estreitou os olhos de desconfiança.

— Por que se importa?

Althea pensou nos olhos de cachorrinho dele, no caloroso *li seu romance*.

— Como ele está?

— Perturbado — disse Hannah, e Otto emitiu um pigarro gutural, indicando que concordava. — Sabe a mulher com as manchas de tinta? Ela foi presa naquela noite.

Althea umedeceu os lábios e olhou de relance para Dev.

— Fiquei sabendo.

— Provavelmente não vão matá-la — disse Hannah, sem rodeios. — Mas me preocupo com o que Adam fará. Por raiva.

— Hannah... — murmurou Otto, com os olhos fixos em Althea.

Era preciso ter cuidado. Althea entendeu, mas se perguntou quantas vezes teria que afirmar que não os trairia até acreditarem.

— Eles não são quem eu pensava — admitiu.

— Isso é muito sério — proferiu Hannah, afundando de volta no canto do sofá.

Ela bateu a unha no copo, então olhou para Dev por alguns instantes, antes de voltar para o rosto de Althea.

— O que vou dizer será difícil de engolir.

Althea se preparou. Não havia mais desculpas, muito menos protestos.

Hannah respirou fundo e se inclinou para a frente, como se prestes a contar um segredo.

— No momento, está agindo como se isso tudo tivesse alguma relação direta com você. Mas não tem. Isso tudo diz respeito a um ditador que quer matar todos os não arianos do mundo. E, por favor, acredite em mim: se ele de alguma forma realizar esse feito horrível, passará a matar arianos de olhos castanhos e, em seguida, aqueles com dedos longos demais ou dentes tortos. — Ela parou e suspirou. — Não é sobre você.

— Mas se eu...

— Se você se manifestasse, se desobedecesse a um boicote, se desse uma bofetada no rosto daquele seu vigia, sabe o que aconteceria? — provocou Hannah, seus olhos penetrantes e sérios, mas não maliciosos.

Eram palavras duras, mas não destinadas a eviscerar Althea.

— Hitler continuaria reunindo comunistas para prender em suas pequenas prisões. Ele continuaria empenhado em sua guerra contra os judeus, continuaria assassinando os oponentes políticos aos montes. Ou seja: não é sobre você.

Hannah disse aquela última parte com ênfase suficiente para Althea absorver, de forma desconfortável. Ainda assim, a escritora não pôde deixar de perguntar:

— Não acha que uma pessoa possa fazer diferença?

— Acho — disse Hannah, sem pestanejar. — Só não acho que essa pessoa seja você.

Althea estava acostumada demais a pensar em termos de protagonistas e personagens principais. Eles eram a razão para o mundo em que existiam — eles salvavam o dia, ou salvavam a princesa, ou salvavam a humanidade. Eram a razão de tudo.

Hannah suspirou, fazendo a seda de seu vestido descer um pouco pelos belos ombros.

— Eu não estaria defendendo você de si mesma se na época soubesse explicitamente o que eles estavam fazendo e concordasse com tudo. Mas parece que agora você sabe e não concorda, por isso, precisa superar.

— Então o que eu faço? Vou embora?

Ela tinha dinheiro suficiente para comprar a própria passagem de volta para os Estados Unidos. Se o que Hannah estava dizendo era verdade, Althea não tinha poder algum ali para parar aquela loucura. Não seria melhor simplesmente deixar o país?

Dev fez um som de discordância. Como se entendesse a lógica, mas não quisesse concordar com aquilo.

Foi Hannah, no entanto, quem respondeu.

— Você pode partir. Ou...

— Ou? — insistiu Althea.

Hannah olhou para Dev, que deu um pequeno aceno de cabeça, as duas tendo uma conversa silenciosa.

— Você quer fazer alguma coisa?

— Sim — desabafou Althea, aterrorizada, mas certa daquilo.

— Então fique — disse Hannah. — Conheça a verdadeira Berlim pelos próximos três meses. A nossa Berlim. Depois, quando voltar para casa, garanta que as pessoas saibam exatamente o que está acontecendo na Alemanha. Não apenas a versão das manchetes, mas o que realmente está acontecendo. Corrija suposições que ouvir, você pode contar a uma pessoa e a pessoa contar a outra pessoa e assim por diante. Combata o fanatismo, mesmo que queira deixá-lo para lá. Com o tempo, isso crescerá e se tornará um pouco mais que nada, mesmo que não seja o grande feito que suas emoções atuais querem que você realize.

Althea balançou a cabeça.

— Isso não vai... Eu não sou tão importante quanto todos aqui pensam.

Um calor correu para seu rosto ao admitir aquilo, uma revelação que vinha guardando a sete chaves desde que pisara em solo alemão.

— Eu não sei — disse Hannah, olhando para Althea atentamente, como estava fazendo desde que ela entrara. — Talvez você ainda seja a heroína da história.

Nova York
Maio de 1944

Não tinha como Viv negar que Charlotte tinha razão. O sábado de folga, a confissão envergonhada de Geórgia e o tempo sem pensar constantemente no senador Taft e na EFA foram revigorantes. Na segunda-feira, ela estava pronta para iniciar a campanha para trazer Althea James a bordo de seu evento.

O primeiro passo foi pesquisar, e pesquisar significava um lugar.

Ela parou um pouco, ajustando a tira do calcanhar do sapato antes de subir os degraus da Biblioteca Pública de Nova York, saudando carinhosamente um dos leões ao passar.

Embora a biblioteca certamente fosse impressionante, Viv se viu comparando os tetos altos e ostensivos e os pisos de mármore com o aconchego da Biblioteca dos Livros Proibidos pelos Nazistas, no Brooklyn, preferindo o segundo lugar.

Perto do saguão de entrada, sentada à uma mesa, uma jovem de cabelo escuro cortado em camadas elegantes, blusa bem-passada e saia cinza no auge da moda a recepcionou.

— Posso ajudá-la?

— Estou procurando jornais antigos, de cerca de uma década atrás.

— Claro — disse a mulher, se levantando e orientando Viv a segui-la. — Meu nome é Missy.

Viv quase sorriu com a facilidade com que a bibliotecária se apresentou.

— Viv.

Missy a ajudou a localizar os jornais próximos das datas de lançamento dos dois livros de Althea e acomodou Viv em uma mesa no fundo do salão de leitura principal.

O sol se esgueirava pela sala, derramando-se sobre as mãos de Viv, os braços, os ombros. Ela teve que mudar de posição quando os olhos começaram a lacrimejar, mas, no geral, a passagem do tempo parecia existir apenas fora daquela sala em particular.

Edith estava certa sobre as críticas. As primeiras menções a Althea vieram alguns dias antes do lançamento de *A luz não fraturada*. Os críticos elogiaram o estilo, os temas, o uso eficiente do fluxo de consciência na mente da filha da personagem principal. Viv encontrou somente uma resenha menos que excelente, mencionando um final feliz que parecia fácil demais.

Apesar disso, Viv notou uma leve condescendência em todas as resenhas. Elas faziam questão de mencionar, naquele mesmo tom, que Althea não tinha educação formal, como se ela fosse um cãozinho especial que sabia andar de bicicleta, assim como soltavam várias farpas dissimuladas sobre sua habilidade, mesmo a despeito de ser uma mulher. Seu editor, um homem que a descobrira por um capricho do destino, também era muito citado, algo que Viv duvidava que aconteceria se Althea também fosse homem.

Viv folheou os jornais de anos mais recentes até encontrar a recepção de *Uma escuridão inconcebível*. E, se pensou que as críticas anteriores tinham sido boas, aquelas eram arrebatadoras. Elas falavam sobre uma nova profundidade na escrita de Althea e como as personagens eram todas moralmente cinzentas, em vez de ostentarem a ética tão transparente do trabalho anterior. Além disso, a rejeição da estrutura de conto de fadas claramente conquistara até os leitores mais pretensiosos.

O editor literário do *New York Post* ponderou que a mudança poderia ser fruto dos seis meses, entre 1932 e 1933, que Althea passara como convidada de Joseph Goebbels em seu programa de levar autores para residências na Alemanha, a fim de exibir os sucessos da raça superior.

A frase estava solta no final do artigo, mas os olhos de Viv se detiveram ali. Teve que reler três vezes para entender de verdade, a mente passando por todas as possibilidades antes de chegar ao que parecia ser uma verdade inevitável.

Althea James apoiara os nazistas.

Viv absorveu aquele soco no estômago por um tempo antes de balançar a cabeça.

Não. Não era necessariamente verdade. Embora os anos 1930 tivessem visto o florescer de um movimento fascista nos Estados Unidos, era crível que uma moça de cidade pequena da zona rural do Maine não soubesse no que estava se metendo ao concordar em participar de um programa cultural.

No entanto, depois de descobrir aquilo, Viv não podia ignorar o fato. Ela parou a leitura e agradeceu brevemente por morar em Nova York e por aquela biblioteca ser incrivelmente bem-financiada. Então continuou a pesquisar.

Encontrou edições do *Portland Daily News* de novembro e dezembro de 1932, voltou à mesa e fez uma pausa. *Seis meses*.

As edições de junho juntaram-se às pilhas.

Demorou mais uma hora para encontrar uma menção à proeminente escritora local Althea James e o convite para Berlim, e mais quarenta minutos para encontrar o artigo sobre seu retorno.

Nenhum continha fotos da autora. As resenhas também não. Se Viv não se dera conta antes, por fim ficara óbvio: Althea era uma mulher veementemente reservada. Ou seja, não era um bom presságio para suas chances de convencê-la a falar no evento.

Deixou o pensamento de lado. A Viv do futuro lidaria com aquilo.

O que os artigos tinham eram algumas declarações de Althea; o primeiro contato de Viv com algo que a própria mulher dissera. Ficou imaginando se seriam as únicas existentes.

> "Estou muito animada para expandir meus horizontes literários com essa viagem", diz a srta. James, de 25 anos. "Talvez seja o início de um maravilhoso programa de intercâmbio entre a Alemanha e os Estados Unidos."

Ela prosseguiu para o artigo sobre a volta de Althea para casa. A maior parte era apenas uma biografia rápida e um resumo do sucesso literário da autora até então. No final, entretanto, perguntaram a Althea se ela gostara do tempo que passara em Berlim.

> "Tanto quanto se pode gostar de viver entre monstros", declarou a srta. James, de 26 anos, antes de elaborar mais.

Viv pegou os dois jornais e os colocou lado a lado, sublinhando cada citação com a ponta do dedo, demorando-se nas palavras, refletindo.

Embora as citações fossem curtas, a mudança marcante de tom era um eco claro do que os críticos — e Edith — haviam dito sobre os livros de Althea.

Ingênuo, esperançoso. Depois brutal e sombrio.

Monstros. Althea estava se referindo aos nazistas? Ou era disso que Viv queria se convencer? O tempo certamente sabia obscurecer a realidade, encarar comportamentos preocupantes através de lentes cor-de-rosa.

No fim das contas, porém, uma coisa era fato: a presença de Althea James seria um espetáculo. E Viv precisava de um evento lotado e de atenção máxima para sua causa. Claro, se Althea fosse realmente uma simpatizante nazista, Viv teria que ajustar os planos. Mas, naquele momento, não havia informação suficiente para saber com certeza, e Viv tinha uma alma cheia de otimismo.

Quando saiu da biblioteca, ela teve que admitir que estivera fingindo um pouco toda aquela confiança. Não podia negar que, apesar de todos os avanços que estava fazendo, em algumas noites se trancava em seu minúsculo banheiro azul-turquesa e bebia meia garrafa de vinho na banheira, olhando para os azulejos e se perguntando se tudo aquilo daria errado.

Para se acalmar, Viv começara a ler o exemplar de *Oliver Twist* que comprara no vendedor de rua e a pensar em Edward fazendo o mesmo tantos meses atrás, em algum lugar da Itália.

Quando seus pais morreram e ela foi enviada para morar com tio Horace, todo o mundo passou a se resumir à casa dele, à escola e à igreja. Aqueles eram os únicos lugares aos quais Viv podia ir nos primeiros anos morando com o tio. Sua vida era tão pequena.

Foram os livros que lhe proporcionaram uma vida exuberante; os livros a deixavam adentrar mil mundos diferentes, onde era possível ser milhares de pessoas diferentes. Por muito tempo, Viv andara pelo mundo como se guardasse um segredo que ninguém mais conhecia.

Estava pensando em tudo da forma errada. O sucesso da EFA provou que compartilhar o segredo era muito mais poderoso do que guardá-lo a sete chaves. Com essa partilha, o fio da humanidade que corria entre todos se encurtava, se fortalecia, se tornava ainda mais vibrante para o mundo, assim como as emoções e jornadas que os leitores experimentavam juntos.

Viv não precisava conhecer um soldado pessoalmente para procurar na escuridão e saber que outra pessoa estava encontrando consolo nas mesmas palavras que ela lia naquele exato momento. Era como olhar para a lua e sentir uma conexão com qualquer um tocado por sua luz.

Todos que estavam passando por aquela guerra sem fim — mesmo os que estavam em casa — precisavam encontrar os próprios motivos para continuar.

O dela era garantir que aquela conexão não fosse tirada dos soldados.

VIV DECIDIU prosseguir como se o sucesso fosse inevitável: não só Althea James compareceria ao evento, como faria um discurso inflamado, pondo fim a quaisquer receios de que fosse uma simpatizante nazista.

Embora o otimismo cego pudesse ser um pouco imprudente de sua parte, permitiu que ela avançasse com os planos que traçara após deixar a biblioteca.

Extraoficialmente, ligou para uma jornalista do *Columbus Dispatch*, de Ohio, que entrara em contato alguns meses antes por conta de um artigo sobre a EFA.

— Seria com exclusividade? — pressionou Marion Samuel quando Viv sugeriu um perfil sobre Althea James.

Marion parecia interessada, mas hesitante. Althea James se tornara uma espécie de celebridade nacional, e o fato de nunca dar entrevistas e de não conversar com ninguém a tornara ainda mais intrigante para a maioria das pessoas.

Viv se resguardou.

— Se eu conseguir que ela concorde.

— Bom, não vou criar grandes expectativas. Mas uma entrevista exclusiva com Althea James? Com certeza iria para a capa do jornal.

A próxima ligação foi para Leonard Aston, veterano da Grande Guerra que havia voltado para casa com demônios nos olhos e um andar manco permanente que o mantinha fora da confusão atual.

Ele também fora um dos amantes mais duradouros de Charlotte, depois que Theodore Childs se mudou para outra residência. Às vezes, Viv fantasiava que Leonard pensava nela como uma filha, mas sabia que os dois não eram exatamente próximos o bastante para isso. Ainda assim, ele atendia às suas ligações, e era isso que importava.

O que era ótimo para ela, pois o homem era o atual editor das seções de vida e estilo da revista *Time*.

— Você abriu mão da exclusividade? — gritou Leonard, ao telefone, embora seu latido fosse notoriamente pior do que a mordida.

— Quantos dos eleitores de Taft são seus assinantes, Leo? — perguntou Viv, paciente.

— Toneladas, centenas, milhares, até, tenho certeza — respondeu ele, com um toque de humor. — Tudo bem, tudo bem. Mas eu terei minha própria entrevista, certo?

— Se eu conseguir que ela concorde — preveniu-se Viv, mais uma vez.

— Eu nunca apostaria contra você, garota — disse Leonard, o que Viv teria achado gentil se ele não tivesse desligado sem esperar por uma resposta.

Com aquelas tarefas concluídas, Viv entrou em contato com a Harper & Brothers, onde uma assistente simpática, mas firme, informou que a editora não dava nenhuma informação sobre seus autores. Quando ela pediu pelo menos o nome do editor, a mulher desligou.

Viv não tinha nenhum contato próximo naquela editora em particular, mas conhecia alguém que talvez tivesse.

No dia seguinte, abordou Harrison Gardiner na saída do escritório dele e o convidou para passear pela Booksellers' Row na Quarta Avenida. Como uma das jovens promessas do mercado editorial, Harrison gostava de se manter bem-informado sobre o que os grandes estabelecimentos comerciais mantinham em estoque e raramente negava uma oportunidade de sair do trabalho mais cedo.

Enquanto esperava por Harrison do lado de fora da Biblo & Tannen, Viv passou os dedos nas lombadas dos livros empilhados sobre uma das bancadas externas.

Havia um benefício adicional em se manter ocupada naquela tarde. Viv nunca dera muita atenção ao feriado do Memorial Day, mas não podia mais evitá-lo. Não quando todas as lojas da cidade queriam fazer sua parte e homenagear os soldados tombados.

Não queria pensar em Edward como um soldado tombado; queria pensar nele como o homem que adorava passar tardes preguiçosas naquela mesma rua, conferindo as novidades.

Edward não era um amante dos livros. Como muitos homens que Viv conhecia, ele se forçara a ler na escola e nunca aprendera a fazê-lo por prazer.

Mas Edward sempre gostou de observar os compradores na Booksellers' Row, infinitamente encantado com a escolha de cada pessoa — ainda mais se contradissesse quem o mundo devia pensar que a pessoa era. Como uma vovozinha italiana comprando um livro com a capa mais picante da seleção.

Viv piscou para afastar a onda de emotividade, irritada consigo mesma por se lembrar de Edward em público. Raramente pensava nele longe da privacidade da própria casa, sem querer ser pega soluçando no meio da rua. Parte de seu foco tão intenso em Taft e na EFA era por toda aquela atividade não deixar muito espaço para a dor correr solta e engoli-la por inteiro.

Precisava acreditar que, em algum momento, seria mais fácil suportar. Que poderia atravessar aquela mesma avenida e se lembrar que ele criava histórias para os estranhos, tornando-as cada vez mais ultrajantes quanto mais Viv ria. Ou como arrancava de suas mãos os livros que ela acabara de comprar e começava a ler trechos constrangedores em voz alta e teatral, ali mesmo no meio da rua.

Viv sabia que um dia pararia de olhar para o lado, pronta para apontar uma viúva misteriosa envolta em peles e joias, apenas para se deparar com o vazio. Mas este dia ainda não tinha chegado.

— Você parece triste demais para alguém que está enfrentando o Capitólio e vencendo — comentou Harrison, por trás de Viv.

Ela forçou um sorriso até torná-lo natural, a lembrança de Edward guardada de volta em seu cofre.

— Talvez "vencendo" seja um termo generoso demais — respondeu Viv, quando sincronizaram as passadas, os braços dados.

— Considerando que já havia desistido há algumas semanas, acho que isso conta como uma vitória — argumentou ele, parecendo muito satisfeito consigo mesmo.

— Você quer que eu agradeça, não é? — disse Viv, fingindo estar chateada.

— Uma pitada de apreço ajuda muito a conseguir os favores que se deseja — brincou Harrison. — E presumo ser por isso que estou aqui, por mais que você claramente goste da minha companhia.

— Segundas intenções? Quem, eu? — perguntou Viv, fingindo inocência para fazê-lo rir.

Ela cedeu e o atualizou sobre todos os planos que estava traçando, incluindo a esperança remota de contar com a presença de Althea James.

— Tenho um amigo de faculdade na Harper — refletiu Harrison, enquanto paravam diante de uma das prateleiras de livros.

Viv estava contando com aquilo. A editora era pequena e o círculo interno de estrelas, ainda menor, mas teve que ignorar um lampejo de irritação por tudo para ele ser tão fácil.

— Não posso prometer nada, mas vou defender sua ideia.

— É tudo o que peço — disse Viv, grata, apesar do rápido instante de ressentimento. — Obrigada.

Enquanto se deslocavam para a próxima banca na calçada, um homem com um enorme chapéu Stetson ofuscante de tão branco saiu de uma loja, com direito a pistolas brancas enfiadas em coldres cobertos de joias e um bigode quase tocando o colarinho.

Viv virou para a esquerda, onde Edward tantas vezes estivera com algum comentário ácido na ponta da língua.

Mas o espaço estava vazio. Como sempre estaria.

Paris
Novembro de 1936

A notícia de que os pais de Hannah haviam recebido vistos para a Inglaterra chegou no primeiro dia da exposição.

Hannah olhou para a carta, atordoada ao perceber que os pais já estavam a bordo de um navio para Southampton sem dar adeus. Se ela fosse outra pessoa, poderia ter chorado. Mas Hannah sempre soube que, na escala de prioridades de seus pais, ela estava em último lugar.

Eles haviam dito repetidas vezes que não a culpavam pelo destino de Adam, mesmo que ela tivesse confessado a verdade aos dois não muito tempo depois de o irmão ser arrastado para o campo de concentração. Hannah, no entanto, sabia que tinha sido enganada por um rostinho bonito, e todos pagaram o preço por aquilo.

A carta dizia que uma quantia generosa fora depositada em sua conta bancária, suficiente para sustentá-la por anos — o único indício de dever familiar que seus pais ainda sentiam em relação a ela.

Hannah releu a mensagem, respirou fundo e disse adeus. Adeus aos pais que nunca a amaram da forma que um pai e mãe devem amar uma criança, da forma como amaram Adam.

Adeus à inocência de acreditar que o amor pode ser incondicional.

Após atravessar o cômodo em três passos rápidos, Hannah jogou o envelope na lareira acesa. A tinta e o papel silvaram seu protesto enquanto eram devorados pelo fogo, enquanto se transformavam em cinzas.

Otto era sua família. Hannah se apegou à ideia enquanto se vestia, beliscou as bochechas para que ganhassem alguma cor, calçou os sapatos e se despediu de Brigitte, que se tornara mais gentil com ela nos últimos dias. Não pensou em como sentia que Otto se distanciara dela desde que os dois se mudaram para Paris.

O amigo a cumprimentou na rua com um sorriso contente e despreocupado que ela tentou imitar. Enquanto caminhavam rumo ao Boulevard Saint-Germain e à exposição, Hannah conduziu a conversa para fofocas tolas e despreocupadas, tentando iluminar a escuridão da manhã. A escuridão do que estava por vir.

No entanto, à primeira visão da suástica, Hannah não podia mais participar de conversas supérfluas.

Estavam em Paris.

Uma terra livre.

Não era a Alemanha nazista.

Hannah repetiu aqueles fatos diversas vezes no caminho até as bandeiras que exibiam o símbolo do mais puro ódio. A Biblioteca Alemã da Liberdade se instalara na *Société de Géographie*, duas portas à frente de nazistas usando uniformes militares alemães parados na saída de uma loja. O sr. Heinrich Mann e o irmão igualmente famoso, Thomas Mann, estavam presentes, supervisionando a exibição com alguns outros grandes nomes, autores que Hannah reconheceu por ter arquivado seus livros inúmeras vezes. Todos foram gentis, todos estavam alegres, mas cada sorriso era um pouco frágil, e os olhares não paravam de vaguear para as bandeiras, os uniformes, os parisienses seduzidos pelo espetáculo nazista.

A biblioteca estava servindo sidra de maçã e doces para os visitantes. Hannah se esforçou para abordar os que deixavam a vitrine dos nazistas com uma sacola marrom enfiada debaixo do braço. Se eles quisessem vencer aquela luta, não podiam guardar rancor das pessoas que desejavam persuadir.

Otto se sentou em uma cadeira no canto e distribuiu comentários divertidos que, com o passar do dia, se tornaram amargurados, quando todos perceberam que o esforço não seria tão bem-sucedido como esperado. As pessoas paravam, olhavam, às vezes até se envolviam, mas Hannah não achou que estavam fazendo alguém mudar de ideia.

“Os nazistas não podem ser tão ruins assim”, ouviu.

“Eles estão mudando as coisas.”

“...mas os judeus parecem ter muito poder.”

A última frase foi sussurrada em voz alta o suficiente para todos ouvirem.

Hannah se afastou do homem, forçou um sorriso e levou uma senhora para mais perto da exibição de livros de autoria judaica, que selecionara tão diligentemente.

Ela sabia, no entanto, sabia que todos ali ouviram. Se aquela fosse uma batalha pela alma de Paris, a Biblioteca Alemã da Liberdade tinha perdido.

Quando seu turno terminou, pegou Otto e saiu pelo bulevar.

Os homens assobiavam enquanto ela passava, apesar de Otto estar ali como impedimento.

Hannah sentiu o braço do amigo tenso, mas continuou andando, puxando-o para junto dela, implorando silenciosamente para que ele não se envolvesse, mesmo sabendo que poderia ser a desculpa que Otto esperara o dia todo. Na verdade, os dois estavam ansiosos, a diferença era que Hannah conseguia ignorar e preferia ir para casa tomar uma xícara de chá.

Otto não tinha tanto autocontrole.

Hannah fechou os olhos brevemente quando percebeu que dois nazistas haviam se separado do grupo para segui-los. *Por favor, por favor*. Ela cravou as unhas no tecido do casaco de Otto.

— *Fräulein* — chamou um deles, a voz arrogante, se divertindo.

Hannah continuou andando.

O amigo dele chamou mais alto:

— *Fräulein*.

— Não ignore nossas pobres almas, tão solitárias — continuaram em alemão, atraindo alguns olhares de quem passava. Quando sentiu Otto se aquietar ao seu lado, Hannah se apressou a sussurrar bem baixo:

— Ignore, só ignore.

É claro que aqueles homens eram grosseiros. Eram nazistas em Paris, o objetivo deles, em momentos como aquele, era ofender. Como muitos dos camisas-pardas de Hitler, estavam claramente armados para a guerra; tinham sido despidos da humanidade e depois reconstruídos em nome da violência durante a Grande Guerra.

— Veja só ela se afastando — cantarolou o primeiro.

— Estou vendo — emendou o segundo. — Isso que é um belo rabo.

Antes que Hannah pudesse perceber o que estava acontecendo, Otto se virou e acertou um soco na mandíbula do nazista mais corpulento.

Em um piscar de olhos — ou dois —, tudo congelou, o tempo se desdobrou e desmoronou.

Então o homem uivou, mais de surpresa do que de dor. Otto não era forte o bastante para deixar uma contusão, mas não importava: quando homens como aqueles provavam da violência, atacavam como um enxame.

Articulações dos dedos encontraram o rosto de Otto, cuja cabeça estalou para trás em um estouro, como se tivesse quebrado a coluna.

Ele morreu.

A visão de Hannah ficou branca com o pensamento.

Mas Otto não caiu, apenas tropeçou, os braços e as pernas ainda funcionando.

Otto se firmou, com os punhos cerrados diante do corpo como um boxeador se preparando para uma luta.

Mexa-se.

Mas Hannah não conseguia. Suas pernas não obedeciam. *Não obedeciam.*

Eles vão machucar você também.

Mas não foi o medo que a manteve enraizada. Foi o choque. Estava em *Paris*.

Se ela pudesse pensar... se pudesse... pensar...

A comoção atraíra uma plateia, e Hannah olhou de um rosto para outro, desesperada, procurando.

Ninguém interveio.

O nazista que Otto atingira pulava, dando golpes rápidos em sua mandíbula. Provocações zombeteiras, acima de tudo.

Otto tropeçava, mas também conseguia desferir alguns socos.

Será que ela conseguiria parar aquilo? Antes de piorar? Os nazistas estavam circulando, mas não tinham atacado de verdade.

Apenas mexa-se.

Contudo, antes que pudesse se colocar na frente de Otto, bloqueando-o com o corpo, o nazista se cansou de brincar com a presa e atacou com tudo. Em um piscar de olhos, Otto desmoronou como uma marionete cujas cordas haviam sido cortadas.

O sangue manchava um dos nós dos dedos do homem.

O sangue salpicava a calçada. O sangue rugia em seus ouvidos.

Ajuda.

Eles precisavam de ajuda.

Em seguida, os dois nazistas estavam no chão, em cima de Otto.

Ninguém saíra do lugar. Hannah não saíra do lugar. Ela não tinha parado na frente de Otto. Ela não o protegeu.

Um gemido interrompeu o barulho, tão baixo que provavelmente não seria ouvido. Mas ela ouviu. Foi um som baixo e entrecortado que feriu um coração que ela pensava não poder se quebrar em ainda mais pedaços.

Hannah ouviu cada momento de sua vida naquele gemido, cada momento da vida de Otto.

Faça alguma coisa.

Agora.

Hannah passou por baixo de um braço erguido e pronto para atacar e se jogou sobre a pilha de homens, tentando alcançar qualquer pedaço de Otto — uma perna, o casaco, uma das mãos. Qualquer coisa.

A dor, incisiva e dormente, atingiu em cheio a maçã de seu rosto, descendo pela coluna.

Uma bota, percebeu, quando a dor se instalou em um pulsar massacrante.

Enquanto segurava o rosto com a mão trêmula, ela olhou nos olhos do nazista que a chutara. Naquele momento, os olhos dele estamparam um lampejo de remorso. Então um cotovelo errante acertou a mandíbula do homem, e tudo naquele homem endureceu.

O nazista recuou o punho e, em seguida, seus dedos encontraram a bochecha já machucada dela.

Um som baixo ecoou em seu ouvido quando ela caiu na calçada, os dentes frouxos na boca, o corpo pesado e desajeitado. Uma náusea a ameaçava, e se Hannah pudesse apenas fechar os olhos, só por um segundo, só por um...

Otto gritou.

Hannah ofegou e começou a se levantar, sentindo ondas maçantes de dor irradiando do cotovelo.

Aquilo não era importante no momento. Sem hesitar, ela se atirou de volta na pilha, tentando, tentando, tentando alcançar alguma coisa, até que os dedos finalmente se enroscaram na camisa de Otto.

— Pare! — gritou em alemão. — Por favor, socorro!

Da segunda vez, ela falou em francês, se dirigindo à plateia. Hannah se lembrou da pistola, pensou em encostar o cano na cabeça de um dos homens e puxar o gatilho. Foi a primeira vez em sua vida que considerou matar alguém, mas, naquele momento, soube que, se tivesse a arma, teria pelo menos tentado.

— Por favor, socorro!

Ninguém foi ajudá-los. A maré a puxou para baixo, a puxou para sob as ondas de golpes de punhos cerrados e de homens maus.

Otto, pensou, tentando abraçar o corpo quebrado e surrado do amigo.

Hannah suspirou. *Não*.

E então chutou. Seu pé acertou alguma coisa. Um estalo interrompeu a estranha quietude da noite.

Ela chutou de novo. Uivou. Arranhou. Ela se debateu até os braços encontrarem rostos expostos, até as mãos desferirem golpes de sorte.

A polícia chegou.

Era tarde demais.

Nova York
Maio de 1944

Viv andava de um lado para o outro diante do escritório de campanha de Hale, inquieta após a tarde com Harrison na Booksellers' Row. Ela não queria ir para casa, para um apartamento vazio. Era a noite de bridge de Charlotte com as duas amigas mais antigas e queridas. Foi assim que Viv se viu no Brooklyn e se maravilhou com o quão familiarizada estava se tornando com aquele lado do rio.

Hale a surpreendeu no meio da calçada quando cruzou o pórtico, enfiando os ombros para dentro do casaco apesar do calor do dia.

— Manhattan fica para lá — alertou ele, apontando para a esquerda.

Viv se virou de modo teatral.

— Quer dizer que não estou na Broadway? Eu poderia jurar que virei na esquina certa da Times Square.

Hale curvou os lábios em um sorriso gentil.

— Olá, Childs.

— Olá, Hale — devolveu ela, com a mesma irreverência, as mãos na cintura, o vento balançando sua saia.

— Que cara é essa? — perguntou Hale, após descer os três degraus.

Viv apoiou a mão na testa para bloquear o sol poente e olhar para ele.

— Só pensando na vida, acho.

— Faz sentido, pensar na vida durante uma guerra — disse ele, mudando de posição para que Viv pudesse olhá-lo sem lacrimejar por conta da luz. — Veio pedir mais um favor?

Balançando a cabeça, Viv cutucou o cotovele dele com o próprio.

— Uma distração.

Ele a olhou como se entendesse. Viv apostava que Hale participara de pelo menos algumas homenagens ao Memorial Day e provavelmente aceitara inúmeras condolências de pessoas bem-intencionadas.

— Vamos caminhar um pouco? — pediu ela.

A surpresa dele chegou e se foi em um piscar de olhos. Apesar do sorriso cauteloso, ele assentiu.

— Está uma noite agradável. Para onde vamos?

— Para onde o vento nos levar — sugeriu Viv.

Hale hesitou, claramente inseguro quanto ao que ela queria. Viv não o culpou. Na última vez que conversaram, tinha sido extremamente resguardada.

Mas, naquele dia, queria conversar com alguém que conhecera Edward. Não porque os dois fossem parecidos — em termos de personalidade, eram completos opostos —, mas por ser... mais fácil. Saber que alguém compartilhava da mesma dor, não o sentimento geral de luto por todos os soldados mortos.

Por Edward.

De repente, os joelhos de Viv bambearam, as coxas enfraqueceram, a respiração ficou irregular. As pontas dos dedos encontraram o tijolo sólido de uma casa e ela apoiou as costas, deixando a parede aparar seu peso.

Ignorando a preocupação no rosto de Hale, que deu meia-volta e parou diante dela, Viv fechou os olhos e se concentrou na inspiração seguinte, depois na expiração.

Edward estava morto.

Nunca mais veria o humor astuto nos olhos dele antes de contar uma piada, nunca mais buscaria conforto no calor de seu abraço, nunca mais arrancaria segredos dele e deixaria que os dela fossem arrancados em troca.

Ela sentiu dedos em volta de seu pulso, sem apertá-lo, apenas confortando.

Hale estava a protegendo da rua e do olhar curioso de qualquer passante intrometido, enquanto, com o polegar, fazia um pequeno círculo sobre o pulso disparado dela. Nenhum dos dois disse nada até o coração de Viv desacelerar, mas também não suspenderam o contato visual.

— Na maior parte do tempo, eu me sinto bem — disse Viv, por fim.

Hale paralisou o polegar por um breve momento antes de continuar o movimento para acalmá-la.

— Na maior parte do tempo, eu simplesmente não consigo pensar no que aconteceu.

Sob a luz fraca do início da noite, os olhos de Hale haviam adquirido um verde tempestuoso, as manchinhas douradas parecendo pequenos relâmpagos irrompendo entre as nuvens.

— Isso faz de mim uma pessoa terrível? — perguntou Viv, mais que depressa. — Nem sempre pensar no que aconteceu?

Hale bufou uma espécie de suspiro, inclinando o corpo em direção ao dela. Se fosse qualquer outra pessoa, Viv teria se sentido encurralada, mas, em vez disso, mergulhou na sensação de proteção do gesto.

— Se você se forçasse a pensar nele o tempo todo, passaria a vida de joelhos, incapaz de fazer qualquer coisa além de chorar — respondeu Hale, em um tom brando. — Eu só consigo sair da cama todo os dias porque não me permito pensar nele.

Viv fungou e analisou o rosto de Hale. Talvez Edward e ele nunca tivessem se aproximado tanto, mas se aproximaram. Dois homens que decidiram ser irmãos, em vez de inimigos.

Naquele momento, ela amava os dois ferozmente, sem restrições, condições ou cicatrizes. Amava Hale por amar Edward, por lhe dar uma família quando poderia ter negado qualquer afeição.

Ela pôs uma das mãos no peito de Hale, na altura do coração. Ele baixou a testa e a encostou na dela, e os dois ficaram assim, mesmo com a agitação da rua ao redor, com os trabalhadores indo para casa, as mães empurrando carrinhos de bebê, algumas jovens rindo enquanto tentavam não olhar.

Os dois só se separaram quando algo bateu de leve no pé de Viv.

Surpresa, ela olhou para baixo e viu uma bola de beisebol. Não era impecavelmente branca, como se veria em um jogo dos Dodgers, e sim de um branco sujo e desgastado muito familiar, do verão em que Hale a ensinou a jogar. Seu corpo doeu com a lembrança.

Quando Viv levantou o rosto, Hale sorriu para ela, travesso, o desespero dos últimos minutos esquecido, uma prática na qual todos eram bons naqueles tempos.

Viv se abaixou, pegou a bola e olhou para os lados, procurando os donos. Um menino com uma luva surrada em uma das mãos estava no meio-fio, a poucos metros de distância. Os olhos do garoto estavam arregalados e cheios de surpresa, nitidamente reconhecendo Hale, o amado político do bairro.

Viv encarou Hale mais uma vez e curvou os lábios em um sorriso questionador.

Ele deu de ombros e inspirou, achando graça. Então pegou a bola e se virou para o menino.

— Tem lugar para mais dois?

— E se você sujar seu terno, congressista Hale? — brincou Viv, ao ver que o jovem continuava boquiaberto.

Hale subiu e desceu o olhar pelo vestido sedutor de Viv, os saltos, o pequeno chapéu empoleirado na cabeça.

— Não acho que *meu terno* será o problema.

Viv foi poupada de vasculhar uma resposta — o que foi bom, visto que a atenção demorada e atenta de Hale a deixara sem palavras —, pois o menino com a luva já gritava na direção dos amigos.

Viv e Hale o seguiram. Hale tirou o paletó bem-cortado e acomodou-o sobre um hidrante. Viv mordeu o lábio. Não havia o que fazer quanto ao vestido, mas os saltos teria que tirar.

A rua era quase toda lisa, e por sorte não estava usando meia-calça, então não precisava se preocupar com rasgos. Quando tirou os sapatos, arrancou um sorrisinho de Hale. Os meninos tomaram o gesto como um convite para se aglomerar em volta de ambos, todos falando ao mesmo tempo.

Se Viv tivesse que adivinhar, diria que tinham cerca de dez anos. Muitas vezes, quando via meninas e meninos daquela idade, tinham o semblante sério de crianças forçadas a amadurecer cedo demais. Mas as crianças ali estavam inflamadas com o simples prazer do verão e uma partida de beisebol na rua, os sorrisos quase largos demais.

— Senhora — disse um deles a Viv, tocando a canela dela com o taco. — O sr. Hale disse que você começa.

— Ele disse, foi?

Viv lançou um olhar para Hale, que a observava com uma emoção difícil de identificar. Seja lá o que fosse, uma parte adormecida dela acordou, expondo brotos de esperança verde-primavera atrás do calor que via nos olhos dele.

— Pessoal! — chamou um dos rapazes mais velhos. — Aposto dez centavos que ela não sabe nem balançar o taco.

Viv estreitou os olhos.

Àquela altura, algumas meninas também já tinham começado a se reunir na calçada para assistir. Dois adultos respeitáveis participando de uma partida juvenil era um espetáculo interessante demais para deixar passar.

— Aposta aceita — gritou uma das meninas mais altas.

Era magra, tinha longos cabelos escuros e um maxilar definido dotado de uma determinação que Viv reconheceu da própria juventude. A mulher apontou o taco para a menina em um gesto universal de apreço e ganhou um sorriso largo em resposta.

Atrás dela, Hale bateu palmas e gritou incentivos quase tão familiares quanto a bola de beisebol suja.

Viv se aproximou da placa de rua quebrada que servia como base principal, segurou o taco com força, empinou o traseiro de um jeito que lhe rendeu assovios de alguns jovens que passavam e olhou para o arremessador. Com a arrogância típica dos dez anos de idade e de ser o centro das atenções, o garoto cacarejou e jogou a bola para cima zombeteiro.

— Pode mandar — gritou Viv.

— Vai querer que eu arremesse como uma garota? — provocou ele, arrancando mais protestos das meninas na calçada.

— Você não consegue nem acertar o arremesso de uma garota, Bobby.

— Quando foi a última vez que você sequer conseguiu sair da "primeira base"?

— Quer que eu conte pra sua mãe que está falando assim?

Embora quisesse, Viv não sorriu. Franzindo ainda mais a testa, declarou:

— Estou começando a achar que vocês só falam, falam e não fazem nada. Aposto que não conseguem nem lançar a bola.

A alfinetada teve o efeito pretendido. O menino deixou de achar graça da situação e arremessou o melhor que pôde — ou seja, a bola foi mais fácil de acertar do que se ele estivesse brincando e sendo dissimulado.

Já que gostava de um drama, Viv agitou o taco para errar. Mas também errou de propósito porque a alegria que irradiava de cada ser naquele pequeno quarteirão do Brooklyn era inconfundível. Algumas mulheres foram para a porta de suas casas para assistir ao jogo, apoiando-se nos batentes, a atenção sempre voltando para Hale, embora algumas ainda notassem Viv para encorajá-la. Alguns marinheiros tinham se recostado na fachada de uma mercearia, o proprietário se aproximando da vitrine para assistir.

Com a simples chegada de dois adultos ao jogo, toda a atmosfera se tornara a de uma festa, um deleite, uma celebração de verão, da vida e da felicidade.

E Viv queria prolongar aquilo pelo máximo de tempo possível.

— Eu falei — disse o mesmo rapaz que gritara de sua posição na terceira base.

A menina esguia na calçada revirou os olhos.

— Eu sei que você não é tão esperto, Jimmy, mas no beisebol a pessoa tem três tentativas antes de perder — lembrou a garota, ganhando uma piscadela de Viv.

Viv deixou o segundo arremesso passar, e Hale, que parecia ter assumido o papel de árbitro, gritou *strike* como se estivesse no estádio dos Dodgers.

— A próxima vai levar tudo — gritou alguém da plateia.

Os garotos já estavam vibrando, eletrizados de tanta empolgação.

Viv ajeitou a pressão no taco. O drama só valeria a pena se fosse encerrado com um *grand finale*.

Aquilo a fez pensar na briga com o senador Taft, mas no instante seguinte, ela deixou o pensamento de lado. Não havia lugar para Taft naquela noite; precisava estar ali, presente, pronta para acertar.

Quando a bola deixou os dedos do garoto, Viv levantou o cotovelo, deslocando o peso. Ela soltou o ar, exatamente como Hale lhe ensinara.

O taco encontrou a bola com um estalo satisfatório que reverberou pela multidão. Por um segundo que pareceu eterno, todos prenderam a respiração para ver a bola subir e passar por cima dos meninos da linha mais distante. Então, Viv largou o bastão e disparou, incentivada pelo rugido que se seguiu, mesmo com a saia subindo pelas pernas.

Os pedregulhos arranhavam as solas de seus pés, o suor se acumulava nas axilas, os grampos se soltavam do cabelo e caíam no chão, e ela ignorava tudo aquilo ao dar a volta na segunda base e se dirigir para a terceira. Os garotos não sabiam o que fazer, pois já tinham mandado dois defensores de fora correr atrás da bola, que talvez estivesse sob algum carro distante. Gritos de encorajamento e descrença a saudaram na terceira base, então a jovem magra na calçada, com um sorriso radiante que dominava todo o rosto, balançou os braços e apontou para a primeira base. As outras meninas tinham se reunido atrás dela, quase vibrando com mais gritos de incentivo.

Pelo canto do olho, Viv quase se distraiu com uma agitação. Os meninos tinham encontrado a bola e iniciado uma corrente para devolvê-la ao menino que protegia o ponto de chegada. Viv abaixou o queixo, reuniu cada gota de energia que lhe restava, pegou impulso com os braços e encurtou o passo.

O arremessador estava com a bola.

Ela estava a dois, talvez três passos de distância.

A bola navegou na direção dela — rumo à luva que o receptor mantinha levantada.

A bola pousou na luva menos de um segundo depois do pé de Viv tocar o metal. Ela derrapou um pouco com a mudança de superfície, mas conseguiu se manter de pé enquanto todos se voltavam para Hale.

Ele deixou o suspense se estender, aumentar e crescer enquanto a plateia o observava atentamente, pronta para aceitar sua decisão.

Finalmente, com a grandiosidade de um árbitro decidindo um jogo da World Series, ele gritou:

—*Safe!*

As meninas gritaram por uma vitória que assumiram como delas, e os meninos, inconformados, começaram a discutir do jeito que parecia ser item obrigatório para um time perdedor. As mulheres que tinham tirado uma pausa no dia sorriram com benevolência, o dono da mercearia riu, e os marinheiros piscaram para Viv antes de seguirem para onde estivessem indo.

Viv ficou parada, esbaforida, as mãos na cintura, sorrindo para não chorar — não de tristeza, mas por conta de uma onda avassaladora de alegria que ameaçava arrebentar cada costura gasta e vulnerável de seu corpo.

Uma guerra tão longa, tantos anos de dificuldades, de sacrifício, de medo, perda, dor, além da monotonia maçante do desamparo. Ainda assim, nada daquilo os destruíra completamente. Mesmo nos dias mais sombrios, na dor mais profunda, na mais pura exaustão, as pessoas encontravam uma forma de cultivar momentos fundamentados na esperança para incentivá-las a dar mais um passo. E depois mais um.

Hale se aproximou por trás dela e apoiou um dos braços em seu ombro.

— Eu sabia que você conseguiria, Childs.

Sentindo-se magnânima, Viv olhou para ele e devolveu:

— Aprendi com o melhor.

Ele apertou seu braço, e Viv sentiu uma emoção tingida de pânico, imaginando que Hale a puxaria para um beijo. Mas ele se afastou, batendo palmas para chamar a atenção dos garotos.

Assim como Viv, Hale conhecia o poder de um bom final e não se importava de cumprir seu papel. Ele parabenizou os meninos pela partida, levou-os à mercearia e comprou todos os picolés da geladeira.

Viv escolheu um de uva e tentou não pensar na lembrança daquele sabor na língua de Hale.

Depois, ele foi cercado por eleitores entusiasmados, embora volta e meia seus olhos se voltassem para Viv, que conversava com uma jovem grávida que levara a cesta de costura para a rua a fim de participar da diversão.

Em outros tempos, Viv teria perguntado sobre o marido, mas não o fez. Havia tão poucos dias como aquele, dias que não eram contaminados pela guerra. O crepúsculo estava tingido de ouro e rosa, e Viv não tinha nenhuma intenção de manchá-la de escuridão.

As duas conversaram sobre as partidas de beisebol de quando eram jovens, sobre o filho da moça, que vinha jogando na primeira base, e até mesmo sobre Hale.

O amanhã chegaria; sempre chegava. E traria a tristeza que todos tiveram o cuidado de expurgar naquela noite.

Talvez, dada a enormidade do que todos estavam enfrentando, o indulto parecesse pequeno. Mas era semelhante à noção que Viv tinha no que se referia ao alívio que os esforços da EFA deviam dar aos soldados. Um pequeno lembrete de que a vida não era apenas sangue, bombas e medo.

Se todos pudessem se apegar a esses lembretes, se pudessem ajudar uns aos outros a criá-los, talvez pudessem passar juntos por aquela maldita guerra. Não necessariamente inteiros, mas humanos.

Paris
Novembro de 1936

Com o cheiro amargo de sabão de carvão entranhado nas narinas, Hannah observava o peito de Otto subir e descer na cama do hospital.

Ele viveria, prometeram os médicos.

Hannah não precisou ouvir a hesitação na voz da equipe para saber que tinha sido por pouco.

Ela tocou na coronha da pistola que passara a levar a qualquer lugar que fosse.

Fazia três dias desde o ataque no Boulevard Saint-Germain, e ela só fora em casa uma vez para se trocar e tirar a arma do esconderijo escuro sob as tábuas do chão. Nunca mais estaria indefesa como naquele dia, desesperada, implorando por uma ajuda que simplesmente não viria.

A luta em si era um borrão em sua memória, fragmentos de lembranças indescritíveis e, mesmo assim, viscerais e horripilantes. Mas não sabia se um dia esqueceria de olhar nos olhos de seus colegas. Todos os demais voluntários da biblioteca devem ter corrido para a rua, visto que todos estavam lá. De pé, observando, sem fazer nada.

Olhou para a janela, para o sol se esgueirando acima do horizonte parisiense.

Possivelmente pela milésima vez, afirmou para si mesma que seus amigos da biblioteca eram intelectuais, pensadores. Talvez nunca tivessem dado um soco na vida, muito menos lutado contra o tipo de bárbaros cujos corpos tinham sido moldados para a violência. Teria sido uma sentença de morte para todos.

Otto gemeu, se mexeu sob os lençóis e depois se acomodou.

Os médicos disseram que Otto viveria, mas o que seria dele? O que seria de Hannah?

Saber que aquela guerra inevitável a mudaria — que já a mudara — era aterrorizante. Ela tinha sido feliz e alegre. Sempre fora cética comparada ao idealismo de Adam, mas nunca tivera um coração de pedra.

Hannah passara tantas noites berlinenses dançando, rindo e amando, noites em que bebera champanhe demais, usara vestidos de seda caros e fizera passeios de bicicleta no primeiro dia da primavera para encher a cesta de tulipas. Acreditava na bondade inerente das pessoas, acreditava que a maioria estava apenas tentando seu melhor em um mundo que às vezes podia ser difícil. Fora aberta, gentil e sarcástica, uma boa amiga e boa irmã. Não necessariamente boa filha, mas também não se culpava por isso. Ela adorava pão, geleia de laranja, noites de teatro e tinha sonhos serenos que pareciam possíveis.

A guerra — e Hannah já tinha concluído que eles *estavam* em guerra — sabia tomar todas aquelas pequenas coisas e, depois, amplificar o que restava. Não existiam pequenas irritações ou pequenas comemorações. Era tudo amor e ódio, medo e coragem, poesia e destruição, tudo mais intenso devido ao contraste, impossibilitando o meio-termo.

Mas eram as pequenas coisas que faziam uma pessoa. Hannah já se sentia eviscerada pela dor, pela traição, por uma lenta erosão de sua fé na humanidade.

Como ela seria no próximo ano e no seguinte? Quem ela seria? Porque a mulher que ela fora em Berlim jamais sonharia em puxar um gatilho.

E lá estava ela, com uma pistola nas mãos, se retraindo de leve com a sensação do metal nos dedos. Um dos nazistas quebrara três de seus dedos. Na hora, ela nem notou.

Ainda assim, as contusões verde-púrpura amareladas que surgiram na maçã de seu rosto eram as piores de suas lesões. No contorno de cada uma, Hannah conseguia ver o formato de uma bota.

Demorou mais dois dias até as pestanas pálidas de Otto se mexerem, uma, duas vezes. Então ele abriu os olhos.

Lágrimas escorreram pelo rosto de Hannah, descendo até o lábio partido que mal valia a pena mencionar.

Ela não sabia o que teria feito se perdesse Otto tão próximo da notícia sobre Adam. Hannah sempre se considerara forte; sobrevivera a Berlim nos dias da ascensão de Hitler, sobrevivera à traição de Althea, sobrevivera todos os dias ciente de que tinha desempenhado um papel na captura do próprio irmão.

Mas sabia que, se Otto tivesse morrido, ela teria finalmente — *finalmente* — sucumbido.

— Ele vai precisar de alguém para ficar de olho nele por uns dias — disse o médico, como se existisse dúvida quanto a quem seria.

Os dois seguiram para o apartamento de Otto de carro, mas tiveram que parar uma vez para ele vomitar na sarjeta. Hannah afagara os cabelos dele, afastando-os da testa e acalmando-o até acabar.

Quando chegaram, Hannah o enfiou debaixo de um cobertor quente e atravessou a sala para colocar a chaleira no fogo. Tocou o exemplar de *Macbeth* que estava ao lado do fogão e se perguntou se os ferimentos de Otto significavam a perda do papel que ele acabara de conquistar na semana anterior.

— Você está machucada — murmurou Otto, quando Hannah se voltou para ele.

O homem levantou um dedo delicado e trêmulo e traçou o contorno dos hematomas.

— Não muito — retrucou ela, tentando minimizar as coisas. — Você não viu o estado dos outros caras.

Otto riu tanto que acabou se curvando, tossindo sangue, salpicando o lenço branco imaculado que lembrava as articulações dos dedos dos nazistas. Hannah engoliu a bile que subiu até a garganta.

— Descanse, querido — disse, passando um pano quente na testa dele.

Otto não discutiu, um sinal claro de sua exaustão.

Nos dias que se seguiram, ele mais dormiu do que ficou acordado, e, durante todo o tempo, Hannah ficou sentada na cadeira de balanço ao lado de sua cama. Em dado momento, ela o ajudou a tomar banho, esfregando o suor e o sangue seco de sua pele. Otto se encolheu e suspirou, quase cochilando enquanto ela passava o sabão pelos ombros, pelas coxas, virilha, barriga. A intimidade poderia ter sido mais difícil, mas Hannah mal conseguia pensar direito, muito menos ter alguma frescura quanto a coisas como um corpo que ela conhecia quase melhor do que o próprio.

Ela o enrolou em uma toalha e o secou com cuidado. Depois que Otto dormiu, encheu a banheira para si mesma.

Enquanto se ensaboava, tentou se agarrar ao ressentimento que queimara forte nela enquanto se via imobilizada e impotente diante da briga.

Eles estavam em uma das principais ruas de Paris. Hannah quase podia perdoar os estranhos, que não tinham motivo para se envolver em um tumulto tão tenebroso. Entretanto, muitos na multidão que os cercava eram amigos, pessoas que pensavam em si mesmas como soldados em uma guerra contra o fascismo.

Hannah acreditava sinceramente no poder das palavras para lutar aquela batalha, tanto que aquilo se tornou seu trabalho. A biblioteca era importante. Tinha começado como um símbolo, um farol, um baluarte. A partir dali, tornara-se um recurso prático. Quem trabalhava lá *mudava a opinião* das pessoas com as informações que oferecia.

Mas se um lado daquela guerra era composto por homens brutos com sede de sangue, e o outro era composto de homens que paralisavam diante da violência, Hannah não sabia mais se o segundo grupo tinha alguma chance.

A caneta poderia destruir uma nação. Mas, quando o fizesse, quantos corpos a espada já teria ceifado? O que aconteceria quando os nazistas marchassem para Paris, quando a ocupassem, como Hannah tinha certeza de que aconteceria? Será que alguém revidaria?

Haveria mesmo alguma bravura na vida real ou a coragem era reservada apenas para os contos de fadas?

Berlim
Março de 1933

Dois dias depois da noite na casa de Dev em que Althea teve sua revelação, Hannah apareceu com duas bicicletas.

— Vamos — disse Hannah, montada na sela da bicicleta amarela enquanto segurava o guidão da outra, azul-celeste com pequenas rosas pintadas no metal e com uma cesta de vime na frente. Althea pensou em comprar livros ou flores para enchê-la.

— Não sou muito ágil — alertou Althea, enquanto se acomodava no selim.

— Até uma criancinha sabe andar de bicicleta. Acho que você consegue.

— Você confia demais nas minhas habilidades atléticas — gritou Althea, por cima do ombro. A bicicleta estava indo direto para uma árvore.

Apesar de alguma neve suja remanescentes de uma tempestade, o dia estava lindo e o sol quente batia no rosto de Althea conforme pedalavam pelas ruas.

Hannah limitou o trajeto à ruas calmas, evitando avenidas e vias que certamente teriam deixado Althea em pânico.

Passaram por vitrines pitorescas, casais caminhando e crianças rindo. Foram avançando ao longo do rio Spree, parando quando sentiam vontade, descansando, caminhando e compartilhando anedotas bobas sobre dias semelhantes quando eram mais novas.

Ao chegar a um pequeno parque, Althea pulou da bicicleta e a deixou cair na grama para explorar o jardim de tulipas que ainda começavam a desabrochar. Hannah foi atrás dela, com um sorriso discreto que era a única indicação de que não se incomodava com a tagarelice de Althea.

As duas se esparramaram sobre um trecho ensolarado da grama, e Hannah se posicionou de modo a fazer alguma sombra no rosto de Althea.

— Você ama Berlim — comentou Althea, preguiçosamente alisando a blusa sobre a barriga.

— Sempre consegui ser eu mesma aqui — explicou Hannah, e Althea quis saber mais sobre a emotividade em sua voz. — Não dá para ver com os nazistas, mas, antes de assumirem, você podia ser quem bem entendesse nesta cidade e encontraria pessoas que te amariam por isso.

Althea tentou imaginar.

— Como nos cabarés?

— Exatamente — afirmou Hannah, com um sorriso. — Lá não importa como você se veste, com quem dança, ou o que faz para ganhar a vida. Não importa quem são seus pais ou em que bairro mora ou para qual Deus ora. Tudo o que você precisa fazer é apreciar e respeitar as pessoas ao redor, e ficará tudo certo.

Hannah olhou para dois nazistas passeando na calçada, depois para as suásticas penduradas nos postes de luz nas proximidades.

— Além disso, Hitler odeia esta cidade, sabe.

— Já ouvi falar.

— Na minha opinião, qualquer lugar que Hitler odeie é um bom lugar — completou Hannah, sorrindo para Althea.

A mulher corou e desviou o olhar.

— Eu gostaria...

Não terminou a frase, não sabia como terminá-la. Althea não podia dizer que gostaria de nunca ter vindo. Seria mentira.

Hannah chutou de leve no tornozelo de Althea com o bico da bota.

— Eu gostaria de ter um dia para fingir que isso tudo não está acontecendo.

Althea analisou o rosto de Hannah, mas seu semblante estava oculto nas sombras.

— O que faria com esse dia?

— Daria um passeio de bicicleta — respondeu Hannah, curvando os lábios com certa devassidão. — Leria um livro, tomaria uma taça de vinho. Beijaria uma linda...

Hannah também não terminou a frase, mas Althea viu as palavras prontas para deixar seus lábios.

Mexer na bolsa deu a ela uma desculpa para abaixar o rosto e esconder as emoções que podiam alterar sua expressão.

— Bom, um livro eu tenho.

Era um exemplar de *Alice no País das Maravilhas* que comprara poucos dias após ter presenteado o livreiro no mercado de inverno com o volume que trouxera dos Estados Unidos. Passaram-se apenas alguns meses desde aquela noite, mas parecia ter acontecido há anos.

— Vamos riscar os itens da minha lista, então? — perguntou Hannah, em tom de brincadeira.

Talvez aquele fosse só o jeito de Hannah falar, e Althea estivesse lendo demais nas entrelinhas, mas o suor na lombar e o leve tremor nas mãos sugeriam que talvez não.

Ela abriu em uma de suas passagens favoritas e começou a ler alto o suficiente para Hannah ouvir, para que ambas pudessem se perder no próprio mundinho.

> *— Quem é você? — perguntou a Lagarta.*
>
> *Não foi um início muito encorajador para uma conversa. Alice respondeu, um tanto tímida:*
>
> *— Eu... Eu não sei muito bem, senhor, mas no momento... bom, pelo menos sei quem eu era quando me levantei hoje de manhã, mas acho que devo ter mudado várias vezes desde então.*

Ao terminar o capítulo, Althea deixou o livro aberto sobre o peito e se permitiu fechar os olhos e apreciar a sensação de estar simplesmente deitada ao sol com outro coração batendo ao lado do seu. Hannah bateu com o joelho no dela depois de alguns longos minutos.

— Temos uma lista, não temos? — sussurrou Hannah, como se fosse um segredo das duas.

Então se levantou e estendeu a mão para Althea.

As mãos se encontraram, quentes, e Hannah a levantou com facilidade. Althea vacilou um pouco e esbarrou em Hannah, com isso, sentiu que a pele formigava e esquentava nos pontos onde as duas se tocavam. Ela desviou o olhar e se afastou.

Enquanto subiam nas bicicletas, Althea não se conteve e olhou para Hannah, não conseguiu evitar que seus olhos se fixassem na silhueta dela, na curva de seu pescoço e na inclinação de seus ombros, em suas panturrilhas se flexionando com os pedais.

Alguns quarteirões depois, Hannah sinalizou para Althea encostar em frente a um pequeno café.

Tomar uma taça de vinho.

Elas ocuparam uma mesa do lado de fora, amontoando-se no pequeno retalho de sombra do toldo listrado. O garçom encheu suas taças com um vinho rosa-claro que devia combinar com o tom no rosto de Althea, que tentava não pensar no item seguinte da lista de Hannah.

— Quando você soube que queria escrever? — indagou Hannah, roçando de leve as juntas dos dedos de Althea com as pontas dos dedos antes de se recostar com a taça na mão.

Poderia ter sido um toque distraído, mas algo no sorriso que Hannah abriu fez Althea pensar o oposto.

— Sempre soube, eu acho — respondeu, lutando contra a timidez. — Meu irmão era uma criança difícil e meu pai morreu quando éramos jovens, então era só minha mãe e nós dois. Eu queria ajudar, e foi isso que saiu.

— Histórias — disse Hannah.

— Histórias. Quando ele ficou mais velho...

Ela fez uma pausa e mordendo o lábio.

Hannah usou o tornozelo para cutucar o de Althea, mas não o afastou, deixando a panturrilha encostada na dela, um ponto de contato sensível.

— Minha cidade era tão pequena — continuou, com um tremor quase imperceptível na voz. — Era um hábito, acho. Contar histórias.

Mas, quando meu irmão parou de precisar delas, comecei a contá-las para mim mesma.

Althea olhou para sua taça.

— Claro.

Hannah concordou sem zombar, com carinho. Quase. Talvez.

— Começou porque eu não tinha mais nada para fazer. Era um passatempo, eu ficava contando histórias na minha cabeça. Mas depois...

Althea bufou, frustrada. Sempre teve mais dificuldade em falar, verbalizar qualquer coisa, do que em escrever.

— Nunca me encaixei de verdade. Eu era quieta, tímida e gostava tanto de ler quanto de contar histórias. E nunca liguei de verdade para as coisas com as quais devia ter me importado. E, quando se escreve uma história, você decide exatamente como tudo transcorre. Não precisa ser dolorosa como a vida real.

— Mas também não pode trazer a alegria que a vida real traz — rebateu Hannah.

Althea inclinou a cabeça, concordando. Os altos nunca haviam compensado os baixos.

Pelo menos antes de Berlim.

— O mundo me assustava antes de eu vir para cá. Eu era uma criança sensível, então sentia que até o menor dos cortes sangraria para sempre. Emocionalmente falando.

— Claro.

— Mergulhei no faz de conta para não deixar nada me alcançar. Até que vim para Berlim.

Ela balançou a cabeça e fitou Hannah nos olhos.

— Que motivo eu tinha para ter medo? Algumas provocações cruéis? Nada mais que isso. Não é nada comparado a...

Hannah estendeu a mão para apertar a dela.

— Hoje não. — Ela deslizou o polegar no pulso de Althea. — Por favor.

— Enfim, então contei para mim mesma histórias sobre um mundo no qual eu não era diferente — prosseguiu Althea, apesar de logo depois balançar a cabeça.

Não fora bem aquilo. Ela se apressou em corrigir:

— Ou melhor, em criar um mundo no qual não havia problema em ser diferente. Em que era bom ser diferente.

— Parece ótimo — disse Hannah, e havia algo encorajador sob as camadas do comentário neutro.

— Percebi que também poderia contar outras histórias — disparou Althea, antes de se abrir ainda mais. — O que também se tornou um hábito.

Hannah sorriu por cima da borda da taça.

— Pode me contar uma história agora?

Althea corou, mas se esforçou para encontrar palavras, visto que Hannah pedira tão pouco. Quando terminaram o vinho e passaram para a segunda rodada, Althea fez o que sempre fizera pelo irmão e tornou Hannah a protagonista da história.

— Era uma vez uma jovem muito corajosa...

Althea enviou a jovem Hannah em uma aventura para enfrentar um dragão que estava aterrorizando uma aldeia. Mas a Hannah da história percebeu que os mais velhos da aldeia queriam que ela matasse o dragão para que roubassem seu tesouro. Tinham abatido o próprio gado e queimado as casas dos vizinhos para colocar a culpa no dragão e dar credibilidade às mentiras que contavam sobre a criatura.

— Como termina? — perguntou Hannah, os olhos arregalados.

Althea mordiscou o lábio antes de perguntar:

— Quer um final feliz ou complexo?

Hannah ponderou por tempo suficiente para que Althea soubesse que ela levara a pergunta a sério.

— Complexo.

— Hannah expõe a traição dos anciãos para a aldeia. Todos decidem que, devido àquelas más ações, os homens devem ser entregues em sacrifício para o dragão.

— Mas o dragão jamais os comeria — decidiu Hannah, ganhando um sorriso de Althea.

— Não, o dragão interveio e mandou banir os homens.

— Esse não é o fim?

— Seria, se você gostasse de finais felizes. Mas não. Por um tempo, a aldeia prosperou sob a proteção de Hannah e do dragão. Até um novo líder ser escolhido para preencher o vazio deixado pelos anciãos.

O homem via Hannah como uma rival. Sabia que ela era muito corajosa, então, em vez de ameaçar a vida dela, ameaçou a do dragão. Hannah foi forçada a fugir da aldeia e abandonar sua família, tudo para proteger seu amado amigo.

— O dragão a acompanhou?

— Claro — disse Althea, abaixando a cabeça. — Os dois caminharam por dias e dias até encontrarem uma caverna onde coubessem.

— Eles encontraram um lar, juntos — disse Hannah, em um tom mais dramático do que uma história boba sobre um dragão e uma aventureira merecia.

— Criaram a própria aldeia. A notícia se espalhou por toda parte: qualquer pessoa que não pertencesse a lugar algum, que sentisse que não tinha um lar, encontraria um refúgio com eles.

Os cantos da boca de Hannah se ergueram em um sorriso ao observar o rosto de Althea.

— Eu tinha razão.

— Sobre o quê? — perguntou a escritora, quente e um pouco tonta pela atenção.

— O final complexo é melhor.

Nova York
Maio de 1944

— Você precisa adiantar a EFA de Althea — declarou Viv, sem rodeios, sentando-se diante do sr. Stern no dia seguinte ao beisebol improvisado com Hale.

Ele levantou a cabeça, interrompendo o que estava fazendo, e deu algumas piscadelas por trás dos óculos.

— O quê?

— Althea James — disse Viv, como se fosse óbvio, mesmo que o pedido fosse a definição de um tiro no escuro. — *Uma escuridão inconcebível* está programado para a série de agosto da Edições das Forças Armadas. Precisamos que seja transferido para junho.

— Que é amanhã — disse Stern, afirmando o óbvio.

A logística de mudar o cronograma da EFA era, na melhor das hipóteses, assustadora. O sistema fora concebido para ser veloz e eficiente, mas cada etapa do processo precisava de um tempo que Viv não tinha. A única razão pela qual era possível pedir um favor como aquele era porque a impressão do livro de Althea ficaria pronta a qualquer momento.

— Alguma chance de fazermos uma remessa especial? Para um número limitado de bases, por exemplo? Eu sei que há alguma flexibilidade no orçamento para distribuição.

O serviço postal era sempre uma incógnita naqueles tempos, mas Viv entregaria pessoalmente as cartas dos soldados à srta. James se fosse preciso.

— O que você espera com isso? — perguntou Stern, o que não soava como um não.

— Bom, o livro é político o bastante para eu achar que ficará preso nas restrições da emenda Taft se esperarmos até agosto. Se o lançarmos nas próximas semanas, podemos dizer que o projeto de lei foi assinado tarde demais para alterar a série.

— Isso é verdade.

— E acabei de falar com o editor de Althea na Harper & Brothers.

Como Viv previra, Harrison não tivera muita dificuldade em arranjar um telefonema.

— Suas palavras exatas foram que não pretende "trair a confiança dela" marcando uma reunião entre nós, mas prometeu apresentar meu caso a Althea para que ela decida o que quer. Sabemos que toda vez que enviamos um livro o autor recebe muitas cartas de soldados. Mesmo que a distribuição seja limitada, ainda receberíamos um saco cheio, pelo menos. Isso pode ajudar a persuadi-la.

— Não há garantia de que ela receberia as cartas a tempo, mesmo se enviássemos o livro aos homens hoje — ressaltou Stern. — Por que não escolher outra pessoa? Ela não faz uma aparição pública há uma década. Receio que você esteja metendo os pés pelas mãos.

— Você sabe quanta publicidade e atenção teríamos se Althea falasse no evento. É só que... o editor disse que ela fica um pouco estranha quando o assunto é política. Imagino que seja por cautela com o lado da legislação, devido a seja lá o que aconteceu entre ela e os nazistas.

— Pode ser que receber uma convidada do Reich para o evento não caia tão bem quanto você imagina. — O sr. Stern ergueu a mão para interromper os protestos de Viv. — Tudo bem, deixemos de lado a possibilidade de Althea ser uma simpatizante nazista. Você acredita mesmo que algumas cartas de soldados bastarão para convencê-la a comparecer? Se ela despreza a política *e* os holofotes tanto quanto você imagina?

Viv procurou um bom argumento, mas não conseguiu encontrar. Ela levantou as mãos, se rendendo.

— Bom, talvez não, mas não custa tentar, não é?

Stern tirou os óculos e apertou a ponte do nariz. Viv não insistiu, sabendo quando calar a boca — mais uma de suas habilidades.

— Jesus — resmungou o sr. Stern.

A maneira como ele quase suspirou a palavra chamou a atenção de Viv. O cansaço no som tinha que ter origem em algo mais que o pedido tão simples.

— O que foi?

O chefe olhou para trás dela e respirou fundo. Em vez de dizer qualquer coisa, no entanto, Stern se levantou, fechou a porta, voltou para seu lugar e continuou calado.

— Isso é confidencial? — perguntou Viv, em voz baixa, se debruçando sobre a mesa.

Ele suspirou e pareceu assentir para si mesmo.

— Tem alguma coisa estranha acontecendo.

— Certo.

— Não posso dizer quase nada a respeito...

Viv gesticulou, fazendo o sinal universal de *prossiga*.

— Roosevelt anda particularmente interessado, o que quer dizer *pessoalmente* interessado, na série de junho da EFA.

Cada palavra vinha carregada de um significado que ela ainda não entendia muito bem.

Viv balançou a cabeça.

— Por que razão...

Ele apenas a encarou, fazendo Viv desejar desesperadamente que sua mente acompanhasse o raciocínio.

Roosevelt defendera o programa da EFA desde o início. Afirmara que os livros faziam maravilhas para o moral das tropas, para os soldados que arriscavam a própria vida diariamente.

Viv arfou de repente. Tentou engolir, mas sua boca ficou seca. Tratava-se de algo importante demais para ela saber. O mais cuidadosamente possível, declarou:

— Estão planejando uma invasão.

Stern soltou um grunhido, como se quisesse conter as palavras de Viv.

— Eu não disse isso.

— Não, mas por que outro motivo ele interviria pessoalmente? — concluiu Viv, olhando para baixo. Sua mente enfim entendia que os ruídos induzidos pelo pânico haviam parado de ecoar nas paredes de seu crânio. — Ele quer que os soldados tenham os livros quando forem para o abate. *Meu Deus.*

— Pare, Vivian, estou falando sério. Nada disso sai desta sala. Você precisa agir como se não soubesse de nada.

— Por que você...

Viv não conseguiu nem terminar a frase. *Por que você me contou? Por que jogou este fardo sobre mim?*

— Porque o general Eisenhower pediu que todo e qualquer homem que participasse da invasão tivesse um livro. O que significa que eu já mudei o cronograma de publicação há três semanas.

Os olhos de Viv se fixaram nos dele.

— Precisávamos adicionar vários outros livros selecionados à série de junho.

— E um deles é o livro de Althea? — perguntou Viv, mal se atrevendo a ter esperança.

Alguma coisa na inclinação travessa do sorriso de Stern foi o suficiente para ela saber a resposta.

— Você me deixou fazer todo esse discurso já sabendo...

Stern interrompeu o que ela ia dizer antes que Viv ganhasse velocidade:

— Como deve imaginar, isso foi tratado como uma informação que só deve ser compartilhada se for estritamente necessário. Apenas o conselho e os contatos no Exército foram mantidos atualizados.

Viv achou prudente não reclamar muito. Se o livro de Althea James saíra com a última remessa, os soldados provavelmente o leriam na semana seguinte. Ainda deixava pouco tempo para as cartas chegarem, mas Viv sempre podia contar com algumas dezenas cerca de um mês após a distribuição dos exemplares.

Stern pigarreou e continuou:

— Você precisa saber de mais uma coisa. Como eu já disse, acredito que precisarei cumprir a emenda de Taft, agora que é lei. Mas a diretoria executiva do conselho se reuniu ontem, e os membros verbalizaram as próprias preocupações.

Ele fez uma pausa, tamborilando distraidamente na mesa, sem olhá-la nos olhos.

—Eles mencionaram especificamente a confusão em Boston por causa de *Strange Fruit*. Disseram que, entre aquilo e Taft, a questão da censura está começando a ganhar alguma força. Estão preocupados com o rumo que está tomando.

—Por isso estou organizando este evento — disse Viv, sentindo-se lenta ao apontar o óbvio.

—O conselho pediu ao sr. Marshal Best, da Viking Books, e ao sr. Curtis Hitchcock, da Reynal & Hitchcock, que elaborassem uma resolução oficial contra a emenda.

Viv piscou para ele; só conseguiu ofegar.

—O quê?

—O conselho executivo, é claro, aprecia seus esforços — continuou Stern, com firmeza, daquele seu jeito excessivamente formal que ele usava ao dar más notícias. — Mas eles acham que uma resolução oficial seria um passo mais concreto para obrigar Taft a revogar a emenda.

Viv sabia que alguns membros do conselho a viam como uma tonta com um título sem sentido concedido a uma mulher rica. Alguém que lia os jornais em busca de menções a EFA, as recortava e as enviava para a diretoria. Alguém que papagueava para jornalistas as citações pré-aprovadas por homens importantes. Que conduzia as visitas guiadas de bibliotecários proeminentes repetindo um roteiro elaborado por outra pessoa.

Viv até achava que, olhando de fora, tudo aquilo provavelmente parecia verdade. Mas Stern nunca a fez sentir que concordava com eles. Até aquele momento.

—Eles querem que eu cancele o evento?

Stern arregalou os olhos.

—Não, não. Eles esperam que o evento não seja mais necessário, claro. Mas o veem como um excelente plano B.

Viv respirou fundo enquanto imaginava todo aquele trabalho se tornando desnecessário. Então soltou um suspiro. Aquilo só podia ser bom. O impacto público do conselho se manifestando contra Taft não era pouca coisa.

—Como posso ajudar?

A tensão na boca de Stern relaxou.

— Pensei que você ficaria zangada.

— E fiquei — admitiu Viv, dando de ombros e encenando muito mais indiferença do que sentia. — Mas sair daqui fazendo birra seria dar um tiro no meu próprio pé só para me vingar de alguém.

Ele sorriu, quase triste.

— A resolução terá pouco peso político, já que é mais um recado do que qualquer coisa. Mas queremos divulgá-la para jornais de todo o país, publicá-la em um anúncio de página inteira em quantas revistas você achar melhor. Use os fundos discricionários.

Viv se levantou, mas logo hesitou.

— Por que escolheu o livro de Althea? Isso aconteceu antes de eu decidir que a queria no evento.

— Era um dos livros prontos para serem enviados.

Ela ergueu as sobrancelhas, aguardando o restante da resposta. Stern soltou o ar e se recostou na cadeira.

— Como sabe, o livro é sobre censura. Talvez eu... quisesse virar o jogo a nosso favor. — Ele riu. — Não pareça tão surpresa. Quero ver a emenda de Taft derrubada tanto quanto você. Posso não ter imaginado um vexame público para fazê-lo mudar de ideia, mas você não é a única que lê as cartas dos soldados. Eu sei como eles podem ser persuasivos.

Viv apertou os lábios para esconder um sorriso satisfeito.

— Não estamos sendo egoístas, estamos? Será que um livro diferente teria sido melhor para as tropas?

— É um bom livro; não escolhi só por causa da briga com Taft. Talvez, quando a srta. James receber as cartas que inevitavelmente chegarão, ela comece a pensar em si mesma como algo diferente de um mero peão político.

— Ela ainda seria um, é claro, mas... — Viv balançou a cabeça. — Bem, talvez ela perceba que é mais do que isso.

Berlim
Abril de 1933

As reuniões da Resistência aterrorizavam Althea, mas ela estava orgulhosa de si por ir.

Adam Brecht a abraçou na primeira à qual ela comparecera depois do dia que passou com Hannah.

— Por que ele se importa? — perguntou Althea, quando Adam se afastou. — Como você disse, sou apenas uma pessoa. Não posso significar tanto assim.

As duas se sentaram no fundo. Hannah ficou muda por tanto tempo que Althea pensou que ela não responderia.

— Adam não se importa necessariamente com sua mudança de ideia em relação aos nazistas. É mais por essa mudança ter acontecido quando você aprendeu mais sobre eles.

— Eu represento esperança.

Althea representara muitas coisas para muitas pessoas, mas aquela poderia ser a melhor de todas.

— É bom para ele ver.

Algo na voz de Hannah que fez Althea se aproximar um pouco mais dela.

— Está preocupada com ele.

— Meu irmão ficou diferente depois do incêndio, desde que Clara foi presa. Não o culpo, mas, sim, estou preocupada.

— O que acha que ele pode fazer? — perguntou Althea, odiando como o medo com o qual estava tão familiarizada podia sufocar sua coragem recém-descoberta.

Hannah olhou para Althea com os olhos estreitados, mas não hesitou tanto quanto antes.

— Algo para chamar a atenção das pessoas.

— Como o quê? — A voz de Althea subiu o suficiente para que algumas pessoas ao redor a olhassem preocupadas. Ela se inclinou para a frente e sussurrou: — Como um assassinato?

— Não sei — respondeu Hannah, embora soando como se soubesse. — Mas ele está sendo imprudente. Não ajudará ninguém sentado em um centro de detenção ao lado de Clara.

Nenhuma das duas mencionou que Adam, como homem, teria muito mais chances de ser executado se fosse pego conspirando contra os nazistas. Hannah não precisava que Althea lhe dissesse aquilo.

— Ele não escuta você? — perguntou Althea. — Se tentar pedir para que não faça nada?

— Ele não escuta nenhum de nós. Pedi para Dev falar com ele também. E Otto. Mas Adam insiste que não podemos mais pensar pequeno.

Althea procurou Adam com o olhar. Estava na frente, conversando com uma mulher mais alta do que ele, e seu semblante era de grande concentração. Adam sempre olhava para a pessoa com quem estivesse falando como se fosse a única outra pessoa no mundo.

Tentou não o imaginar na praça, amarrado a uma cruz de Santo André com uma mulher de joelhos na frente. Mas Adam era um jovem judeu, um comunista com um espírito rebelde e uma alma talhada para a revolução. Althea soube daquilo depois de encontrar com ele apenas duas vezes.

Mesmo que Hannah conseguisse desarmar qualquer vingança que o irmão estivesse tramando, qual seria seu futuro em um país cheio de homens como Diedrich, Goebbels e Hitler?

Qual seria o de Hannah?

Althea sentiu a mão quente de alguém pousar em seu braço. A mão de Hannah. Com o polegar, ela acariciou a pele sensível do pulso de Althea, um gesto reconfortante que se tornara uma mensagem secreta entre ambas.

Se você tocar... pode sentir o coração de uma pessoa.

A reunião durou a noite toda. Alguns participantes falaram de estratégias — coisas como furar os pneus dos oficiais nazistas e sabotar as linhas de trem. Outros se concentraram na propaganda, ainda acreditando que poderiam conquistar o público com folhetos e grafites engenhosos. Outros ainda falaram em patrulhar as ruas para ajudar os alvos dos camisas-pardas.

Adam encerrou com um discurso que a mente de escritora de Althea não conseguiu deixar de avaliar como ardente demais, sem chance de desenvolver.

Ainda assim, quando ele encerrou mais uma vez com a mesma citação de *Os miseráveis*, nem Hannah nem Althea riram.

Participar das reuniões tornara-se tão rotineiro quanto ir aos cabarés havia sido em fevereiro. Diedrich estava ficando cada vez mais frustrado por Althea não o manter informado do que fazia à noite, mas estava tão ocupado com o trabalho para Goebbels que ela sempre conseguia se safar.

O grupo de Adam se reunia com frequência, sobretudo nos dias que se seguiram ao primeiro boicote judaico oficial dos nazistas. O boicote em si não fora muito bem-sucedido, feito de propósito durante o Shabat, quando muitos estabelecimentos judaicos já ficavam fechados. Mesmo assim, sinalizou o início do que todos podiam prever que estava por vir. Apenas uma semana depois, Hitler aprovou uma lei que impedia os judeus de ocuparem cargos públicos. E só pioraria a partir dali.

A cada dia, Hannah se mostrava mais preocupada com Adam. Ela ainda não conseguira descobrir o que ele planejava, mas a maneira como o descreveu falando de seus planos deixou Althea igualmente preocupada. Ela só podia imaginar que ele estava envolvido em uma missão suicida.

Quando Althea mencionou essa possibilidade, mesmo com toda a delicadeza, Hannah pareceu tensa, mas não discordou.

— Vamos amarrá-lo a uma cadeira, se for preciso — decretou Dev.

Naqueles dias, quando o assunto era Adam, surgiam sombras sob os olhos dela também.

Apesar dos pesares, nem tudo era terrível.

Na maioria das noites, depois que o grupo se dispersava, Hannah levava Althea para casa. Assim como quando estava com Diedrich, as duas conversavam sobre literatura, mas Hannah realmente ouvia, em vez de só esperar para poder expressar a própria opinião.

— Estou com medo de desapontar a todos — confessou Althea, uma noite, enquanto passeavam ao longo do rio. — Com meu segundo romance. E se o primeiro tiver sido apenas um acaso? E se as pessoas o compraram porque gostaram da história de uma garota sem instrução e do sonho americano, ou algo assim?

— Você não pode controlar como as pessoas vão reagir à sua arte. Só pode controlar o que você produz. — Hannah olhou para ela e continuou: — Já sabe sobre o que vai escrever?

— Medo — respondeu Althea, com uma certeza que não percebera que tinha até a palavra sair de sua boca. Não sabia em que contexto encaixaria o romance, mas sabia que o medo seria a premissa central. — Muito do que está acontecendo aqui é por causa do medo, não é? Tudo o que Hitler teve que fazer foi deixar as pessoas com medo: "Há um monstro por aí que vai te atacar se você não me deixar te proteger".

Hannah completou o raciocínio por ela:

— E, se essa "proteção" requer sacrificar algumas liberdades, é o preço da lei e da ordem, não é?

— Eu sei que é mais complicado do que isso — admitiu Althea. — Mas é uma das raízes, e é uma raiz profunda.

Ela não mencionou o temor de que também fosse uma de *suas* raízes, emaranhada no próprio tecido de sua alma. Mudou de assunto antes que Hannah pudesse compartilhar aquela visão.

— O que você vai fazer?

— Depois da faculdade? — perguntou Hannah.

Althea assentiu, e a mulher inclinou a cabeça.

— Acho que parei de considerar que tenho futuro.

Althea arfou brusca e ruidosamente em meio à noite silenciosa.

— Não diga isso.

— É verdade — retrucou Hannah, os lábios apertados formando uma linha melancólica. — Meu futuro é, no máximo, tentar sobreviver.

Por mais que Althea quisesse argumentar, não podia.

— O que você faria se pudesse escolher alguma coisa?

Hannah balançou a cabeça.

— Belas fantasias doem mais.

— Você trabalharia com livros — considerou Althea, uma vontade irresistível dentro dela forçando-a a fantasiar.

Precisava imaginar Hannah feliz, livre, fazendo o que amava, mesmo que fosse impossível e ambas soubessem.

— Tem uma canção. — Então Hannah começou a cantar com aquela voz baixa e rouca: — "Somos filhos de um mundo diferente, só amamos a noite de lavanda, tão sedutora..."

Althea reconheceu a melodia, cujos trechos ouvira nos cabarés. Era uma daquelas músicas que fazia todo mundo parar, cantar e dançar junto. Ela não entendia muito bem o que dizia, embora Hannah a cantasse como se significasse algo mais do que apenas palavras e melodia.

— É para pessoas como... Pessoas como eu.

— Judeus?

— Não — negou Hannah, mas não elaborou mais. — Eu sempre amei o trecho sobre vagar por mil maravilhas.

Althea tentou se lembrar do verso exato.

Somos apenas diferentes dos outros,
que, curiosamente, a princípio vagam por mil maravilhas,
e, no entanto, só veem o banal no final.

— Acho que, se eu pudesse, teria uma livraria — revelou Hannah, antes que Althea pudesse refletir sobre o significado da letra. — E escolheria esse nome.

— Mil maravilhas — declarou Althea, apreciando o sabor daquela ideia na língua.

O que eram livros, o que eram histórias, senão mil maravilhas?

— Onde gostaria que ficasse? — perguntou Althea.

Hannah sorriu com melancolia.

— Aqui.

Nenhum assunto era privado, excessivo ou sensível demais, e as duas muitas vezes pegavam o caminho mais demorado para casa, com os dedos roçando, os ombros lado a lado.

Certa noite, Hannah se prolongou diante da porta de Althea e precisou se aproximar dela para dar passagem para os pedestres que caminhavam pela calçada.

A respiração de Althea falhou, seu corpo ficou muito quente e depois gelado, mas Hannah apenas deslizou o polegar na parte interna de seu pulso, a observou por mais um minuto, e sussurrou um boa-noite antes de dar meia-volta e descer a rua.

De alguma forma, Althea conseguiu entrar no apartamento antes que seus joelhos cedessem e ela deslizasse até o chão, ao mesmo tempo tonta, confusa e um pouco excitada.

Não era uma colegial tola que não sabia o que era aquilo. A mesma vibração estremecera seu peito, o mesmo calor se acumulara entre suas pernas naqueles primeiros dias na Alemanha, quando pensava que Diedrich era o homem mais bonito que já conhecera.

Mas, por causa da forma como aquele sentimento tinha se instalado em seu corpo, como se fosse parte dela, era mais forte, mais aterrorizante.

Althea era covarde, e a ideia daquilo, das duas *juntas*, a fazia querer se esconder debaixo das cobertas e nunca mais sair.

Só que aquela era a versão de Berlim de Althea James. A versão de Berlim de Althea James flertava, ria e frequentava cabarés com mulheres bonitas que sorriam como se estivessem entregando algo de si mesmas.

Então, quem sabe, ela pudesse ser corajosa. Só daquela vez.

Nova York
Junho de 1944

A invasão ocorreu em um dia quente de verão em Nova York. Charlotte acordou Viv poucos minutos depois das seis da manhã com o *New York Times* do dia nas mãos.

— Edição matinal especial — anunciou, com a voz angustiada, oferecendo a publicação.

Viv piscou para espantar o sono enquanto pegava o jornal. A manchete ocupava grande parte do topo da página.

EXÉRCITOS ALIADOS DESEMBARCAM NA FRANÇA, NA ÁREA DE HAVRE-CHERBOURG; GRANDE INVASÃO EM CURSO

Logo abaixo havia um mapa do Canal da Mancha e do norte da França. Viv devorou a matéria que o acompanhava.

> Sob a luz cinzenta de um amanhecer de verão, o general Dwight D. Eisenhower colocou sua grande força anglo-americana em ação. O primeiro comunicado de Eisenhower foi conciso, calculado para dar pouca informação ao inimigo. As transmissões alemãs foram as primeiras a mencionar o ataque… Eisenhower disse para suas forças que estavam prestes a embarcar em uma grande cruzada. "Os olhos do mundo estão sobre vocês", anunciou, "e as esperanças e orações dos defensores da liberdade de todo o mundo marcham ao seu lado."

Quando Viv terminou de ler, sua mão voou até a boca. Encontrou o olhar soturno de Charlotte.

— Começou.

Foi a única palavra dita antes de irem para a cozinha, ligarem o rádio e ocuparem dois banquinhos pelas três horas seguintes, ouvindo todos os relatos que conseguiam encontrar.

Em dado momento, no entanto, Viv começou a se sentir presa, sua pele coçando, as pernas inquietas.

— Não podemos ficar sentadas aqui o dia todo.

— Tem razão. Mas primeiro vamos para a igreja.

Novamente em silêncio, as duas se separaram para se vestir. Viv não demorou, apenas prendeu o cabelo para trás, vestiu uma camisa branca simples e uma saia cinza e passou batom — que aplicou um pouco também nas bochechas, para aplacar a palidez mortal.

Só parou para pensar quando foi calçar os sapatos, olhando para as gavetas da cômoda. Se aquela não era uma ocasião especial, qual seria? Em dois passos, ela atravessou o quarto e pegou as preciosas meias de seda, resgatou as ligas e, em seguida, metodicamente, executou os movimentos familiares para vesti-las. O silvo do nylon contra a pele a acalmou e também insinuou um futuro no qual ela não ousara pensar desde que lera a manchete do jornal.

Quando as duas saíram, parecia um dia como outro qualquer.

Então Viv olhou com mais atenção.

O mesmo estranho emaranhado de tristeza e euforia com o qual estivera lutando durante toda a manhã se refletia no rosto de cada passante. Algumas pessoas estavam reunidas em grupos diante das lojas, e alguns homens subiam em caixas para ler as notícias diretamente dos jornais pendurados nas bancas. Bandeiras americanas se agitavam nas fachadas dos prédios. Homens, mulheres e crianças vagavam pelas ruas, sem rumo, ansiosas demais para ficarem em casa, tal como Viv e Charlotte.

Quando chegaram à igreja, um novo cartaz as recepcionou na entrada: DIA DA INVASÃO: ENTRE E REZE PELA VITÓRIA DOS ALIADOS.

Só havia espaço para ficar de pé, e Viv se viu corpo a corpo com estranhos que não pareciam estranhos naquele momento. Ela passou o braço pelos ombros da mulher ao lado, cujo rímel escorrera pelo rosto, deu a mão que estava livre para Charlotte e fechou os olhos.

O padre não estava rezando a missa, só dirigindo a congregação em oração, proferindo palavras que eram um bálsamo para a ferida dolorosa que se abrira ao saber que milhares de homens seriam massacrados naquele dia. Já tinham sido. Mesmo que os Aliados saíssem vitoriosos, não havia como celebrar aquele tipo de morte. Só se poderia celebrar o possível fim de tamanha violência.

As pessoas continuavam a apinhar a igreja, e Viv apertou a mão de Charlotte. Já estavam ali por tempo suficiente, era hora de abrir espaço para os outros. Charlotte assentiu depressa.

— Times Square — murmurou a sogra, e as duas saíram.

Estava difícil andar na calçada do lado de fora da igreja de Saint Vincent.

Alguns quarteirões depois, ao passarem por uma sinagoga 24 horas, Viv pensou na bibliotecária do Brooklyn. Imaginou como ela teria recebido a notícia naquela manhã. Imaginou se a mulher tinha alguém para abraçá-la e oferecer algum conforto.

Viv esperava que sim.

Não seria justo dizer que a Times Square havia parado, mas quase parecia que sim. Todos estavam voltados para a mesma direção, o rosto levantado para o painel do *New York Times* anunciando pura e simplesmente: EXÉRCITOS ALIADOS INVADEM A EUROPA. Os táxis buzinavam para as pessoas se mexerem, mas todos estavam presos em uma espécie de letargia.

— Viv! — chamou alguém na multidão.

Quando se virou, lá estava Bernice Westwood, do conselho, abrindo caminho até ela e Charlotte.

Quando Bernice as alcançou, Viv a abraçou com força.

— Está sozinha?

— Não. — A mulher suspirou, recuando apenas o suficiente para falar. — Meu namorado está de licença por causa de um braço quebrado, dá para imaginar?

Sua risada saiu aquosa, e Viv sabia que ela devia se culpar pelo alívio que sentia com a sorte do amado.

Apertando os braços da moça com força, Viv afirmou:

— Que bom.

— O prefeito vai realizar um evento na Madison Square, se quiserem vir.

Sem palavras, Viv consultou Charlotte. A sogra desgrudara os olhos do painel para assistir à interação. As duas estavam andando havia muito tempo, e Viv, que mal sentia os próprios pés, não podia nem imaginar como Charlotte devia estar exausta.

Mesmo assim, a sogra simplesmente assentiu, e quem era Viv para duvidar de sua resiliência?

— Queremos, claro — disse Viv.

Cartazes clamando vitória e bandeiras dos Estados Unidos tremulavam acima da multidão. Um homem carregando uma tuba e tocando o hino passou por elas, batendo com o metal do instrumento no cotovelo de Viv. Crianças vestidas de trajes feitos para imitar uniformes militares sentavam-se nos ombros dos pais, gritando de deleite, o entusiasmo intocado pela tensão que mantinha os adultos contidos.

— Boas notícias para a EFA — comentou Bernice no ouvido de Viv, quando se aproximaram da Madison Square.

À medida que a multidão atrás delas avançava, ficava cada vez mais difícil se mover naquele espaço que só podia acomodar determinado número de pessoas.

Viv lutou contra o desejo de repreender Bernice por pensar em coisas tão mesquinhas em um momento como aquele, sabendo que ela não merecia. A própria Viv havia considerado algo semelhante no escritório de Stern, quando se deu conta do que uma invasão significaria para seus planos.

— Sim, acho que pode ser.

Charlotte pareceu sentir sua angústia, então a puxou discretamente. Foi o suficiente para separá-la de Bernice, e três mulheres correram para ocupar o espaço que a distância havia criado.

Um palco improvisado tinha sido montado em uma extremidade da praça, e ali perto havia uma banda rodeada por bandeiras dos Estados Unidos. Um homem com uma câmera se empoleirara no capô de um carro a poucos metros de Viv, imortalizando a cena.

Apenas alguns minutos depois, o prefeito Fiorello La Guardia subiu ao palco em frente a uma bancada com microfones ligados a alto-falantes, permitindo que até mesmo a pessoa mais distante pudesse ouvir sua voz anasalada. Depois que um guincho agudo no áudio fez a multidão se encolher, La Guardia liderou aqueles que estavam reunidos em oração e pediu que se agarrassem firmemente à sua fé.

— Nós, o povo da cidade de Nova York, pedimos humildemente a Ele que nos traga a vitória total na grande e valente luta pela libertação do mundo da tirania — clamou, com as tubas tocando aos seus pés.

Viv e Charlotte se perderam na euforia. Após o discurso de La Guardia, subiram ao palco cantores e mais oradores. A multidão só crescia, fluindo como um rio. Um homem começara a vender garrafas de Coca-Cola na esquina mais próxima, outro, a distribuir cartazes proclamando apoio a Roosevelt e às tropas. A música irrompia de vários pontos da plateia, os homens faziam continência e, acima de toda a cena, tremulavam as bandeiras dos Estados Unidos.

Por fim, Charlotte passou o braço pela cintura de Viv e disse:

— Acho que está na hora de ir para casa.

À medida que as duas seguiam para o norte da cidade, as ruas começavam a parecer mais calmas. Depois de apenas alguns quarteirões, Charlotte começou a mancar. Viv guiou o caminho até o metrô — transporte que não sabia se Charlotte já usara na vida, mas os táxis estavam congestionando as ruas, incapazes de manobrar por conta da multidão transbordando das calçadas.

No vagão do metrô que entraram, três homens com violinos tocavam uma triste melodia de uma canção irlandesa que uma mulher junto deles cantou em gaélico. Ao lado de Viv, Charlotte chorou em silêncio.

— Sete meses — disse, com dificuldade.

Viv entendeu que a sogra estava falando de Edward, que estava se perguntando por que Deus não poderia tê-lo poupado para chegar ao fim da guerra.

Viv não tinha lugares-comuns a oferecer. Ambas já tinham ouvido todos os que haviam.

Finalmente em casa, Viv percebeu que as duas não comiam desde o apressado café da manhã. Acomodou a sogra em um banco da cozinha e arrancou o avental do gancho da despensa, amarrando a faixa na cintura.

— Panquecas — decidiu Viv.

— Para o jantar? — perguntou Charlotte, os olhos ainda vermelhos, mas as lágrimas secas.

Viv não mencionou que aquele era o prato favorito de Edward. Em vez disso, deu uma piscadela.

— Somos mulheres aventureiras. Por que não?

— Pois esta aventureira aqui precisa de um vinho do Porto para acompanhar as panquecas — disse Charlotte, se levantando com um gemido de dor.

Ela se aproximou do carrinho de bebidas, serviu uma dose generosa para cada uma, então deslizou o copo de Viv pela bancada enquanto se sentava de volta no banquinho, soltando mais um gemido.

— Acho que não vou conseguir andar por uma semana.

Quebrando um precioso ovo em uma tigela, Viv sorriu.

— Vamos contratar homens para carregar você como a Cleópatra.

— Gosto muito de como você pensa, minha querida.

Charlotte ergueu o copo para Viv.

Conversaram enquanto Viv cozinhava, embora o assunto não fosse a invasão nem aquele dia. Havia muito com que se preocupar. Por isso, em um acordo tácito, fingiram ser uma noite normal.

E conseguiram, até Charlotte ligar o rádio a tempo de pegar a introdução para um pronunciamento do presidente. Era como se Viv estivesse ouvindo o zumbido de mil rádios sintonizados em uma só mensagem.

A voz de Roosevelt ecoou, clara e segura, pela cozinha:

— Deus Todo-Poderoso: neste dia, nossos filhos, orgulho de nossa nação, iniciaram um esforço poderoso, uma luta para preservar nossa República, nossa religião e nossa civilização, e para libertar uma humanidade sofredora.

"Conduza-os para o certo e o verdadeiro; dê força aos seus braços, firmeza aos seus corações, firmeza na sua fé."

Viv virou de uma vez o que restava do vinho.

Os próximos meses seriam longos e sombrios.

Paris
Dezembro de 1936

A última carta de Althea chegou no primeiro dia do inverno.

Hannah não tinha ideia de que seria a última quando a recebeu. Porém, à medida que as semanas foram passando sem que outra chegasse, pensou na carta escondida sob seu *Alice no País das Maravilhas*, assim como no restante da correspondência que Althea enviara.

No verso do envelope havia uma mensagem em uma caligrafia cursiva delicada: *Importante! Não seja teimosa.*

Hannah realmente cogitou abri-lo. Era mais volumoso que a maioria dos anteriores. Ela também cogitou jogá-lo no fogo por despeito. Tinha sido o primeiro a chegar após a notícia da morte de Adam e, de alguma forma, o fato tornava ainda mais difícil guardá-lo.

Mas uma vozinha na consciência a atiçava e seu lado curioso venceu a teimosia sobre a qual Althea lhe alertara.

Então Hannah pegou a caixa, guardou a carta junto das outras, e, em seguida, pegou o exemplar surrado de *Alice*.

Sabia que Althea publicara outro romance. Era difícil não saber, considerando que Hannah transitava nos círculos literários, e a imprensa internacional o elogiara efusivamente. Althea era a atual menina dos olhos dos Estados Unidos, e Hannah se perguntou se os nazistas haviam forçado as livrarias a estocar o livro.

Hannah nunca cogitara aquela leitura. Ou melhor, até cogitara, por um breve momento, mas a dor de cabeça imediata que acompanhara a ideia tola prontamente a dissuadiu.

Ela se perguntou por que Althea ainda lhe escrevia; se era por culpa ou alguma outra emoção. As duas tinham convivido por apenas alguns meses antes de tudo terminar em desastre. Hannah não era cega nem ingênua e sabia que Althea estava interessada nela, já que se demorava quando observava seus pontos suaves e íntimos. Os lábios, os seios, os quadris.

Aquilo não significava que Althea entendera o que estava se formando entre as duas até aquela noite, a noite que devia tê-la apavorado.

Em seu íntimo mais profundo e sombrio, Hannah às vezes admitia que poderia ter se apaixonado por Althea. Os olhos sinceros, o otimismo, o humor que espreitava nos momentos mais estranhos. A maneira como ela corava e andava pelos jardins de tulipas, como tocava livros respeitosamente com as pontas dos dedos, e falava sobre a escrita como se fosse uma boa e velha amiga.

As duas eram diferentes de todas as maneiras certas, e iguais nas questões que importavam.

Ou isso era o que Hannah tinha pensado.

Se tivesse que adivinhar, teria previsto nunca mais ter notícias de Althea James quando fugiu de Berlim como uma covarde, após tudo desmoronar.

Quando a primeira carta chegou ao seu apartamento em Paris, a reação inicial foi de paranoia. Hannah se perguntou se deveria fazer as malas e se mudar na mesma noite, se os nazistas estariam esperando ao pé da escada. Mas então ela se deu conta de que talvez Althea ainda conversasse com Deveraux Charles, uma das poucas pessoas que conhecia o endereço exato de Hannah.

Depois daquilo, as correspondências chegavam uma vez a cada poucas semanas ou mais.

Hannah não abrira nenhuma, muito menos respondera. Ainda assim, Althea continuava escrevendo.

Talvez um dia, em breve, a curiosidade de Hannah levasse a melhor.

Mas ainda não seria naquele dia.

Escondeu a caixa de volta sob a tábua do piso do closet e se arrumou para ir trabalhar.

Não havia o que ganhar vivendo no passado e desejando um futuro diferente. O presente era o que tinha e, por enquanto, era o suficiente. Tinha que ser.

Nova York
Junho de 1944

O efeito da invasão foi o da ruptura de uma barragem. Por semanas, meses, anos, os americanos se curvaram e tentaram dar o melhor de si, depois do Dia D, Viv se deparava com garotas chorando nos corredores em todos os momentos do dia, estranhos brigando no metrô, homens nos bares nas primeiras horas da manhã, chorando e cantando.

A guerra poderia acabar em breve, mas o caminho para chegar lá seria brutal e repleto de perdas e tristezas inimagináveis.

No dia seguinte, a coluna diária de Eleanor Roosevelt no jornal abordou a invasão, e Viv não conseguia tirar da cabeça as palavras da primeira-dama.

Curiosamente, não tenho qualquer sentimento ou emoção, escrevera a sra. Roosevelt. *Parece que esperamos este dia por semanas, com medo, e que toda a emoção foi drenada.*

Toda a emoção foi drenada. Nas semanas que se seguiram ao fatídico dia, Viv acordou, fez seu trajeto até o trabalho, respondeu cartas de soldados, trabalhou no planejamento do evento, foi para casa, dormiu e no dia seguinte fez tudo de novo. Mas era como se estivesse se movendo através da névoa. Aquilo a fazia arrastando as pernas, com os pensamentos turvos, a deixava letárgica e ao mesmo tempo ansiosa demais para dormir.

Onze dias após a invasão, mais de três mil americanos haviam morrido, e o número de feridos chegava a quase treze mil.

Se era demais para uma nação suportar, imagina uma única pessoa.

Então Viv se concentrou no que podia controlar: a Edições das Forças Armadas.

À medida que os relatos sobre o Dia D começaram a chegar, tudo o que Viv ouviu apenas solidificou sua crença de que, embora sua luta pessoal pudesse parecer pequena quando vista de fora, o que estava fazendo era importante. Correspondentes de guerra escreviam que os soldados tinham permissão para levar apenas os itens mais essenciais para o desembarque no litoral da Normandia. Para muitos, os livros de bolso era um desses itens.

Em 9 de julho, pouco mais de um mês após a invasão, Betty Smith, uma das autoras mais populares do projeto, publicou um ensaio. Ela falou de soldados que todos conheciam, aqueles que iam de porta em porta pedindo para cortar a grama dos vizinhos a fim de ganhar algum dinheiro e gastá-lo em doces; meninos que andavam de bicicleta e entregavam jornais; meninos cujas mães os amavam mais do que tudo no mundo. Betty terminou com um apelo à nação para que todos que não estivessem naquelas praias fizessem sua parte, não importando qual fosse.

Viv recortou o ensaio do jornal e o enviou ao senador Taft, acompanhado por cópias muito diligentes das cartas que receberam de militares alocados mundo afora. Homens que acompanhavam a invasão de longe, horrorizados e esmorecidos por não estarem lutando ao lado de seus irmãos. A EFA lhes proporcionava uma válvula de escape para sentimentos com os quais, assim como o resto do mundo, não sabiam lidar. Os livros lhes davam uma desculpa para chorar, uma razão para rir, um lugar para depositar o alívio de não serem eles na matança e a culpa por não serem eles os que estavam em batalha.

Viv também se ocupava acompanhando as cartas ao editor, artigos de opinião e matérias que inundavam jornais de todo o país. A resolução formal do conselho contra a emenda de Taft significava que Viv não estava mais travando uma cruzada pessoal contra o senador, que não precisava mais reunir soldados de infantaria de editoras exaltadas ou bibliotecas sobrecarregadas. Um exército havia se levantado, irritado com a emenda de longo alcance.

Vários jornais haviam obtido — de Viv, mas isso não era da conta de ninguém — uma lista de títulos afetados pela política. Os jornalistas analisaram cada livro, procurando por qualquer coisa que pudesse remeter à política, e relataram não ter encontrado nada.

Sem dúvida, o público estava ao lado do conselho. No entanto, Taft ainda se recusava a ceder.

Uma batida delicada na porta do escritório de Viv interrompeu seus pensamentos com um susto. Era Edith, com a bolsa na mão.

— Não se esqueça de dormir, boneca — disse Edith, apontando com o queixo para o relógio.

Viv olhou na direção apontada e piscou até os números entrarem em foco. Eram quase oito da noite.

Passou a mão cansada sobre o rosto.

— Só vou terminar mais uma ou duas coisas por hoje.

— Quer que eu espere? — perguntou Edith, a testa franzida de preocupação. — Você vai ter que caminhar até o metrô sozinha no escuro.

Viv dispensou a oferta com um aceno e afirmou:

— São só alguns quarteirões. Mas obrigada.

— Se tem certeza... — disse Edith, hesitante, mas não era de agir como babá dos amigos. — Boa noite, então. Não fique até muito tarde.

— Estou saindo já, já — prometeu Viv.

Terminou de cortar duas matérias de jornais locais do Texas, depois os colocou no envelope que planejava enviar para Taft pela manhã. Não faria muita diferença, mas precisava manter a pressão.

A única coisa com que podia contar era que Hale parecia mesmo acreditar que Taft iria ao evento, mesmo que só para parecer magnânimo.

Embora estivesse contando com aquilo, ela ainda queria ter Althea James na manga. Mas parecia cada vez mais provável ter que encontrar outra pessoa para encerrar o evento.

Pensou na bibliotecária do Brooklyn. Estava convencida de que a mulher era só um pouco menos reservada que Althea James, mas ao menos era alguém a quem Viv podia tentar convencer pessoalmente.

Times Hall estava quase imersa em escuridão quando ela por fim deixou o escritório, mas as sombras não eram ameaçadoras. Viv conhecia cada canto e recanto do lugar, como uma segunda casa.

Mesmo assim, ao pisar na rua, imediatamente levantou a guarda. Viv crescera na cidade, caminhava sozinha quase todo o tempo sem pensar, mas muitas das luzes brilhantes da Broadway estavam apagadas por causa dos estabelecimentos fechados ou apagões temporários. Na noite escura das ruas, as sombras se alongavam em seu rastro, ameaçadoras e nada amigáveis.

Apertou as moedas que já tinha separado para a passagem de metrô, uma precaução que aprendera havia muito tempo. Parte da segurança de andar sozinha era graças à sagacidade para os verdadeiros perigos.

A poucos passos da entrada do metrô, um homem surgiu da soleira de uma das portas escuras.

Viv soltou um grito agudo, constrangedor, alto e inútil. Com o coração disparado, procurou o alfinete de chapéu que guardava no fundo da bolsa.

Mas o sujeito ergueu os braços e recuou um passo, permitindo que o poste de luz iluminasse suas feições, revelando as maçãs do rosto, o nariz, o queixo. Estava bem-vestido, era baixo, e o cabelo castanho estavam começando a ficar grisalhos e finos nas têmporas. O terno de três peças era feito sob medida e evidentemente caro, os sapatos eram lustrosos e elegantes, e o relógio era um Cartier. Nada daquilo eliminava qualquer perigo, mas Viv teve que se perguntar o que o sujeito poderia querer dela.

Por fim, encontrou o alfinete do chapéu; queria sondar a rua em busca de socorro, mas não podia arriscar tirar os olhos do predador em potencial.

— Sra. Childs, juro que não precisa ficar assustada — disse o homem, com um sotaque sulista arrastado.

Viv não acreditou nele nem por um segundo.

— Quem é você? O que você quer? Como sabe meu nome?

O homem ergueu as sobrancelhas finas.

— Qual dessas perguntas prefere que eu responda?

Não era hora de joguinhos. Viv sacou o alfinete da bolsa e o brandiu entre os dois.

— Todas — disse, mostrando os dentes. — E rápido.

— Tudo bem, tudo bem, calma. Acho que eu devia ter imaginado que haveria alguma reação teatral, considerando onde estamos.

Ele sorriu com a própria piada, mas, quando Viv se aproximou, ficou sério.

— Você tem dez segundos — ameaçou ela.

— Que garrinhas afiadas. Eu vim conversar, só isso.

— Conversar sobre o quê?

As sobrancelhas já levantadas do homem subiram mais, como se fosse uma pergunta boba.

— Sobre o que a tem deixado tão zangada e incomodada, sra. Childs.

Viv ficou tão surpresa que quase deixou o alfinete cair.

— A emenda? Você armou essa arapuca por causa do meu evento?

— É você que está "armada" aqui, não eu — disse o homem, tossindo uma risada, as ruguinhas nos cantos dos olhos revelando como estava se divertindo, o que a deixou indignada. — Refiro-me ao alfinete escondido na bolsa. Eu só estava esperando que saísse do trabalho; não é culpa minha se anda sozinha pelas ruas tarde da noite. Como saber o que poderia acontecer?

— O que você quer? — insistiu Viv, apertando a arma outra vez.

Por mais que o homem zombasse, ela sabia que tipo de dano aquele metal podia causar.

— Que falta de cortesia da minha parte — disse o homem, limpando as mãos na lapela do terno. — Eu nem me apresentei. Howard Danes, às suas ordens.

— O que você quer? — repetiu Viv, cada palavra saindo forte e pesada.

Howard suspirou como se fosse um homem paciente e sofrido e ela, uma mulher histérica.

— Só conversar. Talvez possamos chegar a um acordo, você e eu.

— A menos que esteja aqui para me dizer que Taft vai remover as multas da emenda, ou melhor, se livrar dela completamente, não temos nada para conversar.

Ela realmente duvidava que o homem fosse portador de boas novas, considerando que decidira abordá-la, não ao sr. Stern, e também que escolhera agir na calada da noite, quando ela estaria sozinha e vulnerável. Isto não representava Taft levantando uma bandeira branca.

— Você é uma moça inteligente — disse Howard, naquele sotaque arrastado. — Sabe que não vai conseguir nada com esse seu truque.

Ao ouvir aquilo, Viv finalmente relaxou.

— Sério? Acha que não?

— O que está tentando fazer é admirável, mas está se encrencando, garota — continuou Howard, como se tivesse sentido alguma fraqueza. — Acho que podemos chegar a algum tipo de acordo.

— Um acordo?

— Sei que seu marido morreu por este nosso grande país — disse Howard, pondo a mão no lado esquerdo do peito e baixando a cabeça. Ao fazer aquilo, ele não notou como Viv ficou tensa novamente. — Seria uma honra para o senador Taft encaminhar o nome do sr. Childs para um reconhecimento oficial pela bravura em serviço.

Viv sentiu uma vontade irresistível de tirar o nome de Edward da boca daquele homem desprezível.

— Está dizendo que vai dar ao meu marido uma Medalha de Honra pelo preço barato da minha alma e da dele? — questionou Viv, por mais adocicado que fosse o tom de voz do sujeito. — Não estou à venda. Nem Edward.

— Sra. Childs, seja razoável — insistiu Howard, o tom outra vez insinuante mais uma vez.

— Não. Acha que não vou conseguir nada com o meu pequeno... *truque*, como você chamou. Bom, já consegui mais nas últimas quatro semanas do que nos seis meses anteriores. E quer saber como sei disso?

O sujeito estreitou os olhos, sentindo a armadilha. E Viv quase sorriu quando, pelo canto do olho, viu um breve movimento.

— Por sua causa — esclareceu, enunciando com clareza. — Você não estaria aqui se não estivéssemos progredindo. Então, obrigada pela atualização.

Ela se afastou e acenou para chamar o policial que avistara dobrando a esquina.

— Por favor, senhor, me ajude.

Com um sorriso triunfante, Viv guardou o alfinete do chapéu na bolsa, deu meia-volta e entrou na estação de metrô enquanto Howard Danes gaguejava suas desculpas para o guarda. Estava cansada, impactada pelo encontro e triste por alguém pensar que aquele tipo de troca realmente funcionaria. Mas, acima de tudo, pela primeira vez em muito tempo, ela estava confiante de que estava fazendo algo certo.

Berlim
Maio de 1933

— Trouxe um presente — disse Dev, entrando no quarto de Althea no começo de maio, segurando um porta-terno.

Althea bateu palmas, exagerando a empolgação.

— É um poodle?

Dev olhou torto para ela, mas depois sorriu.

— Você tem um senso de humor mais interessante do que deixa as pessoas acreditarem.

Corada com o elogio — por mais sarcástico que fosse —, Althea voltou a atenção para o vestido que Dev segurava. O tecido aveludado era de um azul tão escuro que beirava o preto. Uma fina teia prateada adicionava profundidade à cor, criando o efeito que se obtém ao admirar o céu noturno.

Althea arfou, e seus olhos voaram para os de Dev.

— Não posso usar isso.

— Pois finalmente estaria usando algo na moda? — perguntou Dev, levantando a sobrancelha. Em seguida, ela sacou um par de saltos para acompanhar o vestido e empurrou Althea para trás do biombo no canto do apartamento. — Não vou aceitar um não como resposta, querida.

— Para onde vamos? — perguntou Althea, sem levar o vestido.

— Moka Efti, uma boate à qual ainda não te levei — respondeu Dev, empurrando o tecido para os braços de Althea. — Estou cansada de todas essas reuniões da Resistência, é hora de se divertir. Agora troque de roupa. Hannah está esperando.

Hannah. Claro que Dev sabia que essa era a palavra mágica para fazer Althea concordar. Ainda assim, a escritora hesitou por um instante, imaginando como ficaria no vestido. Sabia o suficiente de moda para reconhecer que a intensidade do azul transformaria sua pele de fantasmagoricamente pálida em uma porcelana lustrosa, que o brilho do tecido iluminaria seu rosto, que o corte destacaria as panturrilhas finas e a clavícula delicada, disfarçando a ausência de curvas.

— O que devo fazer no cabelo? — perguntou, um pouco desesperada, um pouco impotente.

Aquela pesada cortina de cabelos sempre fora um fardo.

Dev a examinou por um longo tempo, depois atravessou o cômodo em três passos decisivos.

— Grampos.

Althea pegou um punhado deles e ficou imóvel enquanto Dev dividia sua cabeleira em três seções. Com a meticulosidade de um general, a amiga enrolou os cabelos de Althea em um coque baixo, soltando alguns fios para que não parecesse sério demais. Quando a escritora se olhou no espelho, seu queixo quase caiu. A suavidade do penteado não deixava seu rosto mais redondo, como acontecia quando ela mesma tentava algo parecido. Aquele penteado destacava o contorno de sua mandíbula, o volume de seus lábios. Até a pitada de sardas em seu nariz contribuía para a imagem sonhadora e digna de Monet que Dev conferira a ela.

A amiga acariciou seu ombro enquanto ela se admirava com satisfação.

— Agora o vestido.

Enquanto Althea se vestia, tomando cuidado para não desarrumar o penteado, Dev remexia o apartamento, como estava acostumada a fazer.

— Até me esqueci: soube das queimas de livros?

— O quê? — perguntou Althea, certa de que não ouvira direito.

— É vergonhoso, querida. Um grupo de estudantes organizou para amanhã à noite. Hannah quer ir protestar.

— Que horror — disse Althea, saindo de trás do biombo. — Quais livros querem queimar?

— Qualquer coisa com opiniões antialemãs — declarou Dev, com um revirar de olhos. — O que pode significar praticamente qualquer livro que quiserem. Você está deslumbrante. Hannah vai ficar em choque.

Althea fixou os olhos no chão com o carinho no sorriso de Dev, mas não pôde evitar o pequeno sorriso que aquela ideia provocou.

A atmosfera na nova boate era mais como uma festa do que um show. Assim que chegaram, Dev pediu para Althea uma bebida com gosto de açúcar e fogo, boa demais para ser bebida lentamente.

Encontraram Hannah e Otto dançando em um canto escuro, os dois girando em círculos, cheios de alegria. Hannah usava um vestido naquele tom de ameixa que Althea estava descobrindo gostar. Tinha um decote profundo nas costas, revelando a pele cremosa e os leves contornos da coluna. A saia era mais curta do que a alemã estava acostumada a usar e, quando ela se afastou de Otto, deixou entrever a cinta-liga.

— Ih, Hannah andou bebendo — cantarolou Dev, com prazer. — Ela fica ótima quando se entrega, mas é um deleite raro, já vou avisando.

— Amigas — gritou Hannah, quando as viu, se soltando de Otto para plantar beijos molhados em suas bochechas. — Dancem comigo.

Dev empurrou Althea para os braços de Hannah, tirando o copo de suas mãos antes que o conteúdo se derramasse por toda parte.

A banda tocava algo rápido e animado, e a mão de Hannah se acomodou na lombar de Althea, puxando-a para perto, de modo que seus corpos ficassem nivelados.

A sala girava — e não por causa dos movimentos das duas acompanhando a música.

— Você está bonita hoje.

Hannah roçou com os lábios o contorno da mandíbula de Althea, descendo os dedos perigosamente por suas costas.

— Na verdade, você está sempre tão bonita...

Era isso que Althea queria, tinha sido por isso que colocara o vestido antes de qualquer outra coisa. Um calor se acumulou em seu ventre quando suas pernas roçaram as de Hannah, seus mamilos se enrijecendo ao se dar conta do suave volume dos mamilos dela sob a seda do vestido.

Althea levantou o rosto e percebeu como estavam próximas. Respiravam o mesmo ar de um jeito tão íntimo que a garganta de Althea ficou seca de expectativa. Seria tão fácil simplesmente deixar a gravidade empurrá-la para junto de Hannah e eliminar aquele centímetro derradeiro.

Sua vida mudaria para sempre. Adeus tentativas de ignorar, adeus alegações de ignorância.

Os dedos de Hannah em suas costas se flexionaram, o mindinho percorrendo a curva sutil de seu traseiro.

Então, de repente, foi demais.

Althea queria ser corajosa, mas não era. Queria ser a Althea James de Berlim, mas sabia que não era.

Era apenas uma garota boba e estúpida de Owl's Head, no Maine, e jamais seria algo além disso.

Althea se afastou, ofegante, praticamente às lágrimas, e cambaleou pela multidão. Corpos esbarraram nela, o riso muito alto, a fumaça pesada demais para respirar direito, as luzes ofuscando seus olhos.

De repente, ar — abençoado e um pouco quente demais para acalmar completamente seus nervos. Althea se viu encostada na parede de tijolos do beco do cabaré, respirando tão fundo que até ficou tonta, mas ainda era melhor do que o pânico estrondoso lá dentro.

Então sentiu a mão de alguém em sua nuca. Ela se afastou, arregalou os olhos e levantou os braços para se proteger. Mas era apenas Dev, que a observava com um semblante gentil que desarmou todas as suas defesas.

Ela piscou para a amiga, e lágrimas indesejáveis escaparam dos cantos dos olhos.

— Ah, pombinha. — Dev suspirou, jogando um braço ao redor de seu ombro, direcionando-a de volta para a rua.

Quando a amiga a sentou no carro que as esperava, Althea pensou tê-la ouvido dizer:

— Infelizmente, foi demais, rápido demais.

O trajeto passou em um borrão de cores enquanto Althea tomava o cuidado de não pensar em nada. Não pensaria naquele momento, naquele canto escuro, na sensação de estar cercada por corpos suados e pulsantes, o dela própria respondendo na mesma moeda. Não pensaria no cheiro adocicado da pele de Hannah ou na pressão suave das mãos dela.

Não pensaria no olhar desolado de Hannah quando se soltou de seus braços. Althea rastejou para a cama, registrando vagamente quando Dev a cobriu com as cobertas. Com medo de tudo o que mudaria depois daquela noite — porque não podiam simplesmente rir do que aconteceu como algo inconsequente —, Althea ficou encarando a janela até o amanhecer chegar. Só então se permitiu dormir.

Um dos maiores medos de Althea era que Hannah parasse de falar com ela, mas isso não aconteceu. No dia seguinte, Hannah e Dev passaram no apartamento, chamando-a para protestar contra a queima de livros. Althea então percebeu que deveria estar preocupada com outra coisa.

Hannah agia como se nada tivesse acontecido, mas Althea não conseguia nem olhar para ela.

Dev ousou quebrar o constrangimento tenso com sua tagarelice.

— Goebbels está pedindo que os alemães de todo o país queimem suas coleções particulares. E vão transmitir as queimas de Berlim pela televisão. Pelo visto, estão esperando uma multidão.

— Não é perigoso? — perguntou Althea, incapaz de conceber a ideia de uma fogueira em massa.

Na cabeça dela, somente alguns estudantes radicais participariam daquilo. Não seria o grande evento que Dev parecia acreditar que estavam planejando.

— Acho que você estará bem segura — disse Dev.

Hannah ergueu as mãos.

— Eu vou, e não tem quem possa me convencer do contrário — decretou, com uma inclinação teimosa na mandíbula.

— Não entendo por que eles acham isso uma boa estratégia. Não faço a mínima ideia. — Dev pegou a bolsa de Althea e começou a empurrá-la contra a jovem em direção à porta. — Não é como se, depois de lido, o conteúdo de um livro pudesse ser esquecido.

Althea sentiu um embrulho no estômago ao pensar na tinta e no papel se desintegrando em cinzas.

Na hora, lembrou-se da predição de Heinrich Heine. *Onde queimam livros, também acabarão queimando pessoas.*

Somente quando Dev e Hannah se voltaram para Althea com os olhos arregalados, ela percebeu que dissera aquilo em voz alta.

Dev torceu o nariz e comentou:

— Bom, poetas são um tanto dramáticos, não?

Apesar do tom irreverente do comentário, nenhuma das três, incluindo a própria Dev, riu.

As três caminharam noite afora em um silêncio pesado com pensamentos terríveis. Quando se aproximaram da Opernplatz, em frente ao edifício estatal da ópera, a luz das tochas iluminava a multidão.

— Deixo vocês aqui.

Dev deu um beijo de despedida nas duas antes de desaparecer.

— Ela vai trabalhar hoje à noite, não vai? — perguntou Althea.

— Os nazistas vão querer registrar imagens disso. E vão querer um rostinho bonito narrando.

Apesar de Althea ser convidada do mesmo programa que Dev, não entendia como Hannah conseguia não ligar para aquilo.

— Você não se importa?

— Eu adoraria que o mundo fosse diferente — disse Hannah, com uma secura na voz que fez Althea perceber como estava perto de ultrapassar algum limite.

Hannah não queria — nem merecia — ouvir o julgamento de Althea sobre seus amigos.

Althea se lembrou da noite em que Hitler fora nomeado chanceler e como se juntara aos manifestantes, contente e um pouco zonza por fazer parte de algo muito maior do que ela mesma. Ela não tinha direito de falar nada sobre Dev.

Aquele pensamento foi interrompido pelas chamas que se desenroscavam rumo às estrelas de um céu escuro e pelos gritos felizes e surpresos dos que assistiam a centenas de histórias queimando até se reduzirem a pó.

Althea quase caiu de joelhos ao ver a pira. O fogo rugia para o céu escuro, um leão furioso consumindo todo alimento que lhe era oferecido.

E a fera estava sendo bem alimentada.

Havia montanhas de livros empilhadas no que parecia ser cada centímetro da praça. Os estudantes empurravam carrinhos de mão repletos de livros, jovens chegavam carregando sacos quase estourando nas costuras, porta-malas de veículos abertos para que os volumes no interior se espalhassem pela calçada.

Não eram apenas alguns livros, não era apenas um fogo simbólico. Eram milhares e milhares e milhares de livros sendo jogados nas chamas.

Milhares e milhares e milhares de pessoas aplaudindo, uivando e fazendo a saudação nazista, cantando:

— Nós somos o fogo, nós somos a chama; ardendo diante dos altares da Alemanha.

As chamas alimentavam a agitação febril da multidão, que, por sua vez, alimentava as chamas. Bandeiras nazistas colossais tinham sido penduradas em todos os edifícios da praça. Espectadores se debruçavam pelas janelas, esbravejando seu apoio. Uma banda tocava, a música sobrepondo uma trilha sonora sinistra para os foliões delirantes.

Hannah puxou os braços de Althea, que só então percebeu que estava chorando. Não lágrimas dignas, mas um choro barulhento e confuso.

— É um sacrilégio — sussurrou Althea.

Se ela tinha uma igreja, ficava dentro das capas dos livros; se ela tinha uma religião, estava nas palavras escritas neles. Hannah apenas assentiu.

— Eu sei.

E Hannah sabia. Daquilo, Althea tinha certeza.

Uma chuva leve começou a cair, como se o próprio Deus estivesse chorando pela atrocidade.

Goebbels subiu ao palco, as chamas tornando seu rosto fundo e esquelético. Althea se lembrou de quando o conheceu, em uma festa, e como no dia havia uma luz suave de velas reflete na pele dele. O homem lhe parecera desajeitado, um pouco estranho, mas sobretudo agradável, interessado em conversas intelectuais, curioso e pensativo.

Ele se tornara o fantasma do pesadelo de Althea.

— Não à decadência e à corrupção moral! — gritou Goebbels, do púlpito.

Ele falou da morte do intelectualismo judaico, da lama e do lixo da velha era da Alemanha. Quase no final do discurso, apontou para os estudantes espremidos contra o palco, hipnotizados por cada palavra.

— Este é um ato forte, grandioso e simbólico, um ato que há de documentar para o mundo todo: aqui, a base intelectual da República de Novembro é engolida pelo chão, mas, dos destroços, ressurgirá a fênix de um novo espírito para alçar um voo triunfante.

O público foi ao delírio, dançando na chuva, as chamas da pira tornavam todos silhuetas anônimas.

— Não consigo respirar. — Althea ofegou.

Hannah tentou esfregar as costas dela e sussurrar palavras tranquilizadoras, mas foram encobertas pelo brado que subia em uníssono ao redor.

Aquilo não era apenas um comício sem sentido, não eram apenas pessoas levadas por um rugido espumante decorrente das palavras vazias de um orador eficaz. Aquilo era o júbilo pela destruição do conhecimento, da ciência, da poesia, do amor. Os estudantes, que deveriam apreciar tais coisas, estavam eufóricos ao ver tudo queimar.

E Althea desmoronou.

Disparou, empurrando a multidão, sabendo que Diedrich estaria perto da dianteira do espetáculo com seus amigos nazistas.

Hannah chamou por ela, mas Althea não parou. Não conseguia.

Ao mirar uma das capas dos livros esperando sua vez de entrar na pira, emitiu um som baixo ferido e o salvou sem pensar. Ela o segurou perto do peito como se fosse uma criança e continuou contornando a massa de corpos.

Então, lá estava Diedrich. Onde ela achou que estaria. Rindo.

A visão de Althea escureceu. Antes que se desse conta, já estava na frente dele. Apoiou a mão que estava livre no meio do peito dele e empurrou com toda a raiva e dor que a alimentaram desde que assistira ao primeiro livro ser lançado nas chamas.

— Seu bárbaro! — Ela praticamente soluçou.

Diedrich tropeçou para trás, mas ela imaginou que fosse apenas pelo choque, não pela força do empurrão.

— Althea. — A voz dele veio como um tapa. — Controle-se.

— Você acha isso nobre? Justo? — Althea apontou para o espetáculo. — Acha que isso é algo mais que homens mesquinhos fazendo sua melhor representação de tiranos? Vocês não são nada além de valentões incultos que a história julgará como bárbaros preconceituosos e intolerantes.

Diedrich avançou e segurou seu queixo com força suficiente para deixar claro que haveria hematomas. Embora o alvoroço da multidão não tivesse diminuído, os homens atrás dele tinham caído num silêncio mortal.

— Você está esquecendo qual é o seu lugar — rosnou Diedrich, na cara dela.

Ela riu. Um riso irônico. Reunindo cada grama de desdém que possuía por aquele homem, aquele partido, aqueles políticos fracos que não podiam vencer de forma justa e que tentavam queimar qualquer ideia que minasse seu castelo de cartas.

O tapa não foi uma surpresa. A força, no entanto, sim.

A mão de Diedrich a fez cair, deixando um calor pungente em seu rastro.

Com o lábio sangrando, o cotovelo latejando, o corpo arranhado e machucado, Althea enfim percebeu que existiam coisas maiores no mundo do que o medo.

Nova York
Junho de 1944

Por semanas, Viv não teve tempo para participar das festas de Charlotte. Os eventos eram pensados para vender títulos de guerra, o que era obviamente importante, mas incluíam muita conversa fiada e encenações da alta sociedade. Viv perdera qualquer tolerância que já tivera para aquele tipo de evento desde que começara a passar parte de suas noites na EFA.

Charlotte prometera que aquela vez seria de particular interesse para Viv.

— Será na Biblioteca Morgan, querida. O lugar perfeito para você despertar interesse em seu *grand finale*.

Viv a encarou por alguns segundos atordoados antes de correr para abraçar a sogra.

— Você é um tesouro!

Era por isso que, naquele momento, Viv vagava pelas salas da Biblioteca Morgan com uma taça de vinho em uma das mãos e os olhos cravados nos tetos dourados, nas ricas tapeçarias, nos volumes e mais volumes de livros inestimáveis protegidos em delicadas gaiolas de ouro.

Conversara com três funcionários públicos do alto escalão, editores da *New Yorker* e do *Saturday Evening Post* — públicos muito diferentes que seriam igualmente importantes —, o chefe de gabinete do prefeito de Nova York e quatro matronas da sociedade, notórias pelas doações generosas aos políticos que apoiavam.

Quase reluzindo com o burburinho de uma noite que prometia ser um sucesso, Viv se permitiu tirar dez minutos para aproveitar o espaço antes de começar a caçar outros convidados potencialmente influentes.

Já fazia duas semanas que abandonara a noção de que a presença de Althea James faria do evento um sucesso ou fracasso, e desde então realizara mais do que nas três semanas anteriores. Talvez seus oradores não causassem a comoção que Althea causaria, mas, até aquele momento, não havia um convite recusado sequer, e Viv até recebera dezenas de cartas de repórteres de fora da cidade pedindo credenciais.

E, para coroar, Taft estava preocupado o bastante para enviar um capanga atrás dela.

O evento estava marcado para dali a pouco mais de um mês, e Viv ainda tinha muito o que fazer para assegurar o desfecho grandioso que queria. Mas o zumbido sob sua pele se acalmou um pouco quando tudo começou a tomar forma.

— De todas as bibliotecas do mundo — disse alguém atrás dela, fazendo uma imitação decente de Humphrey Bogart.

Viv se virou, e lá estava Hale, oferecendo-lhe uma nova taça de vinho. Ela trocou a taça vazia que segurava pela nova, e Hale a entregou sem esforço para um garçom que passava. Ao fazê-lo, seus olhos percorreram o corpo dela, admirado.

Viv corou, satisfeita por ter selecionado um de seus vestidos favoritos para a ocasião. O estilo era dos anos 1930, mas vestia tão bem que ela não se importava. O tecido branco-pérola sedoso se ajustava às protuberâncias de seus quadris e ao volume delicado do traseiro. O decote, alto na frente, mergulhava em V nas costas, e uma fileira de pequenos botões se alinhava como pequenos soldados ao longo de sua coluna. A saia acariciava as coxas insinuantes, a luz das velas revelando quase mais do que escondia.

Aquele ambiente também favorecia Hale, em um terno azul e camisa impecavelmente branca. O homem tinha tempo suficiente na política para parecer tão confortável no ar rarefeito de um evento de gala de caridade quanto com as mangas da camisa dobradas jogando beisebol na rua.

— Oi — disse ela, sem forças.

A energia que um dia tivera para flertes e gracejos fora drenada, e às vezes precisava se esforçar para ter uma conversa comum.

— Oi — respondeu ele, amável.

Porém, quando Hale a observou, não foi julgando sua aparência, mas com preocupação, lendo claramente a exaustão que Viv não conseguia esconder. Ela percebeu que nem estava tentando. Não com ele. Hale tinha permissão para passar por suas muralhas. Aquela foi uma percepção surpreendente o bastante para Viv escondê-la no fundo da alma até um outro momento, quando pudesse pensar no assunto.

— Posso ajudar?

Viv bufou.

— Pare de ser tão charmoso.

— Você tem baixas expectativas para o charme — brincou Hale, ostentando aquela covinha.

Tudo nela se inclinava em direção a ele. Quando o reencontrou pela primeira vez no Brooklyn, ficou quase aliviada por não sentir mais aquela atração magnética. A raiva, a humilhação e a dor haviam apagado a conexão entre os dois. Mas, nas últimas semanas, à medida que o conhecia como adulto, estava ficando cada vez mais difícil fingir que a faísca de *alguma coisa* não continuava lá, esperando para ser reacendida.

Não era o momento certo para perguntar, e Viv sabia que era melhor ficar quieta, mas estava exausta, cansada de pisar em ovos quando o assunto era a história compartilhada que nunca conseguiam encarar diretamente. A que ainda existia na periferia de cada conversa, só esperando que as palavras de ambos se tornassem antagônicas.

— Por que você não escreveu pra mim?

Ela o pegara desprevenido. Hale era um político e, portanto, um especialista em esconder as próprias reações, mas ele endureceu, apertando o vidro da taça.

— Aqui não.

Viv estava prestes a protestar, mas Hale a guiou para a saída da sala de leitura lotada, o que a fez perceber que *aqui não* não equivalia a *agora não*.

Ele encontrou um canto que garantia alguma privacidade, e Viv se recostou na parede de mármore, esperando.

— Achei que seria mais fácil para você — respondeu Hale finalmente. — Se eu não respondesse.

— Mais fácil para o quê?

— Sua vida. — Ele soava muito prático. — Eu era um filho ilegítimo do Brooklyn, Viv. A coisa nunca passaria de alguns beijos roubados. Não com o futuro que eu tinha na época.

— Você não poderia saber disso. Eu te am...

— Não — interrompeu ele. — Nós éramos apenas crianças, Viv.

Aquilo não era justo. Viv sabia o que sentira e ficara ainda mais certa com o passar do tempo, porque de fato fora tão raro em sua vida. Ela o amara, plena e desesperadamente. Feito uma idiota.

— Nós não éramos crianças. Você tinha vinte anos.

— Idade suficiente para saber como as coisas funcionam — disse ele, com um breve balançar de cabeça. — Você teria descoberto isso com o tempo. Eu só fiz aquilo para que você não precisasse fazer.

Viv piscou depressa, tentando entender. Aquele verão estava tingido de rosa em sua memória, mas a felicidade daqueles dias não tinha sido superficial. Eles brigaram, fizeram as pazes. Viram o lado mesquinho um do outro, o lado ciumento. Tinham se conhecido havia pouco tempo, mas o que construíram parecia ter potencial para durar.

Viv repetiu as palavras dele na cabeça. *Você teria descoberto isso com o tempo.*

— Você estava com medo — disse Viv, com um aceno de cabeça, de repente compreendendo.

Hale tinha tanto medo de se machucar, tanto medo de que Viv o rejeitasse, que fizera aquilo primeiro. Ele estava acostumado com pessoas da posição e riqueza dela sempre dizendo que ele não importava, evitando o contato, afastando-se. Por que ela seria diferente?

— Eu era um realista — corrigiu Hale, sem tentar se defender. Pelo jeito, ainda achava que tinha feito a escolha certa. — Você pensou que estava apaixonada por mim. E teria se casado comigo. E então, mais tarde, talvez um ano, talvez cinco, teria olhado para sua vida e percebido que poderia ter tido muito mais.

Viv encarou sua silhueta, decepcionada.

— Achei que você me conhecia melhor.

— As pessoas que nascem com dinheiro sempre dizem a si mesmas que poderiam viver sem isso — continuou Hale, a voz amarga e experiente. — Mas a vida não é um conto de fadas.

Antes que Viv pudesse argumentar sobre aquele ponto, Hale acrescentou:

— De qualquer forma, depois você começou a escrever para Edward.

Viv quase bateu a cabeça na parede de surpresa. Ela não sabia o que Edward insinuara para Hale sobre o relacionamento com Viv, mas presumira que, na maior parte do tempo, Edward a apresentava exatamente do que ela tinha sido: uma amiga querida. Notando para a tensão no maxilar de Hale, no entanto, ela repensou aquela suposição.

— Você acha que troquei um irmão pelo outro — concluiu Viv.

Hale olhou para a mão dela.

— Edward não...

O choque de Viv deve ter ficado claro, porque a certeza no semblante de Hale vacilou.

Por um momento, ela quis que Edward estivesse ali para explicar tudo da forma que definitivamente deveria ter feito quando estava vivo. A imagem dos três amontoados naquele lugar, debatendo o casamento de Viv e Edward, era tão ridícula que ela não conseguiu conter a risada aleatória que lhe escapou.

— Quer me contar o que é tão engraçado? — perguntou Hale, enrijecido com algum a emoção que beirava a linha tênue entre raiva e dor.

Viv não conseguia parar de rir. Curvava os ombros, abaixando a cabeça para tentar abafar a risada. Suas costelas doíam, e as coxas tremiam; não conseguia se lembrar da última vez que tinha gargalhado com o corpo todo.

Provavelmente tinha sido com Edward.

Viv sentiu a chegada de lágrimas desencadeadas pela tristeza em vez da graça, mas as afastou, se recostando de volta na parede e ofegando um pouco.

— Eu estava pensando em meu marido ameaçando o próprio irmão para que me tratasse direito — admitiu Viv, por fim. Não fazia sentido inventar desculpas naquele momento.

A tensão na boca apertada de Hale se contorceu em um quase sorriso.

— Pensei que Edward tinha conversado com você sobre nosso casamento. Talvez não a razão pela qual nos casamos, mas que não estávamos apaixonados quando decidimos fazê-lo.

— Eu sabia que ele estava preocupado antes de partir, mas tudo aconteceu muito rápido. Edward não me deixava perguntar sobre você.

— Nem a mim sobre você — revelou Viv, com uma onda de afeição por Edward.

Ele não queria ficar no meio, não queria acidentalmente machucar uma das duas pessoas que amava.

— Você não pode contar para Charlotte.

— Claro.

— O testamento do seu pai... — disse Viv, hesitante.

Hale nunca agiu como se a riqueza que havia perdido fosse importante, mas ainda devia ser um tópico sensível.

— Theodore Childs — corrigiu Hale. — Meu pai era William Hale.

Viv baixou a cabeça em reconhecimento.

— Theodore deixou a maior parte de sua fortuna para Edward, é claro. No entanto, havia uma provisão no testamento de que, se Edward morresse antes de se casar, a propriedade passaria para as mãos de várias instituições de caridade, deixando Charlotte sem nada.

— Theodore Childs não era homem de dar um centavo à caridade.

— Ele sabia que nunca chegaria a isso. Estava farto das farras do filho. E Edward arriscou a solteirice pelo maior tempo possível...

— Mas, com a guerra... — Hale terminou o pensamento de Viv, que assentiu.

— Ele nem precisou me pedir. Não podíamos correr o risco de deixar Charlotte desamparada. E ela é orgulhosa demais para aceitar o meu dinheiro.

— Você também a ama — disse Hale depois de um minuto estudando seu rosto. — Eu presumia isso, mas achei que você o amava também. Então eu não podia ter certeza sobre nada.

— Eu o amava — afirmou Viv, estendendo a mão para apertar o antebraço de Hale. — Como a um amigo querido.

— Eu tinha vontade de dar um soco na cara de Edward sempre que ele mencionava suas conquistas. Eu pensei... Bom, eu claramente interpretei errado.

— Se ao menos tivesse havido uma forma de me perguntar a respeito. Algum método fácil de comunicação que esclarecesse tudo — provocou Viv, a ferida de anos cicatrizando um pouco.

A vida proporciona alguns momentos como esse, às vezes raros, em que é preciso fazer uma escolha. Uma opção é se prender ao rancor, cortar contato para sempre, salgar a terra e só aceitar olhar para trás se for para espumar de raiva. A outra é reconhecer que as pessoas erram, que são falhas e que merecem uma segunda chance. Sobretudo quando suas escolhas foram feitas na juventude, quando estão todos enfrentando as próprias dores.

Hale baixou a cabeça, mas havia um sorriso discreto em seu rosto. Como se ele ouvisse o perdão na voz dela.

— Senti sua falta. Todos os dias, todas as horas, todos os minutos.

— Ah. — Viv suspirou. Com essas palavras, ela sentiu seu último resquício de ressentimento ir embora.

Não foi a confissão em si, mas o reconhecimento implícito de que Hale não só leu todas as cartas que ela escrevera, mas as memorizara bem o suficiente para citá-las tantos anos depois. Ela imaginou o Hale de vinte anos erguendo os escudos cada vez que lia uma das confissões dela, convencido de que o mundo o machucaria novamente se ele deixasse.

Viv estava muito perto das lágrimas para fazer qualquer coisa além de arriscar uma piada.

— É, bom, isso me preparou para minha decepção atual.

Hale parecia igualmente ansioso para se afastar do tema emocional.

— Althea James ainda está ignorando você?

Viv confirmou com a cabeça, e ele deu de ombros.

— Então você precisa ir até ela.

— O quê?

— Precisa falar com ela pessoalmente — declarou Hale, assentindo. — Explicar por que está fazendo isso.

Viv balançou a cabeça.

— Eu deveria deixá-la em paz.

Hale a observava com os olhos semicerrados.

— Eu li os mesmos relatórios que você tem da Normandia. Esses livros não são uma coisa trivial.

— É como se os papéis tivessem se invertido. — Viv o encarou e continuou: — Você me convencendo a avançar com isso.

— Sabe como gosto de causas perdidas — disse Hale, com um sorrisinho genuíno que Viv pensou ter sido guardado só para ela. — Sou um grande romântico, no fim das contas.

— Vestido com o terno de um político sem coração — provocou Viv, logo ficando séria de novo. — Obrigada por se importar.

— Não deveria estar me agradecendo por me importar com nossos soldados.

— Então obrigada pelo conselho — agradeceu Viv, em vez de argumentar que significava muito para ela ver Hale, igualmente exausto, ainda tentando ajudá-la com sua causa.

— Talvez seja inútil. Mesmo que Althea diga sim, Taft pode não mudar de ideia.

— Mas?

— Mas você só vai dormir à noite se der tudo de si — disse Hale, os olhos escuros outra vez voltados para o alto. — A boa luta nem sempre é a que vencemos. Às vezes, é um lembrete para o mundo de que existem pessoas por aí dispostas a tentar.

Paris
Fevereiro de 1937

Uma comichão se instalou sob a pele de Hannah quando começou a suspeitar que a carta de dezembro de Althea havia sido a última.

Como não estavam mais se preparando para a exposição, o trabalho na biblioteca diminuíra, de modo que Hannah não tinha mais aquela tarefa para distraí-la. Ela pensou brevemente em passar na loja de Lucien para ver se ele estava organizando alguma reunião da Resistência, mas, apesar de seu recém-descoberto apreço por socos e balas, ainda estava hesitante.

Tinha tanta raiva dentro de si que, se derramasse gasolina sobre as chamas, poderiam consumi-la inteiramente.

Então foi ao salão de Natalie Clifford Barney. Patrice estava lá de novo, salpicada de tinta e recém-solteira. As duas compartilharam uma garrafa de vinho perto da lareira, parando a conversa de vez em quando para ouvir o mais novo poeta em cena recitar alguns versos e uma bela escritora gaguejar ao ler um capítulo de seu trabalho.

— Vai ficar na França? — perguntou Hannah a Patrice, durante uma pausa.

— Eu pareço feita para a guerra?

Era verdade. Patrice era frágil, delicada. Hannah se perdoou pela crueldade de pensar que a mulher morreria durante uma ocupação, visto que ela dissera aquilo primeiro.

— Já você é feita para a guerra — continuou Patrice, franzindo as sobrancelhas para fazer uma expressão cômica. — Sempre sombria, sempre pronta para a batalha.

— Eu não sou — protestou Hannah.

Ela era feita para palavras, não para guerras. Por outro lado... não tinha entrado na briga para salvar Otto?

— Mate alguns nazistas por mim, sim? — pediu Patrice, acariciando sua mão. — Eu vou para a Califórnia. Hollywood, para ficar famosa.

Hannah riu e olhou nos olhos de Natalie Clifford Barney, que passava com o pequeno buldogue enfiado debaixo do braço.

— Hannah — chamou Natalie, se aproximando. — Quase ia me esquecendo. Encontrei uma amiga sua.

— E quem seria?

— Deveraux Charles.

— Dev?

A última vez que vira Deveraux tinha sido anos atrás, em uma última noitada em Berlim, antes de Hannah partir para Paris.

— A própria. Segundo ela, os nazistas estão fazendo algumas filmagens terríveis por aqui e queriam usar a Torre Eiffel e a Notre-Dame como pano de fundo. Ela vai ficar na cidade pelo resto da semana.

— Deve estar muito ocupada — comentou Hannah, embora se perguntasse por que Dev não a procurara. — Quando foi isso?

— Hum... talvez três dias atrás. Ela ficou curiosa para saber como você estava quando nos demos conta de que ambas a conhecíamos.

— Talvez ela passe na biblioteca — disse Hannah com um sorriso incerto.

Dev sempre fora volúvel, mas sabia onde Hannah estava trabalhando, sem falar que tinha sido ela quem dera o endereço de Hannah para Althea. Decerto passaria lá quando tivesse tempo.

— Uma ex-amante? — perguntou Patrice.

— Não. Uma amiga. De uma vida diferente, parece.

— Aos velhos amigos — propôs Patrice, levantando o copo.

Quando terminaram a garrafa, abriram outra, o vinho e o flerte finalmente aliviando a coceira sob a pele de Hannah.

Nunca tivera expectativas de que Althea escrevesse para ela. Não sabia por que se importava com o fato de que as cartas tivessem parado de chegar. Quando Patrice sugeriu ir ao Le Monocle — o melhor bar lésbico de Paris —, Hannah não hesitou. Dançaram juntas, beberam algo doce e borbulhante e riram à toa enquanto se dirigiam, aos tropeços, para o apartamento de Hannah.

As duas acabaram suadas, ofegantes e emaranhadas nos lençóis. Quando Patrice perguntou se deveria ir embora, Hannah passou um polegar em seu lábio inferior com uma carícia suave e lhe disse para dormir.

Hannah não se aconchegou ao corpo dela, tampouco a seguiu para o doce alívio do mundo dos sonhos. Ficou ao lado da janela, enrolada apenas em um lençol, observando o sol se esgueirar sobre os edifícios.

E se perguntou o que Deveraux Charles estava realmente fazendo em Paris.

Hannah tentou não deixar a presença de Deveraux na cidade ocupar sua mente.

Dev tinha se tornado uma atriz mundialmente famosa, não era de surpreender que estivesse na cidade. As duas tinham trocado cartas depois que Hannah se mudara, mas com o estilo de vida de Dev uma troca de correspondências consistente não era exatamente viável. Elas tinham se afastado, como muitas vezes acontece com amigos que moram em países diferentes.

Talvez tivesse sido mais do que a distância. Dev ainda estava trabalhando para os nazistas, fazendo seus filmes, escrevendo roteiros dos quais a Dev das noites no cabaré zombaria implacavelmente. Naquela primavera de 1933, no entanto, tinha sido diferente.

Você não se importa?, perguntara Althea, certa vez. E Hannah sabia que, se tivesse se voltado contra Althea, dito que se importava e a culpado por ser tão parte do programa quanto Dev, ela teria aceitado quieta e desaparecido.

E a verdade era que Hannah se importava *sim* por duas de suas amigas mais próximas naqueles meses terem sido tecnicamente convidadas do Reich.

A Hannah atual nunca permitiria que esse fato fosse ignorado, mas algumas coisas não pareciam completamente reais na época. Hitler fora instituído chanceler porque os moderados achavam que poderiam controlá-lo. A maioria das pessoas que dava alguma atenção à política naquela época acreditava que ele desapareceria na obscuridade, que sua loucura queimaria forte e se extinguiria depressa.

Além disso, havia algo deliciosamente subversivo em converter aqueles convidados americanos, que os nazistas esperavam que voltassem para casa e espalhassem sua mensagem de ódio e intolerância.

Depois do incêndio do Reichstag, Althea parara de se encontrar, pelo menos de bom grado, com qualquer nazista. Não fora difícil esquecer por que estava lá.

Dev, no entanto...

Não tinha parado. Apesar de ter o dinheiro e a fama que permitiriam que escapasse das garras dos nazistas, a mulher continuava trabalhando para eles.

Hannah não contou para Otto que Dev estava em Paris. Andava preocupada com ele — Otto estava bebendo demais, frequentando casas de ópio, procurando brigas e chegando à biblioteca com hematomas desbotados na mandíbula.

Hannah fazia perguntas, querendo saber o que estava acontecendo, mas Otto dizia para não o tratar como um bebê e a evitava pelos dias seguintes. Então ela parou de perguntar.

Mas não de se preocupar.

Foi pura coincidência, talvez uma piada do destino, quando os dois se depararam com Dev uma semana depois.

Ela e Otto estavam dando um passeio tranquilo à tarde pela margem esquerda, olhando as vitrines, quando o tempo mudou. O sol estava começando a ficar um pouco quente demais, e Hannah estava prestes a sugerir que se sentassem em um café, quando Otto parou de repente, os olhos fixos do outro lado da rua.

— Aquela ali é a... — começou Otto. — Meu Deus, é.

Hannah seguiu seu olhar, e ali, é claro, estava Deveraux Charles em toda a sua glória. Era quase impossível não a notar, deslumbrante, usando uma calça sofisticada e uma blusa preta que ondulava sugestivamente nos ombros. A cor poderia tê-la deixado insossa, mas, em vez disso, destacava a palidez extrema de sua pele. Ela usava grandes óculos escuros pretos e os cabelos curtos estavam bem-penteados, rente à cabeça, ao estilo característico de Dev.

Otto já foi atravessando a rua às pressas, atento ao fluxo de carros, e levantou Dev do chão em um abraço caloroso.

Dev gritou de surpresa e deixou Otto balançá-la antes de dar um tapa em seu ombro para que ele a pusesse de volta no chão.

Hannah seguiu em um ritmo mais calmo.

— E Hannah. — Dev sorriu quando a viu e levantou os óculos para o alto da cabeça. — Eu deveria saber. Onde Otto está, está Hannah. E vice-versa.

Antigamente, ela teria rido da provocação, mas havia algo duro e cortante nas palavras de Dev.

— Deveraux — cumprimentou Hannah. — O que a traz a Paris?

— Que formal — brincou Dev, cutucando o ombro dela. — O que traz alguém a Paris? A própria Paris, querida.

Mas Dev olhou rapidamente por cima do ombro de Hannah, que percebeu como a atriz estava tensa, com parte do corpo voltado para longe dos dois, como se pronta para fugir.

— Por quanto tempo ficará aqui? — perguntou Otto.

— Estamos partindo hoje à noite, infelizmente — disse Dev, com um biquinho nos lábios pintados de vermelho. — Da próxima vez, vocês terão que me levar para jantar e dançar como nos velhos tempos.

— Nós? — perguntou Hannah.

Dev vacilou. Foi quase imperceptível, mas Hannah a observava atentamente.

— Desculpe, preciso correr, meus queridos — disse Dev, dando adeus a ambos, apressada.

Hannah levou a mão ao rosto para esfregar o batom da bochecha enquanto observava um homem vestido com o uniforme de um oficial nazista sair de uma loja algumas portas à frente.

Dev passou o braço pelo dele e lançou a cabeça para trás, rindo de algo que o homem dissera.

E não olhou para trás nenhuma vez.

Nova York
Julho de 1944

Viv demorou um mês desde a invasão para reunir coragem e retornar à biblioteca no Brooklyn.

A futura viagem ao Maine para encontrar Althea James foi o empurrão de que precisava. Ela queria conversar com a autora, mas também queria ter um plano alternativo com a bibliotecária.

Ou seja, era hora de implorar.

Apesar de estar tarde, o sol ainda brilhava quando Viv saiu da estação de metrô mais próxima ao Centro Judaico do Brooklyn. Era mais ou menos a hora em que a bibliotecária saía do trabalho. Viv queria encontrá-la, é claro, mas uma pequena parte dela esperava que não conseguisse.

Se o destino estava a seu favor ou contra, ela não saberia dizer, mas, assim que atravessou a rua, deu de cara com a bibliotecária estava descendo a escadaria.

A mulher hesitou quando a viu, então continuou a descer para que se cumprimentassem na calçada.

— Então isto vai acontecer com frequência?

— Está falando das minhas visitas ao seu trabalho sem ser convidada? — perguntou Viv, mantendo o tom leve. — É só me dizer para não aparecer que eu paro.

— Eu não disse isso. — A voz da bibliotecária, no entanto, estava cheia de cautela. — Sua curiosidade me deixa curiosa, é isso.

Viv deu de ombros.

— Você parece precisar de uma amiga?

— Tenta outra — devolveu a bibliotecária, embora parecesse ter achado divertido.

— Não é mentira, mas você tem razão. Não é toda a verdade.

— Eu sei. — Aquilo foi dito com tanta certeza que Viv quase desistiu da empreitada, pois sabia que podia se sentir intimidada pela mulher. — Então eu pergunto: qual é toda a verdade?

— Que tal um chá primeiro? — sugeriu Viv.

Quanto mais cedo a bibliotecária ouvisse o pedido, mais cedo se afastaria. E Viv não estava mentindo: gostava da companhia da mulher.

— Eu gostaria que você palestrasse no meu evento — confessou Viv, assim que se sentaram em um café próximo.

A bibliotecária piscou algumas vezes.

— O quê?

— Sei que é um favor muito grande — Viv apressou-se em dizer. — Entendo isso, mas acho que você seria uma excelente adição ao programa.

— Se você diz... mas ainda não vejo a conexão entre o que eu faço e suas edições.

Ela não falou aquilo com grosseria, mas como se estivesse tentando não evitar isso.

Viv umedeceu os lábios, o peso de todo o evento em seus ombros.

— Quando visitei sua biblioteca pela primeira vez, não conseguia ver um caminho para seguir com essa luta — admitiu Viv. — Então você colocou em palavras *por que* tudo isso é tão importante. Nós... Nós, humanos, adoramos contar histórias uns aos outros, não é? Fizemos exatamente isso em cavernas e em anfiteatros e no Globe Theatre e em cozinhas e em volta de fogueiras e nas trincheiras. Cada cultura, cada país, cada tipo de pessoa no mundo conta histórias. As histórias foram sussurradas, cantadas e escritas em pedaços de papel e sempre foram uma parte indelével da humanidade.

Viv corou e encarou seu chá, ciente de que passara noites demais elaborando exatamente qual seria *seu* discurso na frente de Taft.

— Quando entrei na biblioteca e você estava lá como uma guardiã dessas histórias, eu simplesmente... — Viv engoliu em seco. — Minha luta contra Taft pode parecer mesquinha e política, mas eu me importo, eu sempre me importei, porque quero proteger essa ideia. Porque essas histórias podem nos ajudar a entendermos uns aos outros, a nós mesmos e ao mundo. Porque mesmo nossos dias mais sombrios podem ser mais do que simplesmente tentar sobreviver. A maneira como você fala sobre a biblioteca e os livros, essa é a mensagem que você passa. Todas as vezes.

A bibliotecária esperou um segundo, parecendo sondar se Viv estava pronta.

— Você mesma devia dizer isso, não precisa me colocar no meio dessa briga.

Viv gaguejou um pouco:

— Eu sou a autora desta história, não uma personagem. — Ela soltou um sorriso autodepreciativo. — Além disso, estou repetindo tudo isso há meses e não cheguei a lugar algum. Eu não tenho uma história a ser contada.

— Mas acha que eu tenho.

Era estranho como a resposta era óbvia para Viv.

— Como foi aquela noite? — perguntou a publicitária, mais uma vez querendo provocar a mesma reação que obteve em sua última visita. — Quando queimaram os livros.

A bibliotecária inclinou a cabeça, curiosa, mas disposta a participar da brincadeira.

— Molhada.

O canto da boca de Viv se ergueu em um meio sorriso.

— Quantas pessoas me dariam essa resposta?

— Umas dez mil? — sugeriu a mulher.

Viv balançou a cabeça.

— Não, não dariam. Goebbels diria "bem-sucedida" ou "patriótica". Um combatente da Resistência poderia dizer "trágica". Um estudante alemão diria "vibrante". Depende de quem está falando, de quem está contando a história.

— E "molhada" é uma descrição mais precisa?

— Não — contestou Viv, frustrada. — Mas é o que faz dela *a sua* história. E as pessoas reconhecem a autenticidade.

A bibliotecária olhou para o nada por um bom tempo, então suspirou, reencontrando os olhos de Viv.

— O que isso envolveria? — perguntou a bibliotecária, hesitante, mas... ao menos a resposta não era um não.

— Um discurso em um evento que estou organizando para o final de julho, além de algumas entrevistas, se estiver disposta — esclareceu Viv, ansiosa para fazer tudo parecer simples e grandioso ao mesmo tempo. — Também tentei alinhar os oradores em uma espécie de narrativa. Vamos começar com bibliotecários que falarão sobre o programa, depois soldados feridos, depois escritores, depois você. E...

A bibliotecária ergueu as sobrancelhas e incitou:

— E?

— Bom, quero encerrar com você e, por último, com uma autora da EFA que também estava na Alemanha na época em que os livros foram queimados.

A mulher pareceu se interessar, o que ficou claro em sua voz quando perguntou:

— E quem seria?

— Althea James.

A bibliotecária se recostou na cadeira, os olhos arregalados.

— Como é?

— Althea James — repetiu Viv, embora soubesse que ela ouvira da primeira vez. — É uma escritora americana de algum renome, mas nunca deu entrevistas públicas ou esteve em um evento aqui nos Estados Unidos, então seria bastante notável se o fizesse agora.

Viv não conseguiu entender a complicada agitação de emoções que a resposta provocara, mas então a fachada da mulher pareceu desmoronar. No início, Viv pensou que a bibliotecária estava chorando, o que a fez procurar um lenço, em pânico. Logo, porém, percebeu que eram risadas que jorravam, não lágrimas. Risadas descontroladas, desinibidas. Que a transformaram de friamente bela em encantadora.

Vários segundos se passaram até a mulher conseguir controlar a própria reação. E, mesmo assim, ainda tentava conter umas risadinhas enquanto enxugava as lágrimas dos cantos dos olhos.

— Você está...

Viv não sabia como terminar a pergunta. Claramente, ela estava bem, mas talvez também não estivesse?

— Peço desculpas — disse a mulher, antes de prontamente se descontrolar mais uma vez.

Quando a nova onda passou, ela pigarreou e se recompôs.

— É extraordinário e fascinante como o mundo é pequeno.

— Você conhece Althea James? — adivinhou Viv, hesitando, pois mesmo se fosse o caso, aquela reação ainda não fazia sentido.

— Pode-se dizer que sim — murmurou a bibliotecária. Ela tomou um gole de chá e pareceu resoluta. — Tudo bem, sra. Childs. Serei sua história.

Um sentimento de vitória irrompeu dentro de Viv, puro e fulgurante, mesmo que a curiosidade sobre o que acabara de ver não tivesse sido saciada.

— Maravilha!

— Acho que finalmente é hora de me apresentar — continuou a mulher, e Viv quase lamentou o fim do mistério.

Aquilo seria superado, é claro, mas ela ainda sentiu uma pontada de tristeza. A bibliotecária estendeu a mão, tornando a introdução bastante formal. Quando Viv aceitou o aperto, a mulher continuou:

— É um prazer conhecê-la. Meu nome é Hannah Brecht.

Berlim
Maio de 1933

Diedrich levantou a perna — talvez para espremer a bota no pescoço de Althea, que estava caída no chão. Mas Hannah chegou e a levantou, puxando-a para a proteção e o anonimato da multidão.

— Sua tola — resmungou Hannah, parecendo irritada e maternal. — Vamos.

Ambas estavam encharcadas. A névoa se tornara uma chuva torrencial, protegendo os livros que ainda não tinham chegado ao fogo. Elas saíram correndo em meio aos arruaceiros, que ainda estavam entusiasmados apesar da chuva, e foram correndo pelas ruas, rindo por causa da embriaguez da adrenalina.

Althea destrancou a porta e puxou Hannah para dentro, depressa. Elas se olharam, desesperançosas, então Althea riu novamente; uma risada alegre, livre e fácil.

— Eu realmente fiz aquilo? — perguntou, atordoada.

Só então ela percebeu que ainda estava segurando o romance que salvou.

Alice no País das Maravilhas.

— Você fez — confirmou Hannah, parecendo igualmente surpresa.

Althea largou o livro.

— Vou pegar uma toalha para você. — Ela fez um biquinho ao analisar o estado do vestido de Hannah. — E algumas roupas, talvez?

— Não sei se elas vão se servir — brincou Hannah.

— Pode ser que não — concluiu Althea com um suspiro, olhando para as próprias pernas curtas. — Então acho melhor pelo menos acender a lareira.

— Sim, mas vai ser do tipo que reduz às cinzas a velha república e dá à luz a fênix do Terceiro Reich? — ironizou Hannah, seca.

Althea sorriu e balançou a cabeça.

— Deus, como eles são pretensiosos, não?

— É a pior característica deles — concordou Hannah, solene, indo acender o fogo.

Althea observou a maneira como ela se movia, como o vestido molhado abraçava a curva de seus quadris, os cabelos escuros emoldurando o rosto pálido.

Então se virou e foi buscar toalhas e lençóis.

Elas se sentaram no chão, as coxas e os ombros se tocando, observando as chamas, bebendo um resto de vodca que Althea escondera em um canto atrás de um armário na cozinha. A bebida soltou a língua das duas.

— Você o humilhou. Ele não vai esquecer.

— Eu vou embora — lembrou Althea.

Constatar aquilo quase doía. Não que não estivesse ansiosa para fugir daquelas pessoas, daquele país, mas ela não queria deixar...

— Não tão cedo. Você terá que tomar cuidado.

— Vou tomar. — Althea umedeceu os lábios. — Estou mais preocupada com você.

— Por causa de Adam — concluiu Hannah, seguindo facilmente a linha de raciocínio.

— Fico receosa com o que ele tem dito — revelou a escritora.

Aquilo não era nenhuma novidade. As duas discutiam o medo com frequência, tentando encontrar formas de apaziguar a raiva dele. No entanto, Althea nunca confessara que também temia profundamente por Hannah.

— Tenho medo de que ele arraste você junto para seja lá o que planejou. Que você seja destruída com ele.

Hannah apenas encarou o fogo.

Althea entrou em estado de alerta. Àquela altura, podia entendê-la muito melhor do que provavelmente imaginava.

— Hannah.

Ela abriu a boca para responder, mas logo em seguida a fechou.

— Hannah — insistiu. Althea juntou as mãos da amiga nas dela. — Não. Você precisa ficar longe disso. Convencê-lo a não se colocar em perigo é uma coisa, se envolver... Não, você não pode.

— Ele é meu irmão.

Hannah disse isso com uma naturalidade que fez Althea querer sacudi-la pelos ombros.

— E ele não está pensando direito. Você sabe disso.

Hannah a olhou cheia de culpa.

— O que você fez? — perguntou Althea, sentindo o peito apertar e o ar do quarto desaparecer.

— Eu o segui.

Althea olhou para as próprias mãos e, ao perceber como estava agarrada a Hannah, tentou relaxar o aperto. Seus dedos não obedeceram.

— Meu Deus... Você o seguiu para onde?

— O Adlon, perto do Portão de Brandemburgo — revelou Hannah, sua voz distante como se não percebesse que havia respondido.

Althea ouvira falar sobre o hotel, muitas vezes chamado de Pequena Suíça por servir de palco para eventos diplomáticos. Ela praguejou baixinho.

— Não sei o que ele vai fazer — admitiu Hannah —, mas a localização me assusta.

Assustou Althea também. Líderes mundiais se reuniam no local. Líderes nazistas se reuniam no local.

No entanto, por mais que Althea gostasse de Adam, não era com ele que se importava.

— Você precisa ficar longe de lá.

— Não posso simplesmente deixá-lo morrer — protestou Hannah, os olhos cheios de lágrimas não derramadas. — Não sei mais o que fazer.

— Adam sabe que você se importa com a sobrevivência dele.

Era tudo o que Althea podia oferecer no momento. Hannah, seus amigos e o resto do grupo da Resistência tentaram argumentar com

Adam, aparentemente sem sucesso. Precisavam confiar que ele tomaria a decisão certa.

— É bom para ele saber que você se preocupa. Isso pode impedi-lo de cometer alguma estupidez.

Hannah não respondeu, mas também não se afastou, e ambas continuaram observando o fogo por um longo tempo.

Até que Althea pigarreou, debatendo se devia dizer o que queria. Mas o mundo já estava em chamas, que diferença faria?

— Você também deve saber. Que alguém se importa. Que eu... eu me importo. Eu me importaria se algo acontecesse com você.

Hannah prendeu a respiração de modo audível, depois pareceu voltar a si. Então, pegou a mão de Althea, aproximou o pulso da boca e plantou um beijo ali, os olhos cravados nos dela.

— Estarei em segurança. Prometo.

Por razões que Althea não conseguia explicar, algo em seu peito afrouxou. Ela se lembrou do pavor que sentira no cabaré e procurou o sentimento, mas nada encontrou além de uma animação agradável e vibrante.

Althea tivera medo a vida inteira. Mas, depois que ela marchara até um valentão, o enfrentara, empurrara, fora empurrada por ele e sobrevivera, nada parecia mais tão aterrorizante.

Quando chegou à Alemanha, tentara ser uma versão de si mesma que não existia. Queria ser a Althea James de Berlim. Mas tinha aprendido a lição. Não havia necessidade de ser ninguém além de si mesma.

Ela se levantou e ofereceu a mão.

Hannah respirou fundo, os belos olhos dourados grandes e redondos.

Surpresos.

O coração de Althea martelava audivelmente e, por um segundo, ela se perguntou se entendera mal.

Então Hannah deslizou a palma da mão para a de Althea e permitiu-se ficar de pé, permitiu-se ser conduzida para a cama.

Althea se sentou com os joelhos em volta das coxas de Hannah, que se abaixou, encaixando na mão o queixo ainda machucado pela violência de Diedrich, roçando com o polegar a maçã do rosto de Althea, esperando, questionando.

— Sim. — Althea suspirou, e a boca de Hannah encontrou a dela, engolindo a palavra antes que fosse assimilada pelas duas.

O beijo foi lento e tão diferente do que Althea havia imaginado. No início, foi apenas uma leve pressão de lábios, um olá, mas logo se aprofundou, a língua de Hannah escorregando para a sua, traçando seus contornos, tudo quente e liso. Parecendo estar em toda parte, o aroma sutil e doce de chuva e laranja de Hannah envolveu Althea enquanto ela a empurrava para a cama sem desgrudar de sua boca.

Althea se deixou levar, satisfeita com o peso dos quadris da mulher que a pressionava contra o colchão. Ergueu as panturrilhas e as enroscou nas coxas de Hannah, aproximando-a ainda mais, conduzida pelo prazer que se intensificava entre suas pernas.

Hannah suavizou o beijo e mordiscou o lábio inferior de Althea. A pequena picada de dor a fez arquear as costas e esticar o pescoço.

— Por favor.

Ela nem sabia o que estava pedindo, mas Hannah pareceu entender, arrastando os lábios por seu pescoço, beijando delicadamente seu ombro, traçando o corpo de Althea com uma das mãos até acariciar seu seio.

Tudo em Althea latejava com o contato, fazendo-a soltar um baixo gemido.

— Shhh, querida — murmurou Hannah, e Althea mergulhou no calor daquela ternura. Queria que Hannah a desmontasse, confiando que ela também juntaria os pedaços novamente.

Então as sensações se misturaram, ficaram quase excessivas e depois insuficientes. Hannah às vezes era gentil e tranquilizadora, em outros momentos era exigente e desafiadora; era como se Althea estivesse aprendendo uma dança em tempo real.

Quando tudo se acalmou, as duas ficaram deitadas na cama estreita de Althea de frente uma para a outra, como um par de vírgulas, joelho com joelho, se acariciando.

Hannah, a partir daquele momento, seria parte da história de Althea, tecida firmemente em sua tapeçaria. Mesmo depois que Althea fosse embora da Alemanha, Hannah permaneceria.

Althea traçou o lábio inferior de Hannah.

— Pessoas como nós têm finais felizes?

Não era aquilo que queria dizer. Ela não estava tentando se convencer de que as duas poderiam ter um "felizes para sempre". Viviam em mundos diferentes, o que provavelmente não mudaria tão cedo. Mas tudo aquilo, a própria existência de tudo aquilo, era novo para Althea, de modo que deixara a pergunta escapar sem pensar.

— Sim — sussurrou Hannah.

A resposta envolveu Althea tão intensamente quanto o perfume de Hannah.

— Podem ser complicados, mas isso não os torna menos felizes. Na verdade, acho que são até melhores por isso.

— Promete? — exigiu Althea.

— Prometo.

Ficaram daquele jeito até o sol já estar alto e forte. Althea estava começando a dormir quando ouviu a batida. Ela se sentou e olhou para a porta antes de olhar de volta para Hannah, que já se enfiava em uma camisa de botão que Althea deixara pendurada nas costas da cadeira próxima à cama. Seus lábios estavam apertados em uma linha, sombria.

— Se não abrir, eles vão entrar.

Althea se vestiu o mais rápido possível, verificando se Hannah estava decente antes de atravessar o quarto.

Quando abriu a porta, lá estava Diedrich, com o punho erguido. Seus olhos foram direto para trás de Althea, para onde Hannah deveria estar, e seu semblante se tornou pura fúria em um piscar de olhos.

Só depois que Diedrich recuou, Althea notou os camisas-pardas parados atrás dele.

Paris
Março de 1937

Paris pode não ter sido o lar de Hannah, mas ela ainda tinha seus contatos.

Começou a perguntar sobre Deveraux Charles. O consenso parecia ser de que a bela atriz fora conquistada pelos nazistas.

Hannah tentou recordar aqueles meses no final de 1932, início de 1933, as lembranças doces e irreverentes. Das noites nos cabarés, mas também das noites nas reuniões da Resistência. Da emoção da universidade, mas também do desaparecimento do corpo estudantil, dos colegas expulsos simplesmente por serem judeus. De um indício de recuperação econômica no ar, mas também dos confrontos na rua, em que a morte era uma decorrência aceitável por qualquer discussão.

Hannah nem conseguia se lembrar de como conhecera Deveraux. Uma amiga de um amigo de uma amiga, talvez. A mulher era tão glamourosa, tão moderna. Seus insultos dirigidos aos nazistas não eram nem velados nem sutis. Ela era franca quanto a usá-los para financiar sua visita à Alemanha, mas não estava do lado deles.

Em 1933, aquilo parecia uma troca compreensível.

Depois de tudo o que acontecera, Hannah só conseguia pensar que foram pessoas como a atriz que deixaram Hitler subir ao poder. Os terríveis homens de quem Hitler se cercava eram cúmplices do que estava acontecendo, assim como pessoas outrora decentes pensando que o êxito dele poderia beneficiá-las se apenas ignorassem as partes de que não gostavam.

— A única coisa que sei é que ela está hospedada no Hotel Majestic — revelou Natalie quando questionada sobre o encontro ao acaso com Dev. — No décimo-sexto *arrondissement*. Ela me disse que estava indo embora, mas alguém comentou que Dev foi vista no Le Chat ontem à noite.

— Você já ouviu alguma coisa sobre ela? — sondou Hannah, tentando não parecer curiosa demais.

Ela não conseguia nem explicar a si própria o motivo da pulga atrás da orelha que a levava àquele questionamento.

— *Putain* nazista — respondeu Natalie, sem rodeios.

Hannah ainda não falava francês fluentemente, mas "prostituta" era uma daquelas primeiras palavras que se aprendia ao chegar na França.

— Ela faz seus filmes, dorme com o oficial do mais alto escalão que consegue fisgar, pula de um para o outro. Torna-se tema de matérias gloriosas na imprensa.

— Faz os nazistas parecerem mais palatáveis para os americanos.

Hannah terminou a linha de pensamento, e Natalie inclinou a cabeça mostrando concordar.

— Não que muitos deles ainda precisem de encorajamento.

— Não que muitos em qualquer lugar precisem — rebateu Hannah, e, mais uma vez, Natalie assentiu.

— Fiquei surpresa por você conhecê-la.

— De outra vida, ao que parece — rebateu Hannah, voltando a se lembrar do passado.

Então ela viu o que mais havia lá: a imagem de Althea desmoronada em uma calçada, as lágrimas nos olhos enquanto sussurrava *não fui eu*.

Na manhã de domingo, Hannah se viu em frente ao Hotel Majestic, vagando na esquina do enorme edifício, sentindo o peso da pistola de Otto enfiada no bolso da jaqueta, marcando presença na lateral de seu corpo.

O hotel seguia o padrão da arquitetura parisiense, ostensivo em design, mas construído em um mármore branco sem graça que tornava a cidade toda um borrão inesquecível.

Depois de uma hora ou mais de espera, uma Mercedes preta parou no meio-fio. Deveraux desembarcou, revelando um vestido sedoso e escorregadio com uma fenda até a coxa, claramente ainda da noite anterior.

Um homem de uniforme nazista saiu em seguida, igualmente cambaleante. Ambos bêbados, pelo visto.

Os dois riram, ruidosos e desagradáveis, atraindo olhares atravessados e escandalizados, assim como sorrisinhos impressionados dos que entravam e saíam do saguão do hotel.

Hannah fechou os olhos, dizendo a si mesma que era tola, talvez até inconsequente. Mas então, com um único aceno de cabeça, ela decidiu.

Foi atrás deles usando dois homens mais velhos que carregavam maletas de trabalho como cobertura.

Por sorte, estava perto o bastante para ouvir Deveraux dizer, a voz arrastada, um número de quarto para o ascensorista. Quarto andar.

Hannah virou para o corredor dos fundos em busca das escadas, tirando um instante para agradecer por ter escolhido calças e sapatos práticos.

Uma mulher que descia os degraus passou por ela, mas não a olhou duas vezes.

Ainda assim, Hannah se perguntou o que aquela mulher estava fazendo, então tentou entender qual era o *seu* plano. Saber o número do quarto de Dev não mudava nada, exceto se quisesse surpreender a mulher e o amante nazista, talvez durante o sexo.

No entanto, a dúvida nada fez para detê-la. Hannah continuou subindo até parar na entrada do quarto andar e esperou a campainha sinalizando a chegada do elevador.

Apertou a pistola.

Aquela pessoa era mesmo ela? O que pretendia fazer com a arma? Do que suspeitava, afinal? Não sabia muito bem, exceto que o poder que sentia por estar com os dedos em volta daquele metal a centrava de um jeito que nada mais a centrara desde a Berlim de 1933, quando seu mundo caíra.

Hannah avançou no corredor.

O par tinha desaparecido de vista, mas o riso de Dev seguia seu rastro como um perfume barato. Tudo o que Hannah precisava fazer era segui-lo.

Quando dobrou o corredor, lá estavam os dois.

Dev encostada na parede ao lado da porta do quarto, o rosto do amante nazista enterrado em seu pescoço, a coxa enganchada na cintura do homem, a mão entrelaçada em seus cabelos, a cabeça inclinada para trás para dar a ele mais acesso.

Hannah sabia que não havia emitido um único som, mas os olhos de Dev imediatamente a encontraram. Não estavam confusos pelo álcool, como Hannah esperava; estavam vigilantes e despertos. Seu olhar desceu para a pistola, então voltou para o rosto de Hannah com uma espécie de compreensão sombria.

Dev agarrou o homem pelos cabelos e, de alguma forma, o direcionou para dentro do quarto sem deixá-lo se virar de modo a ver Hannah. E, o mais importante, sem que ele visse a pistola que ela segurava com firmeza e apontava para os dois.

Depois que o homem tropeçou para dentro do quarto, Dev fechou a porta, onde se recostou. Ela olhou para Hannah, estreitando os olhos.

—Você descobriu.

Hannah não descobrira, não exatamente. Mas não queria mostrar seu jogo.

—Por que fez isso?

Dev inspirou, expirou, olhou para o corredor e depois para Hannah.

—Aqui não.

—Onde?

—No terraço — disse Dev, olhando para o teto.

—Por que eu iria a qualquer lugar com você?

Dev saiu andando com um passo seguro e constante. Ela parou ao lado de Hannah e se inclinou para sussurrar em seu ouvido:

—Pense em como será muito mais fácil me matar lá em cima.

Hannah a seguiu até o elevador.

Owl's Head, Maine
Julho de 1944

O problema era que a placa do trem mentira para Viv.

Claramente estava escrito Owl's Head, identificando a parada certa. Parecia, porém, que a definição de *parada* da placa era bem diferente da dela.

Viv estava andando há quase uma hora por uma estrada de terra que levava a lugar nenhum e prestes a gritar. Já tinha bolhas não apenas em seus calcanhares, mas também na mão, por carregar uma bolsa que ela teria arrumado com muito mais cuidado se soubesse que precisaria transportá-la por quilômetros a fio. À beira das lágrimas, Viv enfim decidiu que era hora de descansar. Deixou a valise no chão e se sentou em cima, ignorando a nuvem de poeira que subiu com o movimento.

Não iria chorar.

Pelo menos era isso que ficava repetindo para si mesma.

Quando Viv já começara a ponderar voltar para a estação, pegar um trem para Nova York e fingir que nada daquilo havia acontecido, ouviu o ronronar de um motor.

Ela juntou as mãos, fez uma oração de gratidão e se levantou, pronta para acenar para quem quer que estivesse na pequena caminhonete vermelha vindo em sua direção.

Era melhor que morrer de sede e excesso de caminhada.

Viv nem precisou mostrar a perna. O Ford parou bem ao seu lado, e o motorista se debruçou sobre o banco do carona para baixar a janela.

— Posso ajudar?

O homem ao volante era exatamente o que Viv imaginara que o Maine. Grande e corpulento, de barba comprida e mãos que mais pareciam patas de urso. Viv tentou responder, mas estava com a garganta cheia de areia. Ela tossiu, percebendo como aquilo era pouco atraente, e baixou a cabeça para olhar pela janela, esperando que pestanejar compensasse seu engasgo.

— Owl's Head?

O sujeito parecia estar achando graça do estado dela.

— Mais três quilômetros à frente.

— Santo Deus — desabafou, sem pensar.

O homem simplesmente abriu a porta.

— Entre.

Tomada por uma gratidão imensurável, Viv deslizou para o banco de couro rachado e colocou a valise no colo.

— Meu bom senhor, és meu salvador.

— Você teria conseguido.

— Pode ser, mas meus pés certamente agradecem.

— Fica mais longe da estação do que parece. — O homem a olhou meio torto e constatou: — Você é de Nova York.

— É tão óbvio assim? — perguntou Viv, embora soubesse que era.

Apesar de ter se arrumado para viajar, ainda tinha *se arrumado*. Suas roupas eram finas e elegantes, o penteado e a maquiagem, mais ainda.

— Joe — disse o homem, sem responder à pergunta.

Ele estendeu a mão calejada e Viv retribuiu o gesto.

— Vivian — respondeu ela, já que ele optara pela informalidade.

— Qual é seu propósito em Owl's Head?

Apesar da estrada esburacada, ele dirigia com uma segurança invejável.

— Estou à procura de Althea James.

— Opa. — Joe assoviou baixinho. — Então você é uma dessas.

— Não — retrucou Viv, irritada por ele considerá-la algum tipo de bisbilhoteira. — Tenho assuntos sérios a tratar com ela.

— "Assuntos sérios" — repetiu Joe, zombeteiro, tentando imitar um sotaque que não soava nada como o dela.

Viv torceu o nariz, apesar do homem não estar olhando para notar.

— Que assuntos sérios tem com ela, então?

— Como se fosse da *sua* conta.

— Como irmão e empresário dela, eu diria que é — devolveu Joe, abrindo um sorriso presunçoso. — Também posso pegar um retorno e levar você para a estação de trem.

Viv deixou a cabeça cair no encosto do assento.

— Cidades pequenas.

— Elas nunca deixam de surpreender.

— Posso ao menos almoçar em algum lugar antes de você me expulsar?

Joe a levou para a pitoresca cidade com uma rua principal e algumas transversais que abrigavam residências, nada mais. Viv até ouviu o rugido do mar quando saiu da caminhonete e teve que admitir que estava encantada.

— Minha casa — disse Joe, indicando o pub diante do qual estacionara.

O lugar era repleto de móveis de couro escuro e um mogno exuberante. Um belo bar atravessava o espaço, ladeado por cabines e mesas bem cuidadas.

— Peixe e batata frita? — ofereceu ele.

Viv aceitou, sabendo que não tinha escolha, mas também ansiando por uma refeição.

Ficou feliz quando a comida chegou; as batatas estavam perfeitas e gordurosas, o peixe era fresco e de sabor suave, apesar do óleo.

Viv só reparou que devorara a comida quando já estava lambendo os dedos.

— Muito bem. — Joe se inclinou sobre a bancada do bar com um pano jogado no ombro. — Já te dei tempo suficiente. O que você quer com a minha irmã?

Então Viv explicou. Sobre a Edições das Forças Armadas, a emenda de Taft, a tentativa de censura, até mesmo sobre o Dia D e tudo o que descobrira desde então.

— Sinceramente, acho que ela poderia fazer a diferença — concluiu Viv, sentindo-se um pouco tola depois da grandiosidade do resto da história.

Joe a olhou de lado e se afastou. Ele pegou um copo pesado de chope do suporte, o encheu até a borda com um líquido espumoso, bebeu metade de uma só vez e olhou de volta para ela.

— Sabe pelo que minha irmã passou?

Parecia uma pergunta sincera, então Viv tentou responder na mesma moeda.

— Só posso imaginar.

— Eu não posso ir à guerra.

Viv não questionou a confissão. As pessoas diziam coisas estranhas naqueles dias, e do nada. Em vez disso, assentiu e falou:

— Tudo bem.

— Eu queria — continuou Joe. — Mas tenho asma, acredite se quiser.

— Isso não deve ser fácil.

Viv não estava tentando tranquilizá-lo. Mas ela já havia visto o que ficar para trás fazia com os homens do país. Aqueles que iam para o exterior, é claro, estavam em situação muito pior, é claro, mas ela jamais menosprezaria a dor de ser o único a não poder ir. Alvo dos olhares dos mais velhos e de moças que tinham perdido demais. Viv assistira a um rapaz ser esbofeteado por não estar nas trincheiras, embora soubesse que ele era cego de um olho. Algumas pessoas queriam usá-lo como bode expiatório mesmo assim, outras simplesmente não sabiam o que fazer ao ver um garoto aparentemente saudável que levara a melhor comparado a alguém de sua própria família.

— Althea odeia os nazistas — disse ele, no que Viv estava começando a perceber que era sua maneira de falar: um pensamento sem relação com o outro.

— Todos nós odiamos, não?

— Não — disse Joe, brutal e honesto, de um jeito que não se podia argumentar.

Viv tinha quase certeza de que um bom número de americanos concordava secretamente com o discurso de ódio que os nazistas vomitavam.

— Bom, eu odeio — afirmou Viv, observando-o. — O que precisa que eu faça para mostrar que estou sendo sincera?

— Não precisa fazer nada; você já veio até aqui. Vou deixar você tentar a sorte.

Viv relaxou no banco alto com alívio.

— Obrigada.

— Não me agradeça até conhecê-la.

Joe sinalizou para um jovem cheio de espinhas comandando as torneiras na extremidade do bar.

— Vamos lá.

— Agora? — perguntou Viv, ainda que já estivesse se levantando e pegando a bolsa.

Joe mandou o garoto cuidar do bar, e os dois saíram. Ele apontou para a caminhonete, Viv entendeu e entrou no veículo. A viagem foi silenciosa, mas não tensa, as janelas abertas. Viv nunca sentira aquele cheiro de mar antes, exceto quando ia a Coney Island, e o mar não de lá não cheirava muito bem.

Ali, quase dava para saborear o sal no ar, as ondas chamando como o canto da sereia. A estrada acompanhava os penhascos escuros, e Viv imaginou que poderia admirar a cena pela eternidade. Ela não se lembrava de um dia ter se sentido tão pequena.

Por fim chegaram a uma cabana no que parecia ser o fim do mundo. Flores de inúmeros tons de cor-de-rosa, roxo, amarelo e branco cercavam a residência, parecendo uma pintura que ganhou vida.

— Peça para que ela me ligue, ou use a bicicleta para voltar.

Joe inclinou a cabeça para a cerca contra a qual uma bicicleta descansava. Viv pensou no caminho de carro e torceu para que Althea ao menos lhe concedesse um telefonema antes de expulsá-la, se era aquilo que ela ia fazer.

— Obrigada — agradeceu Viv, antes de juntar coragem para sair do carro.

Joe buzinou uma última vez enquanto dava ré. Viv estremeceu. Não havia como esconder que estava ali, nem como hesitar ou se preparar para o que diria. Enquanto pensava naquilo, notou um movimento na cortina atrás da janela.

Agora ou nunca. Viv caminhou até a porta, ergueu o punho e bateu.

A porta se abriu quase que de modo imediato.

De pé na entrada, estava uma mulher pequena de cabelos grossos na altura dos ombros. Tinha um rosto doce e redondo com algumas sardas, que a faziam parecer muito mais jovem do que uma mulher que Viv sabia ter seus 36 anos.

— Seja lá o que deseja — começou Althea James, a voz rouca como se fosse a primeira vez em muito tempo que a usava —, a resposta é não.

Então ela prontamente bateu a porta na cara de Viv.

Berlim
Maio de 1933

A sala para a qual levaram Althea era pequena e sem janelas, o cheiro de podridão quase insuportável. Ao ver as paredes nuas, sua respiração começou a vir em inspirações rasas, e sua visão começou a se comprimir até chegar ao diâmetro de um alfinete.

Os homens que a arrastaram do apartamento a jogaram na única cadeira, e seu corpo cedeu à força do movimento, como se ela fosse uma boneca de pano incapaz de resistir.

Desesperada para se ancorar à realidade, Althea contou seus dedos, fincados nas coxas. Um, dois, três... Isso era real, não um pesadelo horrível.

De repente, viu aquele homem amarrado a uma cruz de Santo André no meio da praça, inconsciente, e a mulher que chorava aos seus pés, com sangue salpicado no rosto.

O rosto do nazista era desprovido de misericórdia.

Althea descansou a testa no metal frio da mesa, sentindo dor em cada parte de seu ser.

Diedrich rondava a sala com um sorriso cruel que retorcia suas feições e o tornava feio de uma forma que ela nunca poderia ter previsto.

— Acha que pode me humilhar? — perguntou ele, com a voz baixa e uniforme, ainda mais assustadora por seu autocontrole. — Você. Uma americanazinha comum e ignorante.

Althea tentou não se encolher. Sabia que Diedrich nunca estivera realmente interessado nela romanticamente, que era tudo uma mentira para mantê-la complacente. Ainda assim, o fantasma do frio na barriga daqueles primeiros dias era um duro lembrete de sua tolice. Ela desviou o olhar e cerrou os dentes.

— Fui tão gentil com você — continuou Diedrich, andando pelo espaço com as mãos para trás.

Ele deu apenas um passo ou dois até precisar dar meia-volta, o que teria sido cômico se Althea não estivesse tentando se controlar, já que estava perdendo o controle, rápido.

— Eu te mostrei tudo o que você poderia querer na vida, coisas que só poderia sonhar em alcançar. — Ele fez uma pausa e apontou para si mesmo. — Pessoas que você só poderia sonhar em ter.

— Eu nunca desejaria ter você — disse Althea, orgulhosa de si mesma por conseguir formular a frase, e mais ainda por insultá-lo.

As mãos tremiam, mas ela conseguira.

Diedrich avançou até ela em um piscar de olhos, beliscou seu queixo entre o polegar e indicador, e forçou Althea a encará-lo nos olhos.

— Ah, meu benzinho — ronronou. — Nós dois sabemos que isso não é verdade.

Talvez, se fosse um dia antes, Althea teria se acovardado, mas algo nela havia florescido na noite anterior. Um poder que ela nunca soube que possuía se incendiara, e as chamas queimaram o medo que ela começava a acreditar ser uma de suas pedras fundamentais.

— Posso ter sido confundida pela bela máscara — desafiou Althea, tentando imbuir as palavras com o máximo de acidez —, mas nós dois sabemos como o monstro por baixo dela é hediondo.

Diedrich riu, como se Althea fosse uma criança fazendo birra, e continuou falando como se ela não tivesse dito nada:

— E como você me retribui? Caindo na farra com aquela prostituta judia.

Althea arfou.

— Ela é cem vezes melhor do que você.

Diedrich segurou o rosto dela com mais força, e Althea viu a raiva fervendo sob a superfície. Para sua surpresa, contudo, ele a soltou e recuou o suficiente até encostar na parede.

Depois de um silêncio insuportável, Althea olhou para a porta. Será que chegara a hora de Diedrich chamar seus capangas para espancá-la até perder os sentidos? Sentiu o estômago embrulhar ao imaginar o próprio corpo destruído e ensanguentado no chão. Ou pior. Eles poderiam fazer algo muito pior com ela.

— O que vai fazer comigo?

A pergunta parecia ser justamente o que Diedrich estava esperando. Um sorriso lento e perturbador se espalhou por seu rosto esquelético, a maldade moldando suas feições em uma máscara macabra vertendo deleite.

— Absolutamente nada.

A resposta deveria ter trazido alívio, mas Althea ficou tensa da cabeça aos pés, como se esperasse um golpe que ele estava dizendo que não viria.

— Como assim?

— Nós nunca machucaríamos um de nossos amigos dos Estados Unidos. Você sairá daqui sem um único arranhão no corpo. E pode dizer isso à sua embaixada, quando perguntarem.

Althea balançou a cabeça, a sensação de perigo à espreita se recusava a desaparecer.

— Não entendo. Por que me trazer aqui, então?

Ela reconheceu o olhar no rosto de Diedrich ao notar Hannah atrás dela no apartamento. Aquela raiva ia além da política. Homens como Diedrich não aceitavam a humilhação. Ele não a deixaria simplesmente ir embora.

Aquilo não tinha sido só um susto. Não era só um puxão de orelha. Mas o medo confundia Althea, que não conseguia ver o que Diedrich tinha planejado.

— Considerei jogá-la aos homens — confessou Diedrich, com um desprezo casual em cada palavra. — Mas preciso admitir que isso será mais divertido.

— O que você quer dizer? — indagou Althea, quando ele lhe lançou um último sorriso e se dirigiu para a porta.

Ela insistiu, embora soubesse que não seria ouvida.

— O que você quer dizer?

Em resposta, ouviu somente o eco da própria voz ricocheteando nas paredes de azulejo da sala minúscula.

* * *

ALTHEA FICOU presa naquele lugar por onze horas.

Ela recebeu um pedaço de pão e um copo d'água e foi escoltada até o banheiro duas vezes.

Nenhum dos homens de baixo escalão respondeu às suas perguntas, aos seus apelos, aos seus pedidos histéricos.

As paredes pulsavam ao redor dela, fechando-se até quase roçarem seus ombros, o mofo azedo sufocando seus pulmões. Naqueles momentos, fechava os olhos e pensava em Hannah: as duas dançando no cabaré, os dedos dela traçando linhas tranquilizadoras nas suas costas nuas, os olhos plácidos e sérios.

Althea se agarrou àqueles momentos com todas as forças, tentou inspirá-los, expirá-los.

Depois do que pareciam ter sido dias, dois camisas-pardas abriram a porta da cela improvisada e a puxaram para o corredor. A visão de Althea ameaçava escurecer, e o coração tropeçava perigosamente no peito. Uma sirene aguda soava no interior de seu crânio, manchas surgiam como explosões de estrelas em seus olhos, e ela não conseguia sentir os pés nem as mãos.

Eles iam matá-la. Tinha certeza.

Flashes de sua vida passavam diante de seus olhos. O irmão. Os penhascos. As luzes no mercado de inverno, os livros. O dia, no início da primavera, em que Hannah se sentou perto dela e a protegeu do sol. A noite anterior, o fogo quente em sua pele.

Não queria morrer.

Althea os deixou carregarem todo o seu peso, forçando-os a arrastá-la enquanto olhava para o teto e gritava, ao ponto de estar com a garganta arranhada quando chegaram ao saguão do prédio. Então, a soltaram de tal forma que ela caiu no chão com a liberdade inesperada. Os homens se viraram e se afastaram sem dizer uma só palavra.

Althea se esforçou para ficar de pé, as pernas bambas, a cabeça leve demais, o estômago revirado. Tropeçou até a porta, conseguiu agarrar a maçaneta com dedos ainda trêmulos e, *de alguma forma*, empurrou e se viu do lado de fora.

Então respirou o ar não contaminado de vestígios rançosos de medo e tortura.

De repente, ela sentiu que mãos a tocavam e se acovardou.

Mas as mãos eram macias, delicadas, cuidadosas. Piscando, Althea tentou se concentrar no rosto à sua frente.

Tudo o que viu foram olhos quentes e dourados.

Tudo nela relaxou. Ela soltou a respiração, deixando o corpo ceder na segurança dos braços de Hannah.

— Althea, me diga que está bem, por favor — disse Hannah, desesperada e apressada, mas ainda tranquilizadora. — O que fizeram com você?

Balançando a cabeça, Althea tentou forçar os lábios dormentes a dizer algo diferente de palavras inúteis.

— Nada — respondeu, após muita dificuldade.

— O quê? — perguntou Hannah, suas mãos ainda explorando, procurando ossos quebrados, carne machucada, pele rasgada.

Althea umedeceu os lábios subitamente secos, sem entender por que estava nervosa e repetiu:

— Nada.

— Isso não...

Hannah não terminou, como se não acreditasse em Althea, não aceitasse sua palavra.

— Não sei por quê — confessou Althea, em um sussurro, desejando que a névoa que se instalara em sua mente se dissipasse.

Havia algo *errado*, e ela não conseguia descobrir o quê. Não quando Hannah a olhava daquele jeito, com uma apreensão tão dolorosa.

— Você estava me esperando.

— Claro.

Hannah finalmente puxou Althea para si com força, seus braços firmes fornecendo o consolo que ela desejava desesperadamente sem precisar pedir.

— Quando eles te levaram... Você não imagina como fiquei apavorada.

Althea enterrou o rosto no pescoço macio e quente de Hannah, querendo viver ali para sempre e nunca mais lembrar daquele dia, daquele terror horrível e avassalador, do nada que se seguiu.

— Você me avisou que ele se vingaria.

— E ele não te machucou? — insistiu Hannah, uma vibração escapando do peito.

Ela não a deixou se soltar, apenas se aninhar ali, contra seu corpo, esfregando círculos lentos nas costas de Althea.

— Não — afirmou Althea, devagar. — Ele disse que assim era mais divertido.

— O que era mais...

Um grito a interrompeu. Otto, chamando o nome de Hannah.

Ele ainda estava a meio quarteirão de distância, mas gritara alto o suficiente para chamar a atenção das duas. Althea deixou o abraço de Hannah com relutância, e se viraram para cumprimentá-lo.

O pescoço e o rosto de Otto estavam vermelhos. Seus cabelos, sempre artisticamente desgrenhados, estavam arrepiados como se ele estivesse arrancando os fios. Quando ele as alcançou, estava ofegante, meio curvado.

— Otto? — chamou Hannah, um alerta latente na voz.

Althea não pôde deixar de assumir a mesma postura rígida. Algo estava claramente errado.

— Eles prenderam Adam.

— Mas como? — Hannah arfou.

— Não sei, não sei — disse Otto, se endireitando, os olhos arregalados, sem foco.

— Ninguém sabia onde ele estava — continuou Hannah, as palavras saindo às pressas, como se afirmar aqueles fatos alterasse a realidade. — Ele deixou o Adlon?

— Não, ele fez uma cena no saguão do hotel — revelou Otto, balançando a cabeça. — Foi por isso que eu soube. Eles o arrastaram do quarto onde estava.

— Mas ninguém sabia onde...

Hannah parou, voltando a atenção para Althea.

Seu olhar se fixou no rosto dela, depois escorregou para o prédio logo atrás, onde ela fora confinada pelos nazistas. Em seguida, olhou de volta para Althea, provavelmente observando mais uma vez como ela estava inteira, sem novos hematomas ou marcas.

Althea não conseguia acompanhar direito o raciocínio de Hannah, desesperada e ansiosa, sua mente funcionando devagar para entender aquela conversa.

— Não.

— Você sabia onde ele estava — disse Hannah. — Eu te contei.

A respiração irregular de Otto pairava entre o grupo, mas ele não interrompeu.

— Não, de jeito nenhum.

Althea estendeu as mãos trêmulas na direção de Hannah, que se retraiu e se afastou. Althea cerrou os punhos junto ao peito, com medo de que seus joelhos pudessem se dobrar, pudessem fazê-la cair na calçada.

— Diedrich já sabia, ele já devia saber.

— Como?

A pergunta não veio como se Hannah estivesse lhe dando o benefício da dúvida, e sim como um tapa, um julgamento já proferido.

Mesmo com espasmos violentos na garganta, Althea tentou pensar.

— Ele disse... — Seus olhos voaram para os de Hannah. — Ele disse que isso era mais divertido do que me machucar. Ele planejou isso, Hannah.

Mas já perdera Hannah. Soube disso ao ver como suas palavras pareceram encontrar uma fachada de concreto. Não havia a entrega, nem a suavidade, do carinho que recebera desde o instante em que a conhecera.

— Por favor.

Althea cambaleou para a frente, sem saber ao certo o que estava fazendo. Mais uma vez, Hannah recuou, o desprezo estampado em cada traço de seu rosto.

— Não me toque — vociferou ela, quase cuspindo em Althea, que pensou que poderia ter preferido aquilo.

Em vez disso, as palavras pousaram, cortaram sua pele, criaram as cicatrizes que ela não tinha para provar sua inocência.

— Não fui eu.

Foi tudo o que ela conseguiu dizer, seus braços apertados protegendo a cintura, sua visão turva com as lágrimas que se recusava a derramar. Se as derramasse, Hannah poderia interpretá-las como culpa.

Otto finalmente deu um passo à frente, passando o braço pelo ombro de Hannah, puxando-a para perto, oferecendo o conforto que Althea desejava oferecer. Ele apontou o dedo comprido para Althea.

— Fique longe de nós.

Depois a chamou por um nome que ela não conhecia, mas que se cauterizou em seus ossos.

Puta, traidora, cadela. Uma combinação dos três? Não importava. O nojo foi facilmente traduzido entre os idiomas.

— Vamos, querida — murmurou Otto para Hannah, que àquela altura já havia empalidecido e estava encostada em Otto como se ele fosse a única coisa que a mantinha de pé.

— Eles o pegaram — constatou Hannah, tão baixo que era quase como se tivesse mexido os lábios e nada tivesse saído. Mas Althea a ouviu de qualquer maneira. — Eu contei para ela.

Althea respirava com dificuldade, querendo, querendo *tanto* fazer algo que não fosse ficar ali, parada, vendo seu mundo desmoronar. Então ouviu a voz de Hannah na cabeça: *Não é sobre você.*

Cada parte dela ansiava segurar Hannah pelos braços, fazê-la acreditar no que dizia, falar e falar e falar com Hannah até ela ceder e admitir que os nazistas só podiam ter encontrado Adam de outra maneira.

Mas não era sobre Althea.

Então deu um passo para trás, seu corpo desmoronando.

— Sinto muito.

Ambos tomaram o pedido de desculpas como uma confissão, mas ela não se importava. Estava arrependida de tudo aquilo; arrependida de ter conhecido Diedrich, arrependida de ter acreditado nas mentiras dos nazistas, de ter aceitado dinheiro nazista para ir àquela cidade. Talvez não tivesse revelado a localização de Adam sob tortura, mas não era, ainda assim, cúmplice de sua captura?

Diedrich orquestrara aquilo como uma punição; não havia dúvidas. E tudo começou e terminou com Althea.

A única coisa da qual não se arrependia era ter conhecido Hannah. Talvez o mundo estivesse acabando, mas pelo menos uma vez Althea compreendera algo que todos os outros pareciam compreender intrinsecamente. O amor não precisava ser difícil. Podia ser momentos de silêncio enquanto se toma um vinho sob o toldo de um café; o toque suave de dedos numa pele que brilha de suor; o riso ao dançar pelos corredores de uma livraria; um olhar compartilhado de compreensão que não precisa de palavras para acompanhá-lo.

Hannah a encarava com uma expressão ferida que atravessou Althea profunda e permanentemente. Ela poderia viver até cem anos e nunca esqueceria o olhar de Hannah naquele momento.

O peso foi tamanho que as pernas de Althea cederam. Aconteceu tudo tão depressa que ela nem percebeu que estava caindo até os joelhos baterem na calçada. Aquilo deixaria hematomas, e ela desejou que fossem visíveis naquele momento.

— Não fui eu — sussurrou mais uma vez, sem conseguir confrontar os dois que a olhavam de cima; Otto um anjo vingador, Hannah um anjo destruído.

— Guarde suas mentiras para alguém que acredite nelas — disse Otto, puxando Hannah em seguida. — Vamos, ela não vale a pena.

— Não — ecoou Hannah, baixinho. — Não vale mesmo.

Owl's Head, Maine
Julho de 1944

Viv acabou voltando de bicicleta para a pequena cidade. Quando Joe a viu chegando, riu tanto que precisou se apoiar no capô do caminhão.

Ela imaginou que estava dando um espetáculo, provavelmente coberta por mais uma camada de terra.

Joe a hospedou em um quarto no andar superior do pub, e Viv usou a bicicleta na manhã seguinte para ir até a casa de Althea. E na manhã seguinte, e na seguinte.

Viv sabia que tinha pouco menos de duas semanas antes de precisar voltar a Nova York para preparar o evento. Ela usaria todo o tempo que tinha.

No quinto dia, Althea levou uma xícara de café para Viv e seguiu o ritual de sempre: bateu a porta na cara dela. Viv aceitou o gesto como uma pequena vitória.

Naquela noite, no pub, quando se gabou daquela façanha, Joe apenas balançou a cabeça. Mas também sorriu um pouco, o que ela tomou como mais um bom sinal.

No oitavo dia, Althea saiu de casa no comecinho da tarde. Viv se levantou do pequeno banco do jardim, onde aguardava lendo, e Althea apontou os penhascos com a cabeça.

— Vamos andar um pouco.

Viv conseguiu conter o sorriso, mas por pouco.

As duas passearam ao longo dos penhascos em silêncio, Viv de alguma forma sabendo que não devia pressionar.

Após vinte minutos, Althea apontou para o livro de bolso que Viv esquecera debaixo do braço.

— O que está lendo?

— *A feira das vaidades*. — Ela se apressou em responder, emocionada por Althea ter iniciado a conversa. — Esteve na série de junho da EFA.

— Junto com o meu. É bom? Eu não li.

Viv pensou na pergunta.

— Acho que sim. O subtítulo é *Um romance sem herói*, o que me parece uma advertência apropriada.

— Um elenco de personagens desagradáveis?

— Ou pelo menos falhos — retrucou Viv após um momento de reflexão. — Mas, para mim, personagens falhos são muito mais interessantes. Imagino que você concorde.

— Você leu meus livros.

Não foi uma pergunta.

— Li.

— Só isso? Não vai fazer elogios intermináveis? — incitou Althea, fechando a cara.

— Acho que você já deve ter recebido elogios suficientes para a vida inteira.

Viv adivinhara aquilo, mas Althea ergueu as sobrancelhas.

— Quando se está pedindo um favor, é uma boa ideia dar uma amaciada na pessoa primeiro — comentou Althea, embora, apesar das palavras, parecesse concordar.

— Bajulações não funcionam com você.

Mas curiosidade sim. E Viv provou seu ponto quando Althea perguntou:

— E pode me conceder a graça de elucidar o que acha que sabe sobre mim?

O coração de Viv acelerou. Uma resposta errada poderia eliminar sua única chance.

— Você não escreve em busca de bajulação, escreve por penitência.

Althea parou de repente e se envolveu com os braços, os olhos grandes e quase feridos analisaram o rosto de Viv.

Como Althea seguiu em silêncio, Viv continuou:

— As pessoas não querem elogios por suas penitências. Querem ser perdoadas.

Althea abriu a boca para dizer algo, mas logo a fechou e cerrou os lábios. Então deu meia-volta, de repente, deixando Viv nos penhascos, como se batesse uma porta metafórica.

Viv descreveu a conversa para Joe naquela noite e perguntou se deveria desistir. Ele a observou, pensativo.

— Tente mais um dia.

— Tem certeza? — perguntou Viv, tentando parecer despreocupada, mas sem saber se acertara no tom. — Não quero acabar com uma espingarda apontada para mim.

— Ela acha você interessante — disse Joe, balançando a cabeça. — Faz muito tempo que ela não se interessa por algo assim. Tente mais um dia.

Na manhã seguinte, Althea estava esperando por ela junto ao portão. Sem dizer nada, indicou a trilha com o queixo. Viv quase chorou de alívio.

— Você quer que eu vá para Nova York — começou Althea, meia hora depois da caminhada silenciosa.

Viv, que estava desfrutando da brisa coberta de sal, despertou com um susto do transe em que caíra.

— Sim. Eu pago, se isso for um problema — ofereceu Viv, e imediatamente se encolheu de vergonha.

Althea James não precisava que ninguém pagasse nada para ela. A autora parecia querer rir, mas não o fez.

— O que você quer que eu diga? A esse senador?

— O que quiser. Talvez algo sobre os perigos da censura por parte do governo?

— Por que acha que sei o suficiente para falar sobre isso?

Viv se perguntou se a pergunta era um teste.

— Por causa de *Uma escuridão inconcebível*.

— Não porque eu estava em Berlim durante a queima de livros?

— Bom, isso também — admitiu Viv.

— Foi o que pensei.

— Não é só isso. Quero você lá porque acho que os americanos vão se conectar com a sua história. Mas, se não quiser, vou embora.

— Bater a porta na sua cara tantas vezes não foi o suficiente? — perguntou Althea, com certa provocação na voz.

— Já me disseram que sou... persistente. Eu queria que você soubesse o que estava recusando.

Viv sentiu o olhar fixo de Althea e mais um teste a caminho.

— Qual é seu livro favorito?

— Essa pergunta é minha — disse Viv, mais para si mesma, embora Althea tenha murmurado um som baixo de curiosidade. — Sempre pergunto isso às pessoas. É o meu barômetro.

— O que considera uma resposta ruim? — sondou Althea, pela primeira vez parecendo verdadeiramente engajada.

— Quando respondem que não gostam de ler — revelou Viv, com um breve sorriso. — Mas a culpa não é das pessoas. Só acho que elas ainda não encontraram seus livros.

Althea apontou para um banco de pedra com vista para as ondas, e Viv se sentou depressa antes que a mulher retirasse o convite.

— Acho que a EFA ajuda os soldados a encontrar os deles — completou Viv.

Althea fez um biquinho bem-humorado.

— Muito direta.

— Apenas persistente. Na verdade, foi em parte assim que conseguimos a adesão das editoras. Estamos formando uma geração de pessoas que entendem o que significa ler por prazer. Antes, essas pessoas talvez nunca fossem expostas a livros dos quais poderiam realmente gostar além dos que são forçados a ler na escola.

— Está tentando me convencer de que sua causa é justa. Mas não temo que você seja como os nazistas — disse Althea, tamborilando com os dedos na perna. — Temo que os outros sejam.

— E, depois de ser destaque em jornais de todo o país, as pessoas não param de perseguir você — disse Viv, entendendo a situação de Althea.

— Gosto da minha vida de reclusa nos penhascos — respondeu Althea, quase se desculpando. — Isso me mantém longe de problemas.

— Mas também te mantém longe das coisas boas, não?

— Talvez um dia eu tenha me importado com isso — respondeu Althea, olhando para o mar. — Agora acho que, às vezes, o melhor que podemos fazer é proteger o mundo de nós mesmos.

Viv a estudou, imaginando como a mulher reagiria ao que ela estava prestes a dizer.

— Acho que você se dá muito crédito.

Os olhos de Althea se voltaram depressa para Viv, que, por um terrível segundo, pensou tê-la perdido de vez. Então a mulher jogou a cabeça para trás e riu, seu riso se sobrepondo às batidas rítmicas das ondas. Depois de alguns instantes, ela deslizou o polegar pelos cantos dos olhos.

— Sinto muito. Você me lembrou alguém.

— Quem?

O sorriso de Althea diminuiu, embora não tenha desaparecido.

— Uma pessoa que nunca poupava ninguém. Ela dizia que a ascensão dos nazistas ao poder não tinha a ver *comigo*. E que pensar aquilo me tornava incrivelmente autocentrada.

— Ah, eu não...

— Sim, você quis, e tudo bem — interrompeu Althea, com delicadeza. — Acho que mais uma vez quis me tornar protagonista de uma história que não é realmente minha. Peço que me perdoe, mas levo uma vida bastante isolada. — Ela fez uma pausa. — Pelo jeito esta sempre foi a minha maior falha.

— Mas isso não é comum a todos nós? — perguntou Viv, com um rápido suspiro. — Estou aqui, às voltas com uma grande missão, pensando que vou fazer toda a diferença no mundo se puder convencer você a ir para Nova York.

Althea inclinou a cabeça, concordando, e depois a perfurou com um olhar.

— Você não respondeu. Qual é o seu livro favorito?

— Eu sempre respondo *Frankenstein* — disse Viv, pesando as palavras. — E eu adoro Mary Shelley. Ela era tão à frente de seu tempo, cercada por todos aqueles homens que o mundo considerava brilhantes, e, mesmo assim, aposto que o legado dela durará mais que o deles.

Althea assentiu.

— Mas esse não é seu verdadeiro favorito?

— Eu seria uma crítica terrível — admitiu Viv, dando de ombros. — Sempre sinto que o livro que estou lendo é o meu favorito, mesmo que não seja tecnicamente melhor que tantos outros que adoro. — Ela sorriu e continuou: — Mas eu gosto da pergunta, mesmo assim.

— Então você sabe imediatamente se não vai gostar de alguém? — perguntou Althea, olhando para ela. — Deve saber que entre os favoritos de Hitler estão Dante e Jonathan Swift. Gostar de ler não é sinônimo de ser uma boa pessoa.

— Tem razão — concedeu Viv, com uma pequena reverência de cabeça.

Viv não esperava tal argumento de uma autora mundialmente famosa, mas aquilo a fez gostar mais de Althea. Era comum haver um esnobismo no mundo literário que impedia as pessoas de encontrarem o que gostavam de ler. Viv não se importava se seriam histórias em quadrinhos, mistérios sobre assassinatos ou romances com final feliz. Não havia uma resposta certa para a pergunta, porque todas as respostas estavam certas.

— Qual é o seu favorito?

— Meu livro favorito? — perguntou Althea, embora parecesse retórico, então Viv apenas esperou. — Tenho livros diferentes para diferentes fases da vida. Minha mãe tinha uma bela versão de *Contos de fadas dos irmãos Grimm* que eu amava quando era criança. Depois foi *Ivanhoé*, e então *Alice no País das Maravilhas*. — Ela fez uma careta ao mencionar o último título. — Mas agora... Agora o favorito é *Suave é a noite*.

— F. Scott Fitzgerald — comentou Viv, distraidamente. — Não é o mais popular dele.

— Fitzgerald sempre parece melhor alguns anos depois. É um pouco sombrio — comentou Althea, seca, e voltou a atenção para o mar. — Fala sobre amar alguém em um momento específico da vida. Não se trata de amar esse alguém para sempre, mas lembrar que sempre houve e sempre haverá algo que fez uma pessoa amar a outra.

— É romântico — disse Viv, o comentário mais neutro possível, sentindo que de alguma forma estava pisando em um terreno em que o gelo sob seus pés era fino como papel.

— Ele o escreveu quando Zelda estava passando por uma de suas internações — disse Althea, novamente em um tom quase sarcástico. — Mas, sim, é.

Depois, ambas observaram as ondas por tempo suficiente para o sol descer até tocar o horizonte atrás delas.

Por fim, Althea bateu com as mãos nas pernas e se levantou.

— Tudo bem. Serei seu macaquinho de circo.

— Pode acreditar: você, no mínimo, se classifica como um tigre atravessando aros flamejantes — disse Viv, levianamente, embora um emaranhado de emoções tremulasse como as asas de um pássaro em sua caixa torácica.

Althea riu, parecendo vívida, alegre e bela pela primeira vez.

— Posso me contentar em ser o hipopótamo de patins.

Então as duas tomaram o caminho de volta até a pequena casa. Viv sabia, com toda certeza, que não deveria forçar a barra. Mas, assim como Althea tinha uma falha fatal, Viv também tinha a sua.

— O que fez você decidir?

— Posso não ser a heroína da história de ninguém — revelou Althea, se envolvendo com os braços. — Mas, desta vez, está ao meu alcance não ser a vilã.

Paris
Março de 1937

O ar no terraço do Hotel Majestic estava frio o bastante para Hannah tremer enquanto apontava a pistola para Deveraux.

Não são meus nervos, disse a si mesma. *É o frio*.

Dev pôs a mão dentro da bolsa e retirou uma fina carteira de cigarros enquanto se apoiava com indolência na balaustrada. Ela não baixou o olhar nem uma vez para a arma.

— De todos os acasos do mundo — refletiu Dev, enquanto observava a fumaça se dissolver e sumir —, você tinha que vir parar logo em Paris. *Eu* vim parar em Paris.

Hannah não disse nada. Dev sabia que ela estava lá. Não era como se tivesse sido surpreendida.

— É verdade, eu sabia onde você estava — concordou Dev, como se Hannah tivesse pensado aquilo em voz alta. — Mas Paris é uma cidade tão grande...

— Não em nossos círculos — discordou Hannah, pensando que poderia soar imperturbável, apesar de desajeitada.

— De nazistas e dos que fogem deles.

— E a qual deles você pertence? — perguntou Hannah.

— Você ainda não tirou suas conclusões quanto a isso? — revidou Dev, apontando para a pistola pela primeira vez desde que pisaram no terraço. — Quanto a de que lado eu estou?

Hannah tinha parado de confiar nas pessoas havia muito tempo; desde que Althea tinha saído daquele prédio nazista às lágrimas e ilesa. Mas também sabia que, às vezes, as respostas eram mais complicadas do que pareciam.

— É o que você vai me dizer.

Dev era uma atriz impecável, ainda assim não conseguiu esconder a surpresa no rosto. A emoção surgiu e se foi, um relâmpago que Hannah poderia ter perdido se tivesse piscado. Dev apagou o cigarro em um gesto à primeira vista descuidado, mas que também lhe permitiu se afastar de Hannah, permitiu que se escondesse.

Quando ela encarou Hannah de volta, a máscara estava presa firmemente de volta no lugar.

— Eu revelei a localização de Adam para eles.

Não deveria ter parecido um soco, mas a força da confissão quase arremessou Hannah para trás. Até aquele exato momento, ela ainda não tinha se convencido. Para ela, era insano sequer suspeitar do envolvimento de Dev.

— Por quê?

— Ser uma prostituta nazista não basta? — perguntou Dev, soltando aquela verdade entre as duas como uma granada.

Se Hannah já não tivesse ouvido aquele exato tom tantas vezes, anos antes, poderia ter acreditado. Na época, Dev odiava os nazistas quase tanto quanto Hannah.

Seria mesmo tudo atuação?

Embora Hannah conhecesse muitas pessoas que desprezavam os nazistas e que depois se juntaram à causa — por medo, por exaustão, porque, se não o fizessem, as próprias vidas desmoronariam —, o fato era que Dev não precisava ter feito isso.

Ela poderia ter ido para casa.

— Não — disse Hannah, com o máximo de firmeza possível.

Mais uma vez, o choque chegou e partiu do rosto imperturbável. Dev pegou outro cigarro, sem responder.

— Ele morreu, sabia? — contou Hannah. — Em novembro.

Dev contraiu um músculo na mandíbula, mas não respondeu.

— Provavelmente foi torturado antes de morrer, claro — continuou Hannah, se sentindo desapegada, como se estivesse assistindo à cena em vez de participando. — Johann disse que ele estava tão franzino no final.

Dev não olhava para ela.

— A culpa disso é sua — acusou Hannah, torcendo a faca. — Não se importa?

— Claro que me importo — vociferou Dev, então soltou um longo suspiro, como se não tivesse a intenção de admitir o fato. — Acha que ele não teria sido capturado sem a minha ajuda?

Hannah riu, uma risada amarga, incrédula.

— Você o entregou.

— Era uma missão suicida. Você sabe disso melhor do que eu. Ele não se convencia a desistir, não ouvia a voz da razão — relembrou Dev, perdendo a compostura. — Ele teria morrido na mesma hora.

— Por favor, não me diga que o entregou aos nazistas para salvar a vida dele. Nem você poderia ser tão estúpida assim.

Dev apagou o cigarro, mas daquela vez Hannah notou que suas mãos tremiam.

— Por quê? — repetiu baixinho, não com pena, mas com uma gentileza que o momento exigia se quisesse respostas.

A pergunta pairou entre ambas, pesada e envolvente. O tempo parecia suspenso.

— Eu precisava dar alguma coisa a eles — explicou Dev, as palavras hesitantes. — Já tinha passado muita informação errada.

E o tempo voltou a passar, despertando-a. Hannah voltou a ouvir os barulhos, os pássaros, a conversa nas ruas lá embaixo, um motor distante engasgando. Abaixou o braço, apontando a pistola para o chão, os braços e as pernas sem condições de obedecer a qualquer comando.

— Você é uma espiã — sussurrou.

— Uma amadora — corrigiu Dev, com um sorriso torto e autodepreciativo.

Hannah reconheceu o desgosto.

— Pelo menos naquela época. Agora sou melhor. — Então olhou para o chão e balançou a cabeça antes de olhar de volta para a pistola. — Pensei que fosse.

— Eu te conhecia — murmurou Hannah, levantando a arma mais uma vez. — Conte tudo.

Dev não vacilou.

— Não fui a Berlim pensando em fazer isso. Eu era atriz, roteirista, diretora. Mas acabava aí.

— Você viu uma oportunidade — decifrou Hannah.

— Quase imediatamente — concordou Dev. — Naquela época, eram poucos em nosso governo que viam os nazistas como um problema, mas alguns viam. Perguntei por aí, me ofereci caso pudesse ser útil.

— Mesmo que eles não se importassem com os nazistas, imagino que se importassem com informações privilegiadas sobre nações concorrentes.

— Na mosca. Mas meu vigia era persuadível. Os chefes dele podem não ter reconhecido a ameaça, mas ele percebeu que eu tinha começado a detalhar o que acontecia por trás das belas paredes que os nazistas erguiam para o resto do mundo.

— Então Adam foi o quê? Uma vítima infeliz da sua necessidade de se manter informada?

— Estamos em guerra, querida — disse Dev, mas parecia tão tensa que Hannah pensou que sua máscara poderia cair. — Mesmo que ainda não tenha sido declarada, você sabe tão bem quanto eu o que está por vir. Não há respostas fáceis na guerra.

— Não, mas há respostas erradas. Adam não era um mísero peão no seu jogo. Era uma pessoa.

— Uma pessoa que já tinha decidido que a própria vida significava mais se usada para eliminar os nazistas — rebateu Dev, não mais abalada, não mais transtornada. Havia nela uma resolução silenciosa que Hannah nunca vira antes. — Entregar Adam antes que ele se entregasse de bandeja significava que voltariam a confiar em mim. Sabe quantas pessoas salvei por causa dessa confiança?

— Então estamos apenas trocando vidas agora? Isso não é melhor do que os nazistas. Quantas vidas vale um judeu?

Dev recuou como se tivesse levado um tapa.

— Isso foi baixo.

— Assim como suas escolhas — rebateu Hannah.

— Usei minha posição com os nazistas para contrabandear centenas de judeus alemães para fora do país. Não que eu precise me justificar para você.

Hannah balançou ligeiramente a pistola.

— Na verdade, você precisa.

— Decida se vai atirar em mim ou não — disse Dev, o queixo levantado desafiadoramente. — Convivo com o peso das minhas decisões todos os dias, mas esta é a minha realidade. Não posso me arrepender.

— Você nem vai se desculpar? — perguntou Hannah. — Com sua vida nas minhas mãos?

— Quer palavras vazias? Posso te oferecer algumas. Mas não significam nada. Adam seria capturado e morto se continuasse com o plano. Sabe disso tão bem quanto eu.

E Hannah sabia. Passara incontáveis noites tentando convencer o irmão da futilidade daquela ideia. Mas ele nunca fracassara em nada — todo aquele charme, toda aquela inteligência. Ele se convencera de que estava certo o tempo todo, e o mundo sempre pareceu confirmar. O plano era uma bagunça, mal pensado, fadado ao fracasso.

No entanto, Adam tinha certeza de que faria a diferença.

Hannah nunca perdoaria a decisão de Dev — sem contar que teria preferido morrer antes de fazer uma escolha semelhante —, mas, no fundo, ela admitia que talvez, apenas talvez, entendesse.

Ainda assim...

— Você não sabia onde Adam estava. Eu sei que ele não tinha contado para você.

Dev a observava sem titubear.

Hannah balançou a cabeça, algo retorcendo suas entranhas, embora ainda não entendesse por que doía tanto.

— Só três pessoas sabiam. Adam, Althea e eu.

— Ah, querida — respondeu Dev, mais uma expiração do que qualquer coisa.

— Não.

Os dedos de Hannah procuraram algum apoio enquanto seu corpo se entorpecia.

— Não foi só para Althea que você contou — relembrou Dev, amável.

Em um tom tão amável que doeu.

Hannah recuou como se pudesse escapar daquela verdade, mas Dev estava certa. Claro que estava.

— Ele não faria isso. Ele...

O mundo se comprimiu e se tornou mínimo, tudo ficando escuro, exceto o semblante de Dev. Arrependimento, compreensão. Pena.

— Você sabe sobre a bebida — disse Dev. — Mas ele nunca te contou sobre o jogo porque tinha vergonha demais. Ele tinha dívidas para pagar e informações que eu precisava.

Hannah piscava com força, as lágrimas caindo livremente enquanto reconhecia a verdade. Seu corpo doía, sua pele estava lacerada. Se pudesse escolher, ela preferia ter levado uma facada em vez de passar por tamanha dor.

Quando conseguiu soltar o ar, soltou o nome:

— Otto.

Nova York
Julho de 1944

Depois que Althea concordou em comparecer ao evento, as coisas avançaram rapidamente.

Viv marcou uma entrevista para Althea com Marion Samuel, do *Columbus Dispatch*, bem como com Leo Aston, da revista *Time*. A reportagem só seria publicada em agosto, algumas semanas após o evento, mas Viv achou o timing perfeito. Se Taft estivesse vacilando, abalado, as reportagens sobre a autora best-seller reclusa, Althea James, seriam o golpe final.

A invasão da Europa Ocidental continuava se arrastando, mas o número de cartas que o conselho recebia não parava de crescer. A insistência de Roosevelt para os soldados terem o que ler durante a missão cimentou, mais uma vez, a importância da EFA para levantar o moral. Viv tinha mais cartas para entregar a Althea do que sacolas nas quais guardá-las.

Hospedaram a autora no Hotel Plaza. Ou melhor, Viv usou o próprio dinheiro para conseguir um quarto para ela.

— É um pequeno preço a pagar para estar do lado certo da história — justificou para Hale, no dia em que voltou para Nova York.

Ele apenas sorriu e a cutucou com o cotovelo.

— Estou orgulhoso de você.

Semanas antes, Viv poderia ter se irritado com aquelas palavras e procurado algum sarcasmo no comentário. Mas apenas corou um pouco, desacostumada, quase tímida com a sinceridade. Bateu a testa no ombro dele em reconhecimento e, em seguida, se afastou para cuidar das catorze urgências que haviam surgido antes da visita do senador Taft.

Em algum momento, teria que encarar as revelações confusas entre Hale e ela, mas poucos dias antes de um evento sendo planejado há tanto tempo não era hora. De sua parte, Hale parecia infinitamente paciente e um pouco bem-humorado, seguindo as deixas dela — coisa que fizera desde que Viv voltara à sua vida.

Naquela noite, quando ela levou as cartas para Althea, a mulher as olhou com um misto de fascínio e pavor.

As duas se sentaram no chão do suntuoso quarto de hotel, bebendo o champanhe que o Plaza fornecera, abriram as cartas, compartilharam as mensagens e choraram o mais estoicamente possível.

— "Há muito me esqueci por que lutava" — leu Viv. — "Sempre que eu fechava os olhos à noite, só conseguia pensar na sensação dos corpos debaixo d'água, aqueles sobre os quais eu caminhei enquanto avançava até a margem. Naqueles primeiros dias, eu odiava a todos. Passava o tempo distribuindo socos e olhos roxos, fossem a oficiais ou alistados. Fiz mais danos que os alemães, mas não conseguia me conter."

Althea murmurou para mostrar que estava ouvindo, mas não interrompeu. Viv continuou:

— "Então, uma noite, um amigo pegou seu livro. Ele leu o primeiro capítulo, depois o segundo. Então disse que, se nós sobrevivêssemos, leria mais na noite seguinte. E, pela primeira vez desde que desci daqueles barcos, eu realmente queria sobreviver.

"Eu até gostei do livro"— leu Viv, levando Althea a bufar com o elogio vago — "mas, acima de tudo, acordei esta manhã esperando que as balas não me acertassem, em vez de querer que me atingissem precisamente no coração. E, se quiser tirar alguma conclusão disso, srta. James, é que você ajudou pelo menos um soldado miserável a se levantar e lutar mais um dia. Que Deus a abençoe. Sargento Tommy D'Annunzio, Segunda Divisão de Infantaria."

— Bom — disse Althea, pegando a garrafa de champanhe pela metade, enquanto Viv cogitava pedir mais uma.

Althea levantou a taça.

— Às pequenas vitórias.

A noite continuou assim até o nascer do sol se infiltrar no quarto, surpreendendo as duas.

Viv se levantou, se alongou e gemeu.

— Bagels?

O rosto de Althea se iluminou quase comicamente, confirmando que tinha mais em comum com a comunidade judaica do que deixava transparecer. A maioria dos moradores de Nova York nem sabia o que era um bagel. Em fevereiro, quando um caminhão carregado de 1.500 deles foi roubado pela máfia, a polícia ficou confusa quanto ao que exatamente havia sido levado.

— Você consegue alguns? — perguntou Althea.

Viv piscou.

— Poucos de nós sabem como.

A padaria mais próxima que vendia bagels ficava a quatro quarteirões de distância. Não era, de forma alguma, uma árdua caminhada, mas deu a ambas espaço para respirar depois de toda a noite enfurnadas.

— O que aconteceu lá? — perguntou Viv, cansada demais para impedir as perguntas.

Althea bocejou e ergueu o rosto para o sol.

— Nada de especial.

Viv especulou que não fosse verdade, mas também achou a própria pergunta impertinente, então fez o restante do trajeto de boca fechada.

As duas pararam em uma esquina para comer bagels com salmão defumado, sem saber o que mais fazer. Viv não podia falar por Althea, mas o cansaço que sentia no corpo lembrava o do dia seguinte a uma grande noitada na cidade. Dormir não era uma opção, tampouco faltar ao trabalho. Olhar para uma parede em branco por nove horas podia ajudar, mas não parecia ideal, considerando que o evento seria dali a dois dias.

Viv resolveu arriscar mais uma vez ao reiniciar a conversa com Althea.

— Está trabalhando em um novo livro?

— Sempre — confessou Althea, com um leve sorriso que Viv não entendeu muito bem. — Em tese. Na prática? Não sei se tenho mais algo a dizer.

— Faz parte de seu trabalho sempre ter algo a dizer? — perguntou Viv, não para cutucar alguma ferida, mas por curiosidade genuína.

— Em vez de...?

— Não sei, aquela carta — sugeriu Viv, inclinando a cabeça na direção do hotel como se significasse alguma coisa. — Ele não ligou para a mensagem. Isto é, não o suficiente para escrever sobre ela. Ele ligou para a história.

— Você vê isso como coisas diferentes? — questionou Althea, embora sem agressividade.

— Sua mensagem é perfeitamente criada para inspirar homens a irem à guerra pelos valores deste país — disse Viv, se esforçando para pensar com a mente nebulosa sem insultar a autora de renome mundial ao seu lado. — Ele até começou a carta dizendo que não sabia pelo que estava lutando. Ainda.

— Ele estava mais interessado no que aconteceria a seguir — disse Althea, entendendo. — A questão era prender a atenção dele, em vez de revelar algum tipo de verdade.

— Não me interprete mal — acrescentou Viv, cuidadosa. — Seus temas são importantes. Mas...

— Mas?

— Acho que às vezes as pessoas ficam tão presas no prestígio literário de um romance — continuou Viv, com um leve dar de ombros — e esquecem que ler deve ser divertido.

— *Mil e uma noites* — disse Althea.

Viv assentiu.

— Não acho que o trabalho de um escritor seja sempre mudar o mundo. Acho que às vezes é apenas torná-lo mais agradável. Mesmo que por um breve período.

— Seu projeto da EFA. Sempre muito direto.

Viv riu, pega no flagra.

— Meu projeto da EFA.

— Espero que esta guerra não dure o suficiente para que um novo livro meu ajude algum soldado infeliz. — Viv teve que apertar o braço da escritora para mostrar que concordava. A autora continuou: — Mas você não recuará contra o senador Taft? Mesmo que tudo se torne irrelevante daqui a alguns meses?

Viv balançou a cabeça.

— Mesmo que a guerra termine amanhã, não acho que a necessidade vá desaparecer. Esses soldados serão assombrados pelo que viram por lá. Se tirarmos os livros, o que lhes resta? Pesadelos e só.

— Eles ainda terão pesadelos — ressaltou Althea, em um tom que deixava claro que também tinha os dela.

— Sim, mas pelo menos não é tudo o que terão.

Berlim
Maio de 1933

De alguma forma, Althea se levantou da calçada.

Suas pernas não queriam cooperar, tampouco os braços, então tudo se equilibrou. Ela se colocou no caminho de volta para o apartamento sem saber se estava indo na direção certa. Sem se importar. A expressão no rosto de Hannah a assombrava. A cada passo, ela via os olhos feridos, os lábios machucados, o rosto fechado. Por uma única noite gloriosa, Althea atravessou aquelas muralhas. Mas, agora, ela estava barrada para sempre.

As escadas até o quarto foram um desafio, mas ela se forçou a subi-las, os braços ainda apertando o ventre, como se pudesse se proteger daquele golpe.

Quando entrou, cada parte sua tremia com o peso de tudo o que acontecera.

Não apenas a notícia sobre Adam, não apenas a detenção pelos nazistas, não apenas o júbilo cruel de Diedrich decretando sua vingança, mas também os momentos tenros da noite anterior. Os momentos em que Hannah estava com ela, segurando seu queixo, pousando os lábios nos dela, explorando seu corpo como se pertencesse a ela.

No cabaré, Althea se apavorara com sua reação quando Hannah roçou os lábios em sua mandíbula. Mas, ali, naquele santuário, ela se incendiara. Fora consumida, queimada até se resumir a cinzas. E ressuscitara dos restos mortais como uma nova pessoa.

Althea nunca soube, nunca imaginou, que poderia ser assim. Uma conversa entre dois corpos sem que uma única palavra fosse dita. Sempre se achara incapaz quando tentava flertar com alguém. Afoita demais, desinteressada demais, autoconsciente demais. Então Hannah apareceu, com aqueles olhos tão dourados e quentes, o toque tão gentil e ao mesmo tempo firme.

Althea só percebeu que estava ajoelhada no chão de novo quando a dor em seus joelhos se tornou forte demais para suportar. Ela mudou de posição, sentando-se, e olhou pelo apartamento, os lençóis ainda bagunçados, a xícara de chá de duas noites antes, o exemplar do livro que deixara na mesa.

Sem pensar, ela o pegou. *Alice no País das Maravilhas*.

Não fazia sentido os nazistas queimarem uma edição daquele livro; a história não contradizia nenhuma de suas crenças. Althea se perguntou se o título estava junto dos outros por engano. Se ela tivesse que vê-lo queimar, provavelmente perderia uma parte irrecuperável de si.

Pensou naquela noite de inverno não muito distante, quando ainda era uma jovem ingênua. Quando o livreiro lhe deu um presente e ela retribuiu com seu exemplar de *Alice*.

Die Bücherfreundin.

Amiga dos livros.

O termo ganhara um aspecto sujo, contaminado.

Althea tinha mais três semanas em Berlim antes de poder partir. Diedrich não iria atrás dela — já tinha colocado em prática seu plano de punição. Althea o humilhara e, em troca, ele a destruíra. Não fazia ideia de como ele sabia dos planos de Adam Brecht, mas não importava mais.

Hannah sequer cogitara outra possibilidade. Aquilo era o que mais doía, Althea percebeu.

Lágrimas encharcavam o colarinho de sua camisa, e ela queria se enterrar no tecido. Ela se lembrou que a vestira naquela mesma manhã, enquanto Hannah a observava com afeto. Ou pelo menos o que Althea pensava ser afeto.

Balançou a cabeça. Talvez não soubesse muito sobre a vida, mas sabia que o que havia entre as duas era real. Assim como sempre soube que o afeto de Diedrich não era.

Pelo menos, Hannah lhe dera aquilo.

Althea secou o rosto e se forçou a ficar de pé. Devia haver uma forma de embarcar em um navio e retornar antes do tempo; não podia imaginar uma razão para qualquer nazista impedi-la de partir. Tinham encerrado definitivamente seus assuntos com ela.

Althea atravessou o quarto em direção ao armário, tirou a mala e a jogou na cama. Foi só então que percebeu que ainda estava segurando *Alice*.

Era um volume fino, leve. Ela o olhou por um longo tempo, dividida. Então deixou o livro de lado e começou, com mais velocidade do que graça, a arrumar o minúsculo apartamento que chamara de lar nos últimos meses.

NO CAMINHO para a estação de trem que a levaria ao porto de Rostock, Althea fez um desvio em direção ao apartamento de Hannah.

Não se atreveu a tocar a campainha. Sabia que não seria bem-vinda.

Em vez disso, apenas deixou o exemplar de *Alice* que havia embrulhado e endereçado a Hannah na pequena mesa na entrada. Talvez ela o recebesse, talvez não.

Na primeira página, Althea escrevera uma última mensagem nas próprias palavras de Alice.

> *Sei quem eu era quando me levantei hoje de manhã, mas acho que devo ter mudado várias vezes desde então.*

Abaixo da citação, Althea escrevera um *Obrigada*, esperando que Hannah entendesse.

Nova York
Julho de 1944

Viv acordou na manhã do evento com um estômago de aço e mãos firmes. Estava esboçando, planejando e elaborando aquele dia havia tanto tempo que quase parecia que tudo aquilo não estava acontecendo de verdade.

Mas estava. Viv era Wellington, e o evento — finalmente — era seu Waterloo.

Vestiu-se meticulosamente com um terninho cinza impecável, com saia lápis e uma blusa branca. Subiu as meias pelas quais desembolsara obscenos 22 dólares porque seu último e precioso par rasgara e, em seguida, pintou os lábios de um belo vermelho que só podia interpretar como uma armadura.

Viv estava prestes a sair do quarto, já com a mão na maçaneta, mas se deteve, deu meia-volta e fitou a janela com vista para a avenida.

Em poucos passos rápidos, atravessou o cômodo e abriu o vidro.

Dê um rugido, dissera Edward.

Com toda a força que tinha, Viv jogou a cabeça para trás e berrou para o céu da manhã.

Cada dúvida, cada medo, cada dor e retalho de alegria dos últimos três meses se sobrepuseram em sua voz, em seu grito primitivo. Ela rugiu por Edward lendo *Oliver Twist*, por Althea nos penhascos, por Hannah Brecht perdida entre suas estantes. Por Charlotte empunhando sua espátula e por Charlotte chorando no metrô. Rugiu por Geórgia naquele clube no Harlem, por Bernice no Dia D e por aqueles jovens do Brooklyn que só queriam jogar beisebol. Então rugiu por quem tinha sido seis meses antes, um ano antes, sem nenhum objetivo além de vender títulos de guerra para seus amigos ricos.

Quando se calou, um homem na rua gritou "Cale a boca", porque em Nova York isso era tão inevitável quanto respirar. Viv riu, mostrou o dedo do meio e fechou a janela. Poderia realizar qualquer coisa que se propusesse a fazer. Aquilo tinha que ser verdade; ela ouvira a frase de seu amigo mais querido: Edward.

Charlotte a enxotou com um abraço depois de um farto café da manhã com panquecas e elogios efusivos que dispensaram os beliscões nas maçãs do rosto para um toque de cor.

Viv não se deu ao trabalho de pegar uma edição da EFA para ler na viagem de metrô. Não era dia para se distrair. Aproveitou a viagem para reler a lista de tarefas, verificando se não havia negligenciado alguma coisa.

Bernice e Edith a cumprimentaram no saguão do Times Hall, ambas com sorrisos determinados de soldados de infantaria prontos para receber ordens. Incapaz de negar a onda de emoção advinda da demonstração de apoio das duas, Viv as puxou para um abraço. Depois, porque seria uma tolice recusar ajuda naquele dia, ela lhes passou algumas tarefas.

Os repórteres começariam a chegar dali a uma hora, mas Viv tinha a sensação de que o senador Robert Taft já havia chegado.

A suspeita foi confirmada quando avistou Howard Danes encostado na parede, na saída do escritório de Stern.

Quando ele a viu, ergueu bem as mãos, em rendição, encenando uma inocência exagerada.

— Não precisa chamar a polícia por minha causa, senhorita. Fui convidado, juro.

Sua voz tinha o mesmo humor irreverente da noite que ele a esperara sair do trabalho, arrepiando a pele de Viv assim como ficara arrepiada na rua escura.

— Não me faça pegar meu alfinete de chapéu — ameaçou, passando por ele sem esperar uma resposta.

A risada do sujeito a seguiu até o escritório do sr. Stern.

Taft estava de pé ao lado da mesa, os dedos grossos apoiados firmemente nos ombros de Stern. Viv percebeu que estava interrompendo algum discurso sobre o pôster de propaganda pendurado na parede. O cartaz que proclamava livros como armas naquela guerra.

Ambos olharam quando ela pigarreou. Taft a examinou da cabeça aos pés, desencadeando um calafrio desagradável em sua espinha.

— O meu café é com leite. — pediu Taft, com aquele sotaque bonachão que Viv sabia que desaparecia quando alguém ousava enfurecê-lo.

Viv mordeu a língua para não retrucar e arruinar o dia antes mesmo de começar. Com toda a paciência que pôde reunir, respondeu calmamente:

— Temos um serviço de café montado no saguão. Com certeza alguém poderá lhe mostrar onde fica.

O sr. Stern disfarçou uma risada com uma tosse e se pôs a reapresentá-los.

— Senador, tenho certeza de que se lembra da sra. Childs, nossa diretora de publicidade. — Ninguém mencionou a emboscada no restaurante. — Ela foi fundamental na organização do evento de hoje — continuou o sr. Stern.

— Sra. Childs.

Taft repetiu o sobrenome com o mesmo desdém com que teria dito *Hitler*.

— Senador Taft. Espero que este programa seja... educativo... para você — disse Viv, com sua voz mais doce. — Agradecemos muito por sua presença para poder ver, de fato, o quanto a EFA significa para nossos soldados no exterior. — Viv fez uma pausa. — É com isso que o senhor está mais preocupado, é claro.

— Há muitas maneiras de ajudar os soldados — disse Taft, puxando as lapelas do paletó. — Talvez a senhora já tenha ouvido falar da Lei G.I., que apadrinhei, destinada a ajudá-los a continuarem os estudos depois que os trouxermos de volta para casa.

— Ouvi — respondeu Viv, entre dentes. — Não é lindo como as iniciativas funcionam bem em conjunto?

Taft estreitou os olhos como se estivesse prestes a entrar de vez naquele debate, mas Stern tossiu mais uma vez para quebrar a tensão e disse:

— Todos saem ganhando.

— De fato — admitiu Viv.

Sabia que Stern queria dar ao senador uma saída graciosa, então o anjo em seu ombro a fez concordar. Já o diabinho no outro ombro queria que ela pisoteasse verbalmente o homem que se tornara seu inimigo.

Sem se preocupar em concordar, Taft inclinou o corpo e chamou pela porta aberta:

— Danes. Café.

Viv quase sorriu para a imagem do homenzinho sarcástico tendo que executar uma tarefa que pensava ser destinada a uma mulher. Quando ela olhou para o sr. Stern, ele assentiu uma vez.

Viv entendeu a mensagem de que ele a estava deixando escapar dali. Como não tinha interesse em perder mais tempo com aquele senador presunçoso e arrogante, aproveitou a deixa e saiu.

Tirando aquele homem odioso da cabeça, pelo menos temporariamente, dirigiu-se para uma das laterais do teatro principal, onde a imprensa começava a se aglomerar.

Entre os ternos e cabeças quase idênticos, estava Leo Aston. Viv abriu caminho pela pequena multidão, cumprimentando os repórteres que conhecia e agradecendo aos que não conhecia por estarem lá.

— Taft é um político desprezível e egoísta, e hoje ele vai mostrar as cartas — prometeu Leo, assim que ela se aproximou. — Tem gente demais de olho neste evento para ele não cometer nenhum deslize. Se conseguirmos uma frase comprometedora, você terá seu apoio público em pouco tempo.

— Mas ele é esperto — disse Viv, brincando com o colar de pérolas que fechara tão cuidadosamente em volta do pescoço naquela manhã.

— *Ah.* — Leo torceu o nariz. — Ele é arrogante e não muito benquisto fora da gangue do Capitólio. As pessoas vão procurar uma razão para se distanciarem dele, desde que tenham cobertura política para tal. Isto aqui... — Ele gesticulou para os assentos sendo ocupados aos poucos, povoados de legisladores e literatos, algumas figuras públicas notáveis e, mais importante, os doadores políticos mais ricos da cidade. — Isto é cobertura política. Parabéns, garota.

Desamassando a saia bem passada com a mão trêmula, Viv assentiu.

— Fique de olho, sim?

— Sempre — prometeu Leo, apertando o ombro de Viv para em seguida se misturar de volta à multidão de jornalistas.

Viv atravessou os corredores, examinando os participantes, o orgulho e o carinho aplacando seus nervos em medidas iguais. Leo não estava exagerando quando mencionou a multidão. Não era apenas a mídia que comparecera em peso. Estavam entre os presentes: uma dúzia de mulheres que Viv reconheceu serem bibliotecárias voluntárias; Harrison Gardiner e um grupo de outros escritores brilhantes acompanhados por seus editores mais velhos; o idoso do Centro Judaico onde Hannah Brecht trabalhava e diversas pessoas que Viv adivinhou serem colegas dela, além de Hale e pelo menos vinte outros homens que ela sabia serem políticos. Viv lançou para Hale um sorriso agradecido que ele logo retribuiu.

Betty Smith socializava perto do palco, os cabelos escuros para trás, presos em um penteado sério. Viv já a encontrara algumas vezes, mas a cada novo encontro se surpreendia com seu magnetismo. A fama conquistada por *Uma árvore cresce no Brooklyn* lhe garantira atenção, mas seu comportamento atencioso é que a manteria.

Betty assentiu uma vez ao olhar nos olhos de Viv, e a aprovação em seu semblante fez algo quente florescer em seu peito.

Viv lembrou daquela tarde embriagada em maio, quando Harrison bateu com o dedo na bancada do bar.

Se isto fosse um livro, sabe em que ponto estaríamos agora? (...) É o momento do "tudo está perdido".

Agora, tinham seu espetáculo. Tinham seu exército.

Viv só precisava confiar que aquilo bastaria para invocar um final feliz.

Paris
Março de 1937

Era como se os pulmões de Hannah tivessem se encolhido, o ar desaparecendo em uma expiração trêmula.

— Otto.

Dev observou Hannah com as mãos erguidas, como se estivesse se preparando para segurá-la caso caísse, como se ela não tivesse sido a responsável pelo empurrão.

Por um momento assombroso, Hannah se viu usando a pistola. Viu o sangue que se espalharia de uma ferida aberta no peito de Dev, viu seus dedos tocarem a carne rasgada como se pudessem costurar os pedaços de volta. Aquela compreensão final que passaria pelo rosto de Dev antes de cair, sem vida, no chão.

Hannah largou a pistola. A arma bateu no concreto, emitindo um som alto e inesperado que fez Dev se esquivar.

— Você faria isso de novo? — indagou Hannah, ouvindo a pergunta por um túnel sem fim, suas palavras baixas e arrastadas. — Sabendo as consequências?

— Sem pensar duas vezes.

A resposta não surpreendeu, nem Hannah achava que ainda poderia ser surpreendida, mas precisava ouvi-la.

Balançando a cabeça, ela se levantou, forçando as próprias pernas a obedecerem, e cambaleou até a saída do terraço do hotel.

— Hannah — chamou Dev, sua voz refletindo pena. — Não foi culpa de Otto. Se precisa culpar alguém, que seja eu.

Hannah não parou, não hesitou, não implorou por mais detalhes para saber como o amigo mais amado a traíra.

Anos antes, quando Althea a fitou com olhos lacrimejantes e culpados naquela calçada de Berlim, Hannah pensou ter perdido cada resquício que ainda lhe restava de inocência.

No entanto, como Dev observara, Hannah confiava tanto em Otto, uma confiança tão natural, tão arraigada, que jamais cogitaria a hipótese de uma traição dele. Seria como cogitar que sua própria mão cravaria uma faca em seu coração.

Paris parecia se fechar à sua volta, sufocante e barulhenta, mesmo sendo uma manhã tranquila de domingo. Hannah sabia que estava avançando, dobrando as esquinas certas, evitando os carros e as bicicletas no caminho, mas não se sentia ancorada ao corpo.

Sem saber quanto tempo depois, se viu diante da porta de Otto. A madeira zombava de sua incapacidade de levantar o punho e bater. O sol queimava sua nuca, de modo que o suor escorria pelas costas até se acumular na lombar. As pernas tremiam com o peso de ficar parada tanto tempo.

Por fim, a maçaneta virou, e a porta se abriu. Ali estava Otto, com os hematomas sob os olhos, a magreza do rosto, as linhas de expressão profundas ao redor da boca fazendo muito mais sentido.

Otto não fora o mesmo depois que deixaram a Alemanha. A bebida, a distância, o choro, a briga com os nazistas, a maldita arma. Como ela não percebeu?

Ele ainda tinha dívidas que não conseguia pagar? Provavelmente. Aquele tipo de comportamento não desaparecia da noite para o dia.

Otto a olhava, atento. Então assentiu uma vez.

— Você sabe.

Sem esperar resposta, ele se virou, deixando a porta aberta. Vacilando, Otto percorreu o corredor escuro até a cozinha de seu pequeno apartamento. Havia um banquinho na janela onde Hannah sempre adorou se recolher para tomar um chá e observar os pássaros entrarem e saírem do jardim pequeno, mas exuberante, que ficava nos fundos.

Sobre a mesa em frente ao assento da janela, estava uma garrafa de bebida alcoólica praticamente vazia. Otto se atirou nas almofadas, o corpo espalhado e preguiçoso. Mas a posição casual de suas pernas desmentia uma tensão que Hannah podia ver muito bem em seu rosto.

Enquanto se sentava, ele deu um jeito de pegar a bebida. Tomando um gole diretamente da garrafa, Otto a fitou com a indiferença indolente de um jovem cansado do mundo.

Era só fachada, é claro, mas aumentou ainda mais sua vontade de estapeá-lo. Quando Hannah não aguentou mais olhar para ele, resolveu ir até a pia, que tinha uma janela logo acima, com vista para rosas que ainda não estavam desabrochando.

Hannah deixou o silêncio se prolongar entre os dois, rememorando cada lembrança que possuía com o melhor amigo. Correndo por campos de flores quando crianças, pescando no riacho atrás da casa de campo de seus pais, praticando beijos e depois percebendo que nenhum dos dois estava muito interessado naquilo, fugindo nos dias quentes de verão para devorar livros sob as árvores, compartilhando segredos, até os mais secretos. Depois a universidade em Berlim, os clubes noturnos e uma liberdade que ambos só sonhavam em ter quando eram pequenos. Hannah assistindo às peças de Otto, que lhe fazia companhia nas leituras em livrarias. Noites de bebedeira e manhãs de dores de cabeças.

Depois os nazistas, Adam e Althea, e o mundo todo desmoronando. Construir uma vida nova em uma cidade estrangeira que só parecia um lar quando estava na companha de Otto.

Hannah queria perguntar por que, mas não conseguiu obrigar seus lábios a mexerem.

De qualquer forma, Otto falou primeiro. Ele sempre o fazia.

— Vai dizer alguma coisa? — gritou, finalmente, levantando-se daquele jeito dramático inerente a cada pedaço dele.

Seu olhar estava perturbado, os dedos apertando com força a garrafa enfim vazia. Hannah se perguntou se Otto queria jogar o vidro na parede apenas para ver algo além de ele mesmo quebrar.

— Quanto? — perguntou Hannah, sabendo que a delicadeza de suas palavras resultaria em um corte ainda mais profundo. — Quanto valeu a vida do meu irmão?

Um som eviscerado e brutal deixou o peito de Otto.

— Importa?

Hannah fechou os olhos ante as intermináveis ondas de dor.

— Sim.

— Dez mil — confessou ele, em um sussurro.

— Ah, Otto.

Hannah não conseguiu reprimir um pouco de empatia. Seu amado, seu tudo. Ele devia estar tão assustado, tão desesperado.

Mas Adam também estava assustado. E desesperado. Sentado diante dela naquela prisão nazista, o rosto quebrado e inchado, quase irreconhecível.

— Por que você não... — Hannah forçou a pergunta a sair de uma garganta apertada de tristeza — Por que não disse alguma coisa?

— O que teria mudado? — questionou ele, o frenesi em seu rosto reverberando no tom de voz.

Ele estava no limite, quase trêmulo, tenso como a corda de um arco pronto para disparar, bêbado e culpado, mas tentando fingir que não estava nenhuma das duas coisas.

— Talvez nada — concedeu Hannah.

Ela se virou e se recostou na pia, cruzando os braços.

Otto desviou o olhar, sua mandíbula tensa.

— O que você quer que eu diga?

Hannah gargalhou. O que queria que ele dissesse? *Desculpe* seria um começo, mas não parecia ser uma opção. Além disso, o que havia para oferecer? Não precisava das desculpas ou das explicações dele. Hannah sabia por que Otto não contara que a traição viera dele em vez de Althea — teria sido difícil e Otto nunca gostou de fazer coisas difíceis. Talvez ele até tivesse se convencido de que não havia sido apenas ele quem deixou o segredo escapar.

Assim como Hannah, Otto vira a culpa no rosto de Althea. Talvez ele tivesse contado a si mesmo uma bela história de que vendera uma informação supérflua.

E talvez ele acreditasse mesmo que não mudaria nada. Hannah não tinha contado ao amigo sobre as cartas de Althea, sobre como ela continuou escrevendo por anos após o breve relacionamento. E se Hannah tivesse conseguido abrir pelo menos uma daquelas mensagens?

O que teria mudado?

Só que nada daquilo importava. No fim das contas, Otto escolhera o que era fácil em vez do que era certo. E Hannah testemunhara toda a Alemanha fazer a mesma escolha por muitas, infinitas, vezes. Talvez houvesse inúmeros outros que fariam a mesma coisa. Mas ela percebeu que não tinha mais tolerância para esse tipo de pessoa.

Se Otto só estivesse bêbado e tivesse sido descuidado com o segredo, talvez houvesse uma forma de perdoá-lo. Mas ele tomara aquela decisão cruel; calculara quanto valia a vida de Adam e fizera a escolha mais egoísta possível.

— Quero que você se despeça — declarou Hannah, com a mesma gentileza com que dissera todo o resto.

Visto como Otto retorceu o rosto e, em seguida, o resto do corpo, foi como se ela tivesse lhe cortado o pescoço. No chão, ele abraçou a garrafa como se lhe oferecesse algum tipo de consolo e chorou, as lágrimas fazendo dele um homem feio pela primeira vez na vida.

— Hannah! — pranteou. — Não faça isso.

Ela atravessou o cômodo, se ajoelhou diante do antigo amigo, e embalou seu rosto entre as mãos. Otto se aconchegou nela como uma criança em busca de conforto. Hannah passou um polegar sob os olhos dele para secar as lágrimas, se inclinou e beijou sua testa. Então se sentou sobre os calcanhares e o fez olhá-la nos olhos.

— Você não pediu meu perdão. De qualquer forma, eu lhe darei. Mas nunca mais quero ver você.

Otto só conseguiu soltar um lamento irregular. Hannah esperou, dando mais uma chance, mas não era Otto que via ali, e sim Althea, se desculpando por algo que não fez. Pedindo desculpas por magoar Hannah, mesmo que fosse inocente do crime. O contraste recolheu os pedaços da alma de Hannah e os costurou.

Nem todos se colocavam sempre em primeiro lugar.

Otto não disse nada. Hannah abriu um sorriso triste, se levantou e caminhou em direção ao corredor.

— Ele ia morrer de qualquer jeito! — lembrou Otto, no mesmo tom de voz com o qual a cumprimentou: jovem, impetuoso, defensivo.

Mais uma vez, Hannah sentiu uma vontade imensa de esbofeteá-lo, mas se conteve.

Ela se virou para observar o caco que era aquele homem.

— Eu me culpei.

Ele choramingou, mas não disse nada.

— Por ter contado a Althea onde Adam estava — continuou Hannah, caso Otto não tivesse entendido a implicação. — Nunca tive tanta raiva dela como de mim mesma. E você me deixou conviver com isso por anos.

Ele moveu a boca, mas nenhum som saiu.

— Todo dia em que você acordou e escolheu não me contar teria sido um dia para eu me odiar um pouco menos — prosseguiu Hannah, não mais interessada em se conter. — Todos os dias você acordava e escolhia a si mesmo em vez de mim. A vida é feita dessas escolhas, você é feito dessas escolhas.

Otto se encolheu ainda mais.

— Agora você pode me odiar, em vez de si mesma.

— Você já faz isso o suficiente por nós dois — retrucou Hannah, descendo os olhos para a garrafa. — Adeus, Otto.

Daquela vez, quando se virou para sair, foi definitivo.

Hannah não se permitiu pensar, não deixou a mente vagar, se preocupar ou ficar obcecada; apenas seguiu o trajeto familiar para casa, aquele que percorrera inúmeras vezes com e sem Otto.

Sem perceber, se viu de volta ao apartamento, sentada no chão e encostada na parede, embalando no colo a caixa de cartas que nunca abrira, o exemplar de *Alice no País das Maravilhas* no topo de tudo.

Em movimentos metódicos, Hannah abriu cada envelope e leu cada carta. Esperava acusações, desculpas, talvez apelos. Em vez disso, o que leu foi uma história — o segundo romance de Althea.

Quando chegou ao último envelope, o mais pesado, com uma anotação dizendo *Não seja teimosa* do lado de fora, encontrou um visto para os Estados Unidos, uma passagem de navio sem data e um último pedaço de papel.

Nele, havia uma dedicatória, que Hannah sabia com certeza que nunca chegaria à versão final do livro.

Ela chorou enquanto a lia.

Para Hannah, por ser a heroína que toda história gostaria de ter.

Nova York
Julho de 1944

Viv temia que Althea James desmaiasse em cima dela. A mulher estava pálida demais, com a boca cerrada, os dedos cruzados com tanta força que estavam brancos.

— Respire — sussurrou Viv, conduzindo a escritora para os bastidores, onde os atores teriam esperado por suas deixas quando o teatro estava em funcionamento. O local ocultava de Althea o público esmagador para o qual ela precisaria discursar. — Já me disseram que é útil imaginar todos eles só com as roupas de baixo.

Quando os olhos de Althea foram direto para os dela, Viv só conseguiu se lembrar de um cavalo assustado.

— Na verdade, não, de forma alguma, não me dê ouvidos — pediu Viv, avistando Bernice Westwood no salão.

Quando chamou a secretária, Viv distinguiu o leve pânico na própria voz.

— Bernice, pode ficar com a srta. James? Só por alguns minutos?

A pior coisa a fazer no momento seria fritar em silêncio cheia de preocupação. Bernice cuidaria daquilo.

— Claro, meu bem.

Bernice se apoiou no braço do sofá azul onde Althea estava sentada e começou a desempenhar seu papel perfeitamente.

— Não vai acreditar no que ouvi sobre dois editores da *Publishers Weekly*. Acabaram de descobrir que têm a mesma amante...

Viv sorriu e saiu da sala para caçar Hannah Brecht, apagando vários pequenos incêndios no caminho.

Enquanto Althea parecia à beira de um colapso, Hannah estava totalmente serena. A bibliotecária estava na lateral do palco, observando a agitação com um semblante vagamente bem-humorado. Hannah chegara tão cedo que Viv a deixara em seu escritório e lhe entregara um exemplar de *O grande Gatsby*, de Fitzgerald — EFA que Edith precisou brigar para incluir no programa por causa das vendas inexpressivas.

Porém, quando o público começou a entrar, Hannah fora instigada pelo burburinho.

Viv fez uma pausa e a observou por um segundo. A mulher usava um vestido envelope que lhe caía muito bem, em um tom de verde que ela notou realçar a cor quente de seus olhos, e que contrastava bem com os cachos escuros que a bibliotecária deixava cair em cascatas na altura dos ombros. As luzes do palco a mantinham metade na sombra e metade exposta, e Viv pensou que talvez fosse assim que Hannah levava a vida. À luz e à sombra, as duas coisas, se doando, mas também se guardando.

— Está nervosa? — perguntou Viv, ao se aproximar.

Hannah não tirou os olhos da plateia.

— Não é bem a palavra certa — respondeu, com um tom que soava quase bem-humorado, embora não fosse.

— Humm — murmurou Viv.

Ainda não tinha se acostumado com a reserva de Hannah, com sua maneira de assistir ao mundo como espectadora, não como jogadora. A postura desestabilizava Viv, que nunca aprendera a não se importar demais, e a deixava toda atrapalhada quando se tratava de conversas fiadas, coisa que a bibliotecária não parecia precisar.

— Você não disse que a srta. James estaria presente? — perguntou Hannah, enfim olhando para ela.

Viv olhou para o relógio estreito que estava usando especialmente para aquele dia.

— Sim, na verdade vou esperar para buscá-la até que a maioria dos outros oradores tenha ido embora. Ela parecia... nervosa.

Os cantos da boca de Hannah se contraíram, mas ela simplesmente cruzou os braços, observando Stern subir ao palco para apresentar o primeiro convidado, um homem que perdera as pernas na primavera e conseguira se entreter no hospital graças aos livros da EFA.

Viv não se limitou a Hannah e Althea ao organizar o evento: recrutara bibliotecários que trabalhavam como leitores voluntários para o conselho, um parente de um soldado cuja última carta fora sobre um livro da EFA, o soldado que descobrira os livros em um hospital na Itália, um correspondente de guerra que trabalhara alocado com homens no Pacífico. Se Taft resistisse ao bombardeio, provaria ser um homem ainda mais cético do que ela imaginava.

Mas quem importava eram eleitores dele, e Viv estava bastante certa de que seus compatriotas americanos seriam conquistados.

Quando a vez de Hannah falar estava chegando, Viv saiu em busca de Edith nas proximidades.

— Vou buscar a srta. James. Pode chamar a srta. Brecht na hora dela?

— Claro — garantiu Edith, estendendo a mão para puxar Hannah para mais perto.

Hannah hesitou, olhando brevemente para Viv como se quisesse dizer alguma coisa, então abriu seu sorriso contido característico e se voltou para Edith.

Viv parou e ponderou se Hannah precisava ser tranquilizada antes de enfrentar a multidão, mas, depois de um debate interno, decidiu acreditar na palavra dela e ir até a sala de espera.

Os olhos de Althea ainda estavam arregalados quando Viv entrou, mas ela teve a impressão de ser mais pelas fofocas de Bernice do que por medo.

— Pronta? — perguntou a editora, depois que Bernice lhe lançou uma breve piscadela.

Althea estava com uma blusa impecavelmente branca e uma saia xadrez vermelha que poderia ter caído melhor em uma mulher mais alta. Apesar disso, projetava uma aura séria da qual Viv sabia que o público gostaria.

— Ainda temos mais uma pessoa na sua frente, mas pensei que gostaria de assistir — informou Viv, reprimindo o desejo de abraçar

Althea. No entanto, mesmo depois da proximidade dos últimos dias, Viv não esquecera como a mulher lhe batera a porta na cara não muito tempo antes. Reconhecer o nervosismo de Althea poderia não ser bem-vindo ou apreciado.

— Quem é? — perguntou Althea, em um tom que dava a impressão de não se importar, apenas querer se concentrar em algo diferente que o próprio discurso.

— Uma mulher que conheci aqui em Nova York — disse Viv, enquanto iam até a lateral do palco.

Hannah estava esperando ao lado de Edith quando o sr. Stern a apresentou:

— Ela trabalha no Centro Judaico do Brooklyn, que tem uma biblioteca dedicada aos livros proibidos pelos nazistas. Antes disso, trabalhou em uma biblioteca semelhante em Paris.

Ao lado de Viv, Althea congelou, os olhos fixos na silhueta da bibliotecária.

— Hannah.

Foi apenas um suspiro, na verdade, engolido pelos aplausos da multidão enquanto a mulher subia ao palco.

— Sim — disse Viv, olhando de uma para a outra.

Por incrível que parecesse, Althea empalideceu ainda mais e seu queixo começou a tremer como se estivesse tentando não chorar.

— Ela mencionou que conheceu você.

Althea fechou os olhos e deu uma risada.

— Isso faz muito tempo.

Nova York
Julho de 1944

Embora Althea não visse Hannah Brecht havia mais de uma década, reconheceu a bibliotecária apenas pela silhueta, pela postura, por como ela mantinha a cabeça erguida, pelo caimento dos cabelos e o balanço dos quadris ao caminhar.

Althea só queria ceder às pernas bambas e desabar no chão. Hannah Brecht, nos Estados Unidos. Não só nos Estados Unidos, mas na cidade de Nova York, a poucos metros de distância dela.

Hannah Brecht *viva*, e não enterrada em alguma vala coletiva.

Nunca descobrira se Hannah sobrevivera depois que os nazistas marcharam para Paris. Até aquele momento, mantivera a esperança, afirmara a si mesma que a alemã teimosa abrira sua última carta. Mas a guerra era concebida para aniquilar qualquer resquício de esperança. Ter esperança parecia pior do que uma tolice — parecia ser perigoso.

Sua audição retornou quando Hannah cumprimentou o público, o microfone captando a aridez em sua voz, um tom que falava de muitas vidas vividas, de muitos horrores vistos e sobrevividos, de pessoas e discursos muito mais importantes do que o que estava prestes a dar.

Vivian Childs observava Althea, não Hannah, com os olhos apertados de preocupação. A escritora piscou para ela algumas vezes, sem saber o que dizer para tranquilizá-la.

— Ela sabia que eu estaria aqui?

— Sim — confirmou Viv, baixinho, com um olhar gentil que não lhe era característico.

Althea não podia dizer que a conhecia bem, mas passara tempo o bastante com Viv para entender como ela pensava. Viv era jovem, vibrante e apaixonada de uma forma que Althea nunca se lembrava de ter sido. Tão certa de que o mundo poderia ser bom, mesmo sabendo como poderia ser mau.

Depois de apenas uma longa noite lendo as cartas dos soldados, Althea se sentia eviscerada, rasgada e ensanguentada. Mas Vivian precisava fazer aquilo todos os dias e ainda se esforçava para tentar consertar as injustiças que via.

Althea se sentia um tanto constrangida tendo que confrontar a maneira como Vivian encarava a vida. O que Althea fizera senão se esconder e lamber as feridas por mais de uma década? Se fosse qualquer outra pessoa batendo à sua porta, Althea a teria mantido fechada. Mas, quando olhou para Vivian, enxergou o que gostaria de ter sido quando era mais jovem.

Althea James sempre quis ser uma versão diferente de si mesma.

Duvidava que Vivian Childs já tivesse tido uma vontade desse tipo.

Estar perto de Viv fazia Althea voltar a acreditar que poderia mudar o mundo só porque queria.

Mas se Althea soubesse que Hannah estaria no evento...

O quê? Ela não conseguiu terminar o pensamento. Será que teria ido? Ou teria ficado paralisada como nos últimos dez anos? Pelo medo e pela culpa, mas também pela raiva? Porque havia raiva, não podia negar. A raiva ardia em seu peito como uma chama infinita para lembrá-la, a cada momento, de como Hannah se voltara para ela com os olhos feridos, tão pronta para culpá-la, tão pronta para acreditar que Althea poderia traí-la.

A guerra sabia tornar mágoas antigas em ressentimentos irrelevantes, mas, ao ver Hannah, aquela mágoa voltou à vida.

Mas nada daquilo importava, porque Hannah estava falando.

— Poucas pessoas viram seu país morrer — disse Hannah, sua voz lírica ainda mais cativante pela suavidade.

Althea se viu envolvida e imaginou que não estava sendo diferente para o resto do público.

— Tive esse privilégio duvidoso, e posso dizer que tudo começa com um sussurro sorrateiro, não com um grito rebelde. As rachaduras se infiltram, mais insidiosas do que qualquer coisa que eu já tenha visto. Podem começar com rumores de que a imprensa não é confiável e rumores de que inimigos políticos ameaçarão sua família, seus filhos. Podem se aprofundar a cada observação desdenhosa sobre ciência, arte e literatura em um pub numa noite de sexta-feira. Podem estar envoltas em patriotismo e amor ao país, e usar isso como armadura contra qualquer crítica.

"Quando escuto as pessoas falarem da Alemanha hoje em dia, meu coração fica aos pedaços. Muitos não se lembram de que alguns dos maiores pensadores e artistas do nosso tempo nasceram no meu país. Einstein, Schrödinger, Mann, Arendt, a lista é interminável. Apesar do que os cartazes de propaganda podem fazer alguém acreditar, esses exilados representam a Alemanha que conheço muito melhor do que o louco que hoje está no comando. Cresci em um lugar que valorizava o intelecto, a razão e o discurso civil, em um país que reverenciava livros. Cresci na terra de *Contos de fadas dos irmãos Grimm* e dos épicos de *Goethe*. Cresci em uma democracia, por mais incipiente que pudesse ter sido, que abria espaço para ideias radicais e discussões desconfortáveis, que encorajava o pensamento crítico e a liberdade de expressão.

"Quando conto sobre as queimas de livros de 1933 em Berlim, muitos ficam chocados ao saber que foram estudantes que as lideraram, que foram eles que acenderam as piras e levaram os livros às chamas."

Althea fechou os olhos, lembrando da chuva leve, dos romances empilhados até o alto nos carrinhos de mão, do rosto distorcido de Diedrich quando o confrontou.

— Como uma coisa dessas foi acontecer? Aqueles estudantes apreciavam livros, assim como muitos alemães que queimaram as próprias coleções em todo o país depois daquela noite apreciavam seus livros. Mas eles amavam mais suas crenças. E esse tipo de amor apodrece uma pessoa por dentro. Apodrece um país por dentro.

Hannah não tinha nenhuma dificuldade em sustentar a atenção da plateia, como se pudesse manipulá-la com fios invisíveis.

— Algumas noites, fico acordada me perguntando quando foi que perdemos a Alemanha que eu conhecia. Alguns podem apontar para a invasão da Polônia, o ato oficial de guerra. Alguns podem olhar para o *Anschluss*, a anexação da Áustria, da mesma maneira. Há um milhão desses momentos. A Noite dos Cristais, *Kristallnacht*, ou a Noite das Facas Longas, os boicotes aos judeus, as leis raciais, a abertura dos campos de concentração, o tratado de novembro que trouxe tanta amargura. Às vezes, no entanto, penso que foi no breve instante antes de encharcarem os livros de gasolina. O instante em que o país mais instruído do mundo, alegremente e de todo o coração, escolheu virar as costas para o conhecimento.

Hannah olhou para baixo — não para suas anotações, mas como se estivesse juntando forças.

— Fui convidada para falar aqui, hoje, porque uma jovem brilhante e apaixonada acreditou que eu tinha algo importante a dizer sobre os perigos da censura governamental. Talvez eu tenha. Posso lhes dizer que há pessoas por aí desejando que o mundo só pense como elas pensam. De fato, muito antes de Hitler ter o poder para incitar a queima de livros em todo o país, ele escreveu em *Minha luta* que um leitor inteligente deveria tirar dos livros apenas as ideias que sustentam suas próprias crenças e descartar o resto como inútil.

Ela enfatizou a última frase de uma forma que fez parecer ser uma citação direta.

— Posso afirmar que proibir livros, queimar livros, embargar livros é um método muito usado para apagar um povo, um sistema de crenças, uma cultura. De dizer que essas vozes não pertencem, mesmo quando esses autores representam o melhor de um país.

"Posso lhes dizer muitas coisas sobre homens que anseiam pelo poder e usam o medo e o pânico incitado por certas ideias para conseguir o que querem. Assim como Goebbels e Hitler fizeram naquela noite de maio, quando convenceram um país de que incendiar palavras de que você não gosta ou com as quais não concorda farão do *seu* lado o lado certo. Mas eu acho, antes de qualquer coisa, que eu deveria falar sobre a morte que testemunhei. Da forma como a democracia alemã sucumbiu em cinzas sob o peso de si mesma.

"Estou aqui para alertar como é fácil deixar que o combustível se derrame nessas páginas. Depois que a faísca pega, depois que o fogo é aceso e as chamas começam a consumir tudo o que você preza, não há nada no mundo capaz de apagar o incêndio.

"Não podemos conter os indivíduos que leem com o único propósito de confirmar as próprias crenças já arraigadas. — Ela enunciou cada uma daquelas palavras batendo com o punho delicado no púlpito. — Mas podemos deter os ditadores, os tiranos, os valentões que tentam impor esse método aos outros. Isso pode parecer insignificante agora, aqui, nesta sala, falando de uma única emenda a um projeto de lei elaborado com as melhores intenções. Posso lhes dizer, no entanto, que a história é construída a partir de momentos que parecem insignificantes. Não sabíamos, na noite da queima de livros, que o evento seria tão importante. Imaginamos alguns estudantes com alguns livros. Nem quando chegamos e vimos as pilhas e mais pilhas de romances e periódicos científicos, nos demos conta de tudo o que viria depois.

"Em 1928, meu pai, assim como o restante do meu país, zombava de Hitler. Eles o viam como uma piada, alguém fácil de controlar, alguém que se apagaria depois que todos ouvissem seus discursos enlouquecidos. Alguns anos depois, tivemos que fugir da Alemanha quando meu irmão foi arrastado para um campo de concentração, onde foi assassinado por suas crenças.

"A história é construída em momentos que parecem insignificantes — reforçou Hannah, e Althea ficou maravilhada com sua capacidade de proferir cada palavra como um soco. — Assim, a cada momento, vocês devem se perguntar: querem ser quem distribui as latas de gasolina? Ou os que tentam apagar o fogo?"

— Isso — sussurrou Viv, o público irrompendo em aplausos.

Althea riu, assolada e impressionada, os olhos marejados, a alma doendo, a mente de volta àquela praça no único momento de toda a sua vida em que fora corajosa. Se nunca mais fizesse algo certo na vida, sempre haveria aquela noite. Viv sorriu para ela com um leve sinal de frenesi.

— Certo. É a sua vez.

Althea apenas piscou.

— Você quer que eu entre depois disso?

Nova York
Julho de 1944

Viv se misturou de volta às sombras quando Hannah Brecht saiu do palco. Não que fizesse diferença: os olhos da bibliotecária estavam fixos em Althea.

A julgar pela reação de Althea, um pouco antes, Viv teve a impressão de que havia mais no fato de as duas terem se conhecido do que um *há muito tempo*. A intensidade com que se contemplavam confirmava essa impressão. Viv tinha a suspeita sorrateira de que, se estivessem sozinhas, já estariam enroscadas nos braços uma da outra.

— Você está aqui — sussurrou Althea.

— Por sua causa — respondeu Hannah, não tão trêmula, com a mão em volta do pulso de Althea, as duas mergulhadas em um mundo só delas.

Viv odiava ter que interromper o reencontro, mas o fato era que havia uma plateia esperando por Althea, e o show precisava continuar. Deu um passo à frente, para que percebessem sua presença, e dois pares de olhos se voltaram para ela com surpresa.

— Desculpe, mas...

Ela não completou a frase, inclinando a cabeça de volta para o palco, onde o sr. Stern esperava em um silêncio cheio de expectativa.

— Althea?

A escritora balançou a cabeça de leve, abriu a boca para dizer algo a Hannah, mas logo a fechou. Então sorriu para Viv.

— Vamos lá.

Hannah não se moveu até o último segundo, saindo do caminho de Althea, mas apenas o suficiente para que seus ombros tocassem quando ela passou.

Viv olhou para Hannah, erguendo as sobrancelhas. A bibliotecária sorriu e balançou a cabeça.

Por uma coisa Viv já podia agradecer: seja lá o que Althea sentira ao ver Hannah, pelo menos trouxera alguma cor ao seu rosto. Ela não parecia mais poder ser derrubada por um vento forte.

Do ângulo em que estava, Viv notou a inspiração tensa de Althea antes de começar, mas duvidava que o público tivesse notado. As pessoas estavam de pé, aplaudindo efusivamente, quase desequilibrando Viv.

Exatamente como ela queria.

Demorou alguns minutos para que todos retomassem seus assentos, mas Althea mal pareceu notar a comoção.

— Fiquei sabendo que meu livro estava nos bolsos dos soldados quando invadiram as praias da Normandia — começou, dissipando imediatamente o burburinho que se seguira aos aplausos. — Já li inúmeras cartas dos homens, de suas famílias, de seus líderes, que me garantem que meu livro os salvou. E talvez eu devesse falar sobre isso: sobre como a Edições das Forças Armadas muda vidas, entretém tropas agradecidas, essa coisa toda. — Ela fez uma pausa e respirou fundo. — Em vez disso, gostaria de lhes contar sobre os meses em que eu teria me juntado de bom grado aos nazistas.

Um murmúrio ruidoso atravessou a plateia.

— Fui convidada para visitar a Alemanha em 1932 por Joseph Goebbels, o homem que dirige a máquina de propaganda nazista, e devo acrescentar que de forma bastante eficaz. Na noite em que Hitler foi nomeado chanceler, marchei em celebração. Eu era ingênua. Achava que a política era sempre civilizada, achava que os líderes mundiais eram limitados por normas, que, por mais que pudesse haver e tivesse havido guerra, guerras eram travadas por homens racionais.

"Eu nunca me importara com política — continuou Althea, dando de ombros. — *Isso não me afeta*, eu dizia a mim mesma. E o que eu poderia fazer? Eu podia votar, mas por que votar se o mundo continuaria girando como sempre? Política era algo que acontecia *longe* da minha vida, um jogo jogado por homens com tempo demais nas mãos."

Alguns risos isolados encobriram o murmúrio ofendido que Viv identificou de alguns dos congressistas nas primeiras filas.

— Quando cheguei a Berlim, os nazistas usaram essa apatia contra mim. Contaram histórias convincentes sobre uma recuperação econômica, um retorno a uma Alemanha maior do que nunca, um movimento que nasceu do descontentamento dos jovens. Do outro lado daquela moeda, eles me deram um bicho-papão para temer: os comunistas. Diziam que os comunistas saíam pelas ruas matando gente. Na verdade, eram os criminosos nazistas que não tinham escrúpulos em fazer isso.

Ao lado de Viv, Hannah assentiu.

— Vocês podem se perguntar o que isso tem a ver com a EFA — prosseguiu Althea, com um sorriso um pouco autodepreciativo. — Comecei a prestar mais atenção à política na década em que meus olhos foram intensamente abertos na Alemanha. E minha opinião não mudou muito: ainda parecem ser pessoas jogando pôquer, beisebol ou futebol. Cada lado conta suas vitórias e derrotas sem levar em conta as vidas envolvidas, e isso quase sempre é razoável. As coisas balançam para a esquerda e para a direita, e no meio disso temos um semblante de um governo.

O discurso estava um pouco mais afiado do que Viv esperava, mas, como era Althea James falando, parecia que ninguém estava disposto a arriscar sair e deixar uma má impressão.

— Quase sempre é razoável — repetiu Althea. — Mas isso também pode cegar alguém para as ocasiões em que política não é só política. Os líderes mundiais passaram quase todos os anos antes de Hitler invadir a Polônia subestimando suas ações. Eles o trataram como se fosse qualquer outro político que jogaria conforme as regras do jogo, os acordos tácitos que impedem que milhões de cidadãos desapareçam em plena luz do dia. Acordos tácitos que impedem que os combatentes de rua do partido assassinem seus oponentes na praça da cidade. Acordos que impedem que países brutalizem seus vizinhos e massacrem seu próprio povo.

“A srta. Brecht lhes disse que estão sentados aqui em um momento que pode ser muito mais significativo do que parece.”

Viv notou um sorriso se esgueirar no rosto de Hannah.

— Como alguém que estava com ela naquela noite da queima de livros, sou obrigada a concordar.

Um burburinho percorreu a plateia em cascata, a surpresa e o prazer em ver que as histórias das duas oradoras se conectavam.

— Não sou mais aquela garota inocente de Owl’s Head, no Maine, cujas estrelas nos olhos a cegaram para as crueldades porque simplesmente não eram importantes o suficiente. Mesmo que seja o elefante na sala hoje, eu sei por que essa emenda existe, eu conheço a política por trás dela. O quarto mandato de Roosevelt é seu bicho-papão, senador Taft.

Viv apertou sua prancheta e comentou:

— Ela não é de meias palavras, é?

— Não — disse Hannah, parecendo estar se divertindo. — Aparentemente não.

— E o senhor quer que os números do seu lado do placar sejam maiores do que os dos seus adversários — continuou Althea, clara e resoluta. — Mas, se o senhor virar as costas para hoje, para cada testemunho sobre quanta alegria e alívio a Edições das Forças Armadas leva para nossos soldados no exterior, está apenas preso em uma quadra fazendo seu jogo enquanto o resto de nós vive no mundo real.

“Há coisas mais importantes neste mundo do que a política. Há coisas mais importantes neste mundo do que marcar uma vitória para o seu lado só para ter mais um ponto. Pode parecer uma reação melodramática exagerada para alguns de vocês, e talvez vocês zombem dessa ideia de que deveria haver tanto alvoroço por causa de livros. Muitas pessoas também se sentiam assim em maio de 1933. E eu lhes garanto, se aprendi alguma coisa no tempo que passei em Berlim, foi que um ataque aos livros, à racionalidade, ao conhecimento, não é uma tempestade em copo d’água, e sim um sinal de alerta.

“Há momentos na vida em que é preciso colocar o que está certo acima do partido em que vota. E, se os senhores não conseguem reconhecer os momentos em que os riscos são baixos, podem ter certeza de que não os reconhecerão quando forem altos. Obrigada.”

— Minha nossa — murmurou Viv.

Quando ela se virou procurando Hannah, encontrou o espaço ao lado vazio. Apesar de surpresa, não tinha tempo de ficar pensando naquilo. Althea estava bem ali, diante dela, e Viv não se segurou e atirou os braços em volta da mulher.

— Estou orgulhosa de você! — sussurrou, sem se importar que ela não desse a mínima para isso.

Althea deu um tapinha desajeitado nas costas de Viv.

— Espero não ter colocado você em apuros com o senador.

— Não importa — afirmou Viv, recuando um pouco. — Mesmo que os jornais publiquem apenas algumas de suas falas, ele parecerá mesquinho se continuar a insistir no assunto.

— E vai parecer um nazista do lado errado da História se publicarem as de Hannah — rebateu Althea, com os olhos escapulindo para um ponto atrás de Viv.

Mas Hannah não estava lá, nem em lugar algum dos bastidores. Os ombros de Althea se curvaram, mas logo suas muralhas voltaram a se erguer. O sorriso que ela disparou para Viv foi forçado, mas ela não tinha intimidade para comentar.

— Parabéns. Eu acredito que ele vá retirar a emenda depois disso.

— Concordo — disse alguém das escadas que levavam ao corredor.

Viv se virou e viu que era Hale, com um terno impecável e um penteado elaborado, parecendo o imponente congressista que era. No entanto, Viv notou o prazer em seus olhos enrugados, o sorriso reprimido, a maneira como ele se inclinava para ela como se quisesse puxá-la para um abraço, como ela havia feito com Althea.

— Acha que foi o suficiente? — perguntou Viv, um pouco sem fôlego.

Passara meses planejando o evento. Poder, naquele momento, dizer que conseguira estava além de seus sonhos mais loucos.

— Sim.

Hale atravessou a sala e deu um soquinho de leve em seu ombro, o que a fez sorrir.

— Acho que foi.

Hale estava certo.

A mídia já vinha apoiando a causa do conselho, mas, depois do evento em Nova York, jornais de todo o país dobraram as apostas. Havia editoriais em quase todas as publicações. A mensagem geral era: os homens que estavam colocando suas vidas em risco podiam decidir sozinhos o que desejavam ler.

O que Viv mais amou, no entanto, foi o consenso de que livros não eram apenas livros. Eram histórias que ajudavam os homens exaustos no exterior a se lembrarem de por que estavam lutando — liberdade de pensamento, valores dos Estados Unidos, antifascismo. Para um país que tinha se aparelhado com propaganda antinazista por anos, a ideia de estar associado a Hitler e seu pensamento autoritário era abominável.

Foi Leo Aston quem ajudou a dar o nocaute. Mas não foi com o perfil de Althea James e os dias da autora em Berlim como convidada dos nazistas, embora essa tenha sido uma das edições mais vendidas da *Time*.

Ele conseguiu ouvir Taft quando saía do Times Hall dizendo a um membro da equipe que, se tivessem a chance, 75 por cento dos militares votariam em Roosevelt, e era por isso que se opunha ao voto dos soldados. Depois que a citação começou a circular, até os aliados começaram a se distanciar dele e de sua emenda excessiva.

E, embora aquela não fosse a história que Viv estava tentando contar, nem no que investira todo o trabalho de meses, no final das contas o evento a ajudou a conseguir o que queria.

Em meados de agosto, os legisladores começaram a sair da toca para apoiar a eliminação da emenda.

Avançando rápido como nunca, a emenda de Taft foi anulada por uma maioria esmagadora. O presidente não demorou a assinar a legislação, e, assim, o conselho ficou livre para incluir os livros que quisesse na programação da Edições das Forças Armadas.

Hale levou Viv ao Delmonico's para comemorar com um bom vinho tinto e um bife suculento, à verdadeira moda dos políticos. Ela não se importou, apreciando a experiência como os legisladores faziam.

— O que acontece agora? — perguntou Hale, contemplando o menu de sobremesas.

— O mundo desperta — disse Viv, suspirando e afundando na cadeira.

Ela estava encharcada com o suor do dia quente, mas, no restaurante fresco e escuro, encontrou um alívio delicioso, nada ansiosa para enfrentar as altas temperaturas mais uma vez.

— Continuamos a lutar a boa luta quando podemos, suponho.

Hale a observava com os olhos semicerrados — pecaminosos, misteriosos e pensativos.

— O que vai fazer quando a guerra acabar?

— Quando? — retrucou ela, e deu risada.

— Você sabe tão bem quanto eu que isso está por vir — repreendeu ele. — Vem trabalhar para mim?

— Isto é uma oferta de emprego de verdade? — perguntou Viv, um pouco surpresa.

— Sim e não — respondeu Hale, baixando o cardápio para focar toda a sua atenção na resposta. — Sim, no sentido de que considero você uma adição valiosa à minha equipe. Não, no sentido de que não acho que você aceitaria.

Viv sorriu.

— Se eu aprendi uma coisa com essa história toda é que prefiro quase tudo à política.

— Mas não pode me culpar por tentar — retrucou ele, tranquilo, sorrindo para o garçom que se aproximava.

O senador pediu um bolo de chocolate e dois espressos.

— Mas, falando sério, o que vai fazer?

— Encontrar mais algumas boas lutas para lutar — respondeu Viv, cutucando o pé de Hale com o dela.

Ele enlaçou os tornozelos dos dois e Viv aceitou o toque.

— Isso soa como política — falou, abrindo um meio sorriso.

— Hale, tudo soa como política para você.

Então ela ficou séria e desviou do olhar intenso dele.

— Acho que livros, talvez? Plantamos uma geração de novos leitores no exterior. As editoras estarão ocupadas quando eles voltarem para casa.

— Contar histórias — resumiu Hale, assentindo, um comentário que poderia ter parecido condescendente, mas não pareceu. — As pessoas confiam suas histórias a você.

Viv apoiou o queixo nas mãos.

— Espero que sim.

Ele entrelaçou os dedos nos dela.

— Eu confiaria a minha.

— Seu julgamento é tendencioso — retrucou Viv, abrindo um sorriso provocador.

— Talvez — admitiu Hale, esfregando o polegar no dedo dela.

Viv não se afastou; talvez o tivesse feito poucas semanas antes. O senador a estudou com uma expressão divertida.

— Está feliz?

— Tem alguém feliz? — indagou ela, com uma despreocupação forçada.

O semblante sério dele não se alterou, Viv resistiu ao desejo de recuar ainda mais, então admitiu:

— É difícil estar.

— Pela guerra?

— Sim, sempre. Mas também acho que fui indevidamente influenciada por romances — confessou Viv, deixando cair os olhos para as mãos dos dois, ainda unidas.

— Como assim?

Se isto fosse um livro...

— Primeiro temos uma narrativa que se constrói e constrói e constrói rumo a uma resolução — disse Viv, tentando organizar os pensamentos dispersos em algo razoável. — Depois, há um desenlace, e, depois, um fim.

— Você teve sua resolução — deduziu Hale. — Mas agora a vida continua.

— Finais felizes são para romances, não para a vida real — retrucou Viv, jogando o cabelo para o lado. — Não me entenda mal: eu ficaria chateada se hoje fosse o meu final.

Hale assentiu como se aquilo de fato fizesse sentido e ofereceu:

— Mas é estranho ir trabalhar e pagar suas contas e tomar seu café como qualquer outro dia.

— Althea James disse ser culpada por muitas vezes pensar em si como a protagonista de todas as histórias — disse Viv. — Entendo o que ela quis dizer.

— Você foi a protagonista desta — disse Hale, passando o polegar no dorso da mão dela. — Lutou bravamente e fez o que devia fazer.

— Mas, na próxima, posso ser uma coadjuvante — apontou Viv.

Hale riu, o que caía bem nele. Viv percebeu que queria ser a pessoa que fazia aquilo o tempo todo, que o fazia rir.

— Uma coisa eu posso te dizer — começou Hale, levando a mão dela à boca. Então roçou os lábios nos dedos dela, sua respiração quente, o olhar intenso demais para o momento. — Você nunca será uma coadjuvante para mim.

— Que meloso.

Mas havia aquele calor em sua barriga, dourado como champanhe efervescente, que a fez acreditar que, se tivesse coragem para admitir, aquilo realmente poderia ser um começo feliz.

— Talvez — concedeu Hale, levantando a sobrancelha. — Mas você me ama por isso.

— Eu amo — sussurrou Viv, e, quando o senador sorriu para ela, não pôde evitar sorrir de volta. — Um dia ainda faremos de você um cavaleiro errante.

Nova York
Julho de 1944

Althea dispensou a oferta de Vivian Childs para acompanhá-la em um passeio por todos os pontos turísticos de Nova York.

Preferia que Viv aproveitasse a vitória e o namorado, que claramente só tinha olhos para ela. A mulher fizera algo notável, e, depois de tudo, mesmo que falhasse em seu objetivo, saberia que havia tentado.

Isso não era mais importante do que a vitória em si?

Althea não tinha certeza. Disse a si mesma que sim, mas não estava esperando o golpe de se expor e ainda ver Hannah se afastar.

Hannah fora magnífica, inspiradora, corajosa como sempre.

Pela primeira vez, Althea pensou que se igualara a ela naquele espaço tão digno de admiração.

Mas, quando deixou o palco, descobriu que Hannah havia ido embora. Será que ela ficara para ouvir pelo menos parte do discurso de Althea?

E importaria se tivesse?

Estava feliz por ter feito o discurso, feliz por fazer algo real em vez de se esconder em casa. Por muito tempo, permitiu que uma decisão errada resultante de seu mau julgamento ditasse suas ações. E daí se por alguns meses acreditara que os nazistas eram um partido legítimo no início dos anos 1930? Acontecera o mesmo com a maioria dos líderes do mundo, que eram muito mais espertos do que ela.

Já tinha passado da hora de se livrar da culpa que carregara todos aqueles anos. Ela não merecia uma sentença de prisão perpétua por seu comportamento.

Althea odiava o fato de que Hannah se machucara, mas tinha se dado conta de que não fora a causa de tudo o que aconteceu. Adam tinha sido preso para punir Althea por suas ações, sim, mas os nazistas nunca precisariam de uma desculpa para aprisioná-lo. Se soubessem que Adam estava conspirando contra eles, o teriam capturado independentemente disso. A punição foi apenas um bônus pessoal para Diedrich.

Durante anos, Hannah fora a juíza, o júri e o carrasco sobre cada ação de Althea, que não tinha ninguém para culpar pelo que acontecera além de si mesma. O fantasma de Hannah permeara todos os aspectos de sua vida só porque Althea lhe dera permissão.

No final das contas, sabia que não era bem a voz de Hannah que a assombrara a cada momento do dia, mas sua própria voz.

Ela ficou do lado dos nazistas por três meses e pagou por aquela escolha durante dez anos.

Estava na hora.

Estava na hora de seguir em frente. De se perdoar. De perdoar Hannah.

Althea vivera à espera de um momento em que poderia ser a heroína da história, mas por fim entendera que não precisava disso. Aceitara os holofotes, matara os monstros — ou pelo menos *ajudara* a matar os monstros —, e nenhum de seus problemas desapareceu.

Realmente pensou que, se fizesse a coisa certa, se lutasse a boa luta, poderia se redimir. Mas a redenção não se resume a um só momento, é uma combinação de mil atos.

A redenção estava em todas as vezes em que escreveu sobre intolerância e ódio e como aquilo se entranhava na alma com suas garras e se recusava a soltar.

Nas vezes em que levou mantimentos para um vizinho que, na Alemanha nazista, teria sido enviado para um campo de concentração pela incapacidade de andar; nas vezes em que desafiou as injúrias descuidadas de algum amigo; nas vezes em que expôs os próprios erros na esperança de que seus interlocutores aprendessem algo.

Althea nunca mais desejaria ser a heroína, mas talvez provasse, a cada ação que tomava, que também não era a vilã. Era apenas uma pessoa tentando viver da melhor forma possível, tentando garantir que ninguém mais se machucasse por sua causa.

Vivian hesitara em revelar o endereço residencial de Hannah para Althea, o que a deixou grata por ter aquela moça como guardiã da bibliotecária.

Já tinham se passado três dias do grande evento no Times Hall, e Althea ainda não reunira coragem para bater à porta de Hannah.

A questão era que a mulher não tinha respondido suas cartas. Mesmo que provavelmente tivesse aberto as cartas de Althea, especialmente com um visto que exigira que Althea mexesse todos os seus pauzinhos.

Talvez Hannah ainda a culpasse pela captura de Adam.

Mas por que teria sorrido daquele jeito para ela quando saiu do palco?

Althea andou de um lado para o outro no pequeno parque em frente ao apartamento de Hannah. Ficava em um bairro promissor do Brooklyn, do tipo que Althea podia se imaginar morando. As crianças jogavam bola nas ruas, as mulheres fofocavam na porta de casa, os velhos jogavam damas na calçada. Aquilo a fez pensar no que era um lar, apesar de seu lar sempre ter sido as falésias e o mar.

A fez pensar que lar poderia não ser um lugar, e sim uma pessoa.

Olhou para o endereço e se lembrou da noite que as duas passaram juntas.

Pessoas como nós têm finais felizes?, perguntara ela a Hannah.

Podem ser complicados, mas isso não os torna menos felizes.

Althea prendeu a respiração, reunindo coragem.

Depois atravessou a rua, subiu as escadas e bateu à porta.

Nova York
Julho de 1944

Hannah fugira.

Ela não se considerava uma pessoa covarde, mas pela primeira vez se permitiu ser.

Althea era deslumbrante, poderosa. A cada palavra dela, o corpo de Hannah estremecia.

A bibliotecária se apaixonara pela garota de grandes olhos e grandes emoções, a garota que tinha um coração aberto e corava tão facilmente quanto respirava. Aquela menina a arruinara, fincara garras em uma parte de sua alma e depois esfregara sal nas feridas.

A mulher à sua frente, aquela que falava com tanta convicção, poderia ser muito mais envolvente. E aquilo a aterrorizou. Hannah usara o visto de Althea para fugir de Paris e tudo o que sabia que estava por vir. Fugir de Otto e de seus olhos assombrados.

Mas não procurara Althea por medo do que ouviria quando admitisse que a acusara falsamente por anos, que por anos acreditara que ela era um monstro.

Quando chegou a Nova York, chegou a um país que a lembrou demais de tudo de que estava escapando. Tinha visto as fotos, aquelas que retratavam os americanos negros usando bebedouros separados dos americanos brancos; visto pessoas que brandiam cartazes proclamando que os judeus eram a praga secreta do Ocidente. Aquilo a lembrou tanto da Alemanha nazista que ela quase vomitou.

A terra da liberdade e da igualdade pouco fez para lhe estender o tapete de boas-vindas. Em sua terceira semana no Brooklyn, acordou com insultos pintados em sua porta. O Centro Judaico com frequência precisava substituir as janelas devido aos tijolos que eram atirados.

Hannah se fortalecera e descobrira que existiam pessoas boas, mas também o medo e o ódio. A maioria faria qualquer coisa para proteger sua cômoda visão de mundo e o status quo que os ajudava a sobreviver.

Vira pouco em sua nova terra para mudar de ideia se valia a pena ou não lutar pela humanidade. Então se escondeu, viveu sua vida, fez amizade com as pessoas verdadeiramente gentis que conheceu em seu bairro e tentou se perder nos livros quando tudo se tornava demais.

Mas rever Althea mudou alguma coisa.

Althea não tinha nenhum motivo pessoal para se colocar como alvo da forma que acabara de fazer com aquele discurso. Seu livro já tinha sido enviado para as tropas e recebido elogios e atenção tanto da mídia quanto da crítica literária. Ela não tinha necessidade de censurar explicitamente os membros do Congresso por serem egoístas e insensíveis diante das necessidades dos soldados.

E, no entanto, era o que fizera.

Nem sempre a pessoa nasce com uma força de caráter latente. Às vezes essa força é forjada por conflitos, lutas e fracassos. Às vezes, vem com o amadurecimento.

Althea poderia ter se tornado amarga. Falsamente acusada por uma amante e usada por um partido político inescrupuloso, poderia ter se desviado, poderia ter se tornado uma pessoa má. Ninguém a teria culpado.

Em vez disso, ela usou o pouco poder que tinha para tentar tornar o mundo melhor para homens prestes a morrer nas trincheiras.

Hannah não podia deixar de admirá-la.

Ainda assim, era difícil.

Era difícil ver alguém que desprezara por tanto tempo, uma pessoa que acreditara ser tudo que existe de pior. Olhar nos olhos da pessoa cuja alma você destruiu e pedir perdão.

Otto não pedira.

Aquele fato viveu no peito de Hannah por anos, não sumiu após receber a notícia da morte dele — suicídio por ópio. Ela chorou, encontrou um lago e deixou um anel de lírios nele. Fez suas orações e deu seu adeus, chorando tanto que as lágrimas poderiam ter influenciado as marés.

Ainda assim, nunca esqueceria que ele não pedira perdão.

Talvez Hannah devesse ter ficado, depois do discurso de Althea. Devesse tê-la enfrentado naquele espaço escuro, livre da bagagem que ambas carregavam havia anos.

Pela primeira vez, sentiu compaixão por Otto. Admitir que estava errado era mais difícil do que imaginara.

Ainda assim, Hannah planejava fazê-lo, planejava obter o endereço exato de Althea com Vivian Childs. Só precisava de alguns dias para respirar antes disso.

Então alguém bateu à porta.

Hannah foi da cozinha até o corredor com os olhos fixos na porta. Ninguém a visitava. Nem em casa, nem em seu santuário.

Mais uma batida.

Hannah avançou bem devagar com um pano nas mãos enquanto sua imaginação evocava um milhão de possibilidades. Todas terminando em Althea.

Chegou à porta e olhou pelo olho mágico. Então apoiou a testa na madeira.

Hannah pensou nas cartas, pensou na noite em que Althea a encarou com os olhos arregalados, pensou em como a mulher tinha desmoronado na calçada. Pensou em *Alice no País das Maravilhas* e em dias de primavera explorando Berlim. Pensou na cama com lençóis quentes e em dedos que gostavam de explorar a pele ardente.

Pensou nas possibilidades.

Pensou nos finais felizes que talvez nem ela merecesse. Pensou nos finais felizes complicados que talvez merecesse.

Então abriu a porta.

EPÍLOGO

Berlim
Maio de 1995

Poucas pessoas notaram as duas senhoras sentadas no banco observando de longe enquanto o Memorial dos Livros Queimados, na Bebelplatz, era inaugurado.

Mas Martha Hale Schumacher estava de olho nelas desde o começo da cerimônia. A mulher segurou o cotovelo da mãe e inclinou a cabeça na direção das mulheres.

Vivian Hale seguiu o movimento com o olhar e amoleceu ao ver as duas.

— Elas não vão conseguir ver — queixou-se Martha.

Seria tão fácil não notar o memorial, afundado como estava no chão. No início do dia, Martha dera um jeito de abrir caminho até a borda para ver as fileiras de estantes brancas vazias sob seus pés com espaço suficiente para guardar os vinte mil livros queimados naquela noite em maio de 1933.

Para sempre memorizado como um vazio.

— Elas não precisam — argumentou Viv, passando o braço em volta da cintura da filha.

Aos 75 anos, Viv ainda era forte o suficiente para puxar Martha para perto e alta o bastante para beijá-la no topo da cabeça.

Aquele gesto era tão familiar que Martha se permitiu aproveitar. Sua mãe era muito tátil, dando abraços para confortar os filhos — e qualquer pessoa, na verdade — sempre que podia. Martha sentia que vivera grande parte de seus 49 anos de vida mais agarrada à mãe do que longe dela.

O pai de Martha não era muito diferente, e ela passara boa parte da adolescência profundamente envergonhada e secretamente satisfeita com a aparente incapacidade dos pais em tirar as mãos um do outro.

— Você acha que elas não queriam vir?

Martha sabia que podia ser extremamente determinada, assim como a mãe. E fora ela quem começara a sonhar com aquela viagem a Berlim desde que leu sobre a Biblioteca Vazia. Suas tias nunca conseguiam dizer não a ela, que aproveitara o fato uma ou duas ou vinte vezes.

— Não é isso, querida — tranquilizou Viv, acariciando seu braço. — Elas queriam estar aqui, só já ouviram discursos demais na vida. Não precisam ouvir mais um.

Podia ser verdade, mas as duas eram o motivo da ida de Martha à Alemanha. Ela apertou a cintura da mãe mais uma vez e se afastou da multidão para ir até as duas enquanto se esquivava de turistas com calções estampados com a bandeira dos Estados Unidos e chinelos.

Hannah sorriu quando Martha parou à sua frente, tampando o sol. Aos quase noventa anos, Hannah não lhe parecia menos bonita do que sempre fora. Seus olhos quentes e dourados estavam nublados, mas o brilho de inteligência neles estava aguçado como sempre.

— Está perdendo as atividades, querida — disse Hannah.

— Essa fala é minha — brincou Martha, cutucando o pé de Hannah com o seu, olhando de uma mulher para a outra.

Elas estavam de mãos dadas, parecendo relaxadas e nem um pouco desgastadas, mesmo que devessem estar exaustas da viagem.

— Já passamos por atividades suficientes na vida — esclareceu Althea, com um sorriso irônico, ecoando involuntariamente o que Viv explicara.

Martha queria argumentar, mencionando as semanas que ela e a mãe passaram planejando a viagem para as quatro. Salientar como tiveram que providenciar passaportes, passagens aéreas e quartos de hotel que acomodassem duas idosas sem os melhores quadris do mundo.

Mas parou um momento para estudar seus rostos. Embora ambas parecessem serenas, Martha reconheceu a tensão nas posturas. Estavam consumidas por alguma lembrança, as duas, e Martha não tinha direito de tirá-las dali só por querer o momento comovente que imaginou quando planejara a coisa toda.

Mas devia ter imaginado. Embora ambas pudessem ser chamadas de ativistas, nunca gostaram de falar sobre seus dias em Berlim. As duas faziam questão de que os jovens que faziam parte de suas vidas — incluindo Martha e seus dois irmãos — soubessem bem com que facilidade atrocidades podiam acontecer quando pessoas boas desviavam o olhar. Contudo, não era um assunto sobre o qual gostavam de se aprofundar no tempo livre.

Ambas já tinham dedicado o suficiente das vidas profissionais ao assunto, de qualquer forma.

Depois de três romances escandalosamente bem-sucedidos, Althea passou a escrever livros de não ficção cujo tema central se baseava em como democracias saudáveis poderiam facilmente morrer para abraçar o fascismo. Ela fizera turnês de palestras e até fora entrevistada para um documentário da PBS, e todos se arrumaram para assisti-lo, como se fosse uma ocasião especial. Quando completou sessenta anos, Althea começou a escrever livros infantis abordando os mesmos tópicos, mas de uma forma adequada para crianças, repleta de dragões e princesas, mas com finais complicados que nunca eram tão leves quanto os livros do gênero. A série ficou muito popular, e Martha tinha uma prateleira inteira de primeiras edições autografadas que lera para a própria filha.

Hannah travara uma guerra mais silenciosa, trabalhando na Biblioteca dos Livros Proibidos pelos Nazistas do Centro Judaico, no Brooklyn, até o lugar fechar, nos anos 1970, incapaz de perseverar sob o peso e a ameaça da Guerra Fria. Com a ajuda de Althea e Viv, Hannah abriu uma pequena gráfica e editora chamada Mil Maravilhas que publicava de tudo — desde livros sobre teoria feminista até panfletos educacionais cruciais sobre a epidemia da aids.

As duas administravam a editora de uma pequena loja no Brooklyn, a apenas uma rua do primeiro escritório de campanha do pai de Martha. O saguão da entrada que Althea e Hannah montaram se transformou em um ponto de encontro para intelectuais, estudantes, poetas e filósofos que raramente ficava vazio. A única regra: nenhum tema era proibido.

Martha passara boa parte da infância entre a loja e as campanhas do pai. Antes de completar sete anos, já aprendera sobre os diferentes sistemas de governos e como transformar um projeto em lei.

No entanto, mais do que tudo, aprendera que livros eram sagrados, mesmo aqueles com os quais não se concordava ou dos quais não se gostava.

Por que você não gostou?, perguntava Althea, forçando Martha a formular uma resposta inteligente a partir de uma reação instintiva. Martha afirmava que a insistência de suas tias em ensiná-la sobre o pensamento crítico era responsável por ter sido uma das integrantes mais jovens já eleitas na Câmara dos Representantes.

Pensando em tudo aquilo, Martha compreendeu por que Hannah e Althea não precisavam da pompa e circunstância do dia.

Elas mesmas eram memoriais dos ideais celebrados ali, simplesmente pela maneira como viveram suas vidas.

Então, em vez de forçá-las a se levantar daquele banco, Martha se sentou ao lado da mulher que sempre chamara de tia e se aconchegou nela, exatamente como fazia desde criança.

— Então me conte uma história.

Althea acariciou os cabelos de Martha e riu. Depois, como sempre, aquiesceu:

— Era uma vez...

Agradecimentos

É preciso muitas pessoas para publicar um livro, e sou infinitamente grata pelas minhas.

Primeiro, um enorme agradecimento à minha agente, Abby Saul. Em primeiro lugar por encorajar com tanto entusiasmo meu desejo de escrever ficção histórica, pela paciência em me ajudar a encontrar o cerne deste livro com seu incrível olho para edição, por pular de penhascos de mãos dadas comigo esperando que pousássemos em almofadas, por brindes de champanhe e celebrações em bibliotecas e tudo o mais — serei eternamente feliz por ter você nesta grande aventura.

Muito obrigada a Tessa Woodward, que conseguiu ver este livro muito claramente antes mesmo de ser lapidado. Desde a primeira vez que conversamos sobre sua visão editorial, fiquei animadíssima com todas suas maneiras de tornar esta história a melhor e mais forte versão que podia ser, e por como eu sabia que você me tornaria uma autora melhor ao longo do processo.

Para toda a equipe da William Morrow, muito obrigada. São tantas pessoas nos bastidores dedicando seu amor e talento para colocar um livro nas mãos dos leitores. Sinto-me honrada por trabalhar com todos vocês.

Agradeço ao grupo #TeamLark, vocês são o melhor exemplo de como ser solidário com os colegas escritores. Sou muito grata pela sabedoria, pelos trocadilhos e pela amizade.

Todo mundo diz que, quando você começa a escrever, não deve esperar que seus amigos leiam seus livros, mas, para mim, sempre foi o oposto. Alguns até começaram a recrutar famílias e amigos da família em seus esforços de equipe. Eu amo vocês. Menções especiais para Abby McIntyre, Katie Smith, Marissa e Jesus Carl-Acosta, Julie Volner, Teresa Goncalves, Tonya Austin, Jessie Silko, Kathleen e Kendra Hayden, e Katherine Kline, entre tantos outros.

Nada disso seria possível sem o apoio da minha família incrível: Deb, Bernie, Dana, Brant, Raegan e Grace. Vocês são minhas pessoas favoritas, eu amo vocês.

Quando digo que é preciso muita gente, isso inclui vocês, caros leitores. Muito obrigada por darem uma chance a este livro, por gastarem seu dinheiro suado e dedicarem a ele um tempo que hoje em dia sempre parece tão escasso. Como Viv, acho que é o trabalho de um escritor ajudar vocês a escapar por algumas horas, aplacar seus corações e fazer vocês sentirem. Obrigada por confiarem em mim para fazer isso.

Por fim, gostaria de agradecer a todos os homens e mulheres maravilhosos e corajosos que ajudaram a proteger os livros dos nazistas. O mundo tem uma dívida de gratidão com vocês.

obs:

Insights, entrevistas e mais...

Nota da autora

Eu era uma criança que amava ler, o tipo de criança que estava sempre com o nariz enfiado nas páginas, que preferia a biblioteca ao parquinho, que cresceu e se tornou uma adolescente que passava horas do tempo livre percorrendo a Barnes & Noble e depois a mulher que nunca saía de casa sem alguma coisa para ler.

Os livros sempre foram uma parte fundamental na minha vida, e eu sabia que, se pudesse, um dia escreveria uma carta de amor para eles. Então me deparei com o excelente *Quando os livros foram à guerra*, de Molly Guptill Manning. (Sim, também sou apaixonada por História e leio sobre guerras sempre que posso.)

Apesar da abundância de conteúdo sobre a Segunda Guerra Mundial que consumi durante a vida, no entanto, eu nunca ouvira falar da Edições das Forças Armadas (EFA) [Armed Services Editions, em inglês]. A ideia do projeto me cativou imediatamente. Que melhor forma de honrar o poder dos livros do que por uma iniciativa que levava histórias para os soldados nos momentos de necessidade mais sombrios? Assim nasceu *A bibliotecária dos livros queimados*.

Todo mundo que lê ficção histórica quer saber o que é verdade, o que é inventado e o que é um pouco de cada. Em *A bibliotecária dos livros queimados*, todos os personagens principais são criações minhas, mas os eventos de que participam e muitos dos momentos históricos que moldam o romance e vários dos personagens coadjuvantes são reais.

A iniciativa da Edições das Forças Armadas foi, de fato, um empreendimento extraordinário do Conselho de Livros em Tempos de Guerra. As pessoas incríveis envolvidas no projeto revolucionaram os livros — popularizando o livro de bolso e criando uma geração de leitores. De 1943 a 1947, cerca de 122 milhões de exemplares de mais de 1.300 títulos foram publicados e enviados para soldados destacados no exterior. (E *O grande Gatsby* foi mesmo resgatado da obscuridade em parte pelo programa da EFA.) Todo livro da EFA mencionado neste romance fez parte da iniciativa, mas ajustei algumas datas para servir melhor na minha linha do tempo. Também gostaria de mencionar que o conselho não tinha conhecimento do desejo do general Eisenhower de que cada participante da invasão do Dia D tivesse uma EFA consigo. O Exército reteve as distribuições anteriores e destinou cerca de um milhão de livros para distribuir aos homens nas áreas de mobilização dias antes da invasão pelas praias da Normandia.

O senador Robert Taft, de Ohio, tentou restringir o programa com sua emenda de censura excessiva que introduziu na Lei de Voto do Soldado de 1944. Ele não desistiu mesmo diante de inúmeros editoriais em todo o país pedindo sua remoção, só cedeu depois de uma reunião, em julho de 1944, com o conselho. Foi nesse ponto que tomei mais liberdades com a história a fim de criar meu confronto cinematográfico entre Taft e Viv. O conselho lançou uma cruzada contra a emenda do senador — contando com a ajuda de páginas de opinião de jornais e revistas país afora —, mas a reunião final entre os lados foi um almoço de negócios com um grupo da imprensa esperando do lado de fora, não um grande evento com oradores emocionados. Quando Taft deixou o almoço, os jornalistas o ouviram fazendo comentários políticos comprometedores sobre o presidente Roosevelt e os direitos de voto dos soldados. O passo em falso permitiu que seus colegas do Congresso se distanciassem dele depressa, e a emenda foi basicamente destruída.

Se quiser ler mais sobre o conselho, a EFA e sua antecessora, a Campanha dos Livros da Vitória, além de exemplos reais de cartas que os soldados escreviam aos autores, recomendo a obra de Manning. Seu relato de não ficção dá uma visão muito mais ampla e completa de como os livros desempenharam o papel de armas na batalha contra Hitler e os nazistas.

Quando se pensa na Segunda Guerra Mundial e nos livros, também é inevitável que uma imagem surpreendente venha à mente: as chamas contra o céu escuro, os estudantes jogando montes de livros nas fogueiras, o público aplaudindo tudo alegremente.

Quem ama livros é assombrado por tudo o que aquela noite de maio de 1933 representou. As pessoas muitas vezes me perguntam se coloco algo a meu respeito em meus personagens, e a resposta é quase sempre não. A exceção é a reação de Althea ao ver as fogueiras:

— É um sacrilégio — sussurrou Althea.

Se ela tinha uma igreja, ficava dentro das capas dos livros; se ela tinha uma religião, estava nas palavras escritas neles.

Comecei a escrever este livro em 2020, quando o atual fervor relacionado à proibição de livros nos Estados Unidos era mais uma vibração do que um grito. Mas, como se costuma dizer, se a história não se repete, certamente rima. Os paralelos com o período que eu havia acabado de pesquisar eram fáceis de ver, de modo que eu sabia onde provavelmente acabaríamos.

Mesmo nos tempos mais sombrios, porém, sempre é possível encontrar a luz.

Para mim, foi a descoberta das bibliotecas de Paris e do Brooklyn. Não há muito sobre elas que tenha sobrevivido à passagem do tempo, além de alguns artigos de quando abriram, uma referência ou duas na Wikipédia e alguns artigos acadêmicos para os quais eu provavelmente contribuí com cerca de metade dos acessos. Na verdade, as bibliotecas muitas vezes eram apenas menções descartáveis no contexto mais amplo dos esforços de censura do período. Tinham patronos e apoiadores famosos — H. G. Wells e os irmãos Mann em Paris e Einstein e Upton Sinclair no Brooklyn, entre muitos, muitos outros —, mas foram esquecidas pela história. Ainda assim, fiquei imediatamente encantada com a ideia daquelas bibliotecas, que representam o melhor do que podemos ser quando vemos o mundo com empatia, curiosidade e admiração, em vez de medo, ódio e intolerância.

É fácil olhar para o passado e ver o impulso de destruir livros como profundamente humano e inevitável, assim como nosso desejo de protegê-los.

Em 2022, tanto a Biblioteca Pública de Nova York quanto a Biblioteca Pública do Brooklyn lançaram programas disponibilizando livros em geral proibidos para pessoas em todo o país que, de outra forma, não teriam acesso a esse conhecimento.

Uma pequena biblioteca no Maine fez de sua missão completar as prateleiras com os títulos que figuraram em todas essas listas proibidas. Um grupo de mães em Ohio criou um site com mapas para rastrear livros enfrentando desafios em todo o país.

Sempre é possível encontrar a luz.

É difícil ignorar que muitos dos desafios que estamos vendo são direcionados para livros e autores queer. Eu não tinha a intenção de escrever uma história de amor sáfica quando tive a ideia deste livro, mas, assim que Hannah surgiu nas páginas — andando de bicicleta pelas ruas de Paris com o coração partido e endurecido —, eu soube que aquela mulher tinha se apaixonado por Althea.

Depois que isso foi decidido, mergulhei em uma pesquisa que me levou a uma Berlim e Paris entre guerras, onde descobri, com alegria, que as comunidades queer não só existiram, como floresceram.

Em Berlim, em particular, havia os cabarés e boates, é claro, mas também filmes populares, músicas de sucesso e revistas que apresentavam a experiência queer. Magnus Hirschfeld, cujo instituto foi invadido pelos fascistas antes da queima dos livros, estava décadas à frente de seu tempo com sua pesquisa sobre a identidade queer. As pessoas viviam abertamente de uma forma que não foi vista de novo por décadas. Para ler mais sobre esse período na cidade, sugiro *Gay Berlin*, de Robert Beachy.

Enquanto a Paris dos anos 1930 não estava exatamente nos níveis de Berlim, havia uma comunidade vibrante acessível aos residentes queer.

O Le Monocle, em Montmartre, foi uma das primeiras e mais famosas casas noturnas sáficas de Paris, e a lésbica Natalie Clifford Barney, de fato, acomodava um salão literário semanal em sua casa na margem esquerda do Sena, atraindo pessoas como Gertrude Stein.

Muitas vezes nos dizem que o trauma e a dor são partes indeléveis de qualquer história LGBTQIAPN+ histórica, tanto que romances queer alegres ambientados no passado às vezes são considerados utópicos ou fantasiosos. Embora nossas cicatrizes não possam ser negadas, não devem apagar o fato de que também havia felicidade e amor. As pessoas queer sempre foram capazes de "curiosamente vagar por mil maravilhas" e ver mais do que apenas as banalidades no final.

Vamos aos pontos mais amplos da história mencionados ao longo de todo o texto. Quase todos os eventos e figuras históricas são, até onde sei, retratados com precisão, mas como sou muito, muito humana, tenho certeza de que inseri alguns erros por engano. Peço desculpas de antemão.

Escolhi definir o ponto de vista de Althea no primeiro semestre de 1933 não apenas devido às queimas de livros, mas porque tanta coisa aconteceu tão depressa naquele espaço específico de tempo que sempre fui fascinada por aqueles meses. Se eu tivesse incluído tudo que aconteceu para levar a Alemanha à guerra e ao holocausto, este teria sido um livro didático. Mas, caso você tenha interesse sobre os primeiros dias da ascensão de Hitler ao poder, recomendo os *Great Courses* que incluí na seção *Mergulhe mais fundo*.

Embora grande parte do foco da história tenda a ser sobre os viabilizadores masculinos de Hitler, eu queria incluir Helene Bechstein, famosa pelo piano Bechstein. Helene e outras mulheres ricas e poderosas ensinaram seu "lobinho" sobre modos à mesa e outras etiquetas e o ajudaram a navegar pelo alto escalão de Berlim — parte crucial de sua aceitação por doadores da alta sociedade que o ajudariam a chegar ao poder. As mulheres são tão frequentemente eliminadas do contexto histórico que é fácil esquecer os papéis que podem desempenhar nos momentos cruciais que moldam a humanidade — para melhor, sim, mas também para pior. Não devemos esquecer.

Também preciso mencionar que os medos de Hannah quanto às ideias assassinas de Otto foram baseados em eventos reais que ocorreram depois de Hannah fugir de Paris. Em 1938, Herschel Feibel Grynszpan atirou em um diplomata alemão, incidente que os nazistas usaram como desculpa para realizar a *Kristallnacht*, ou Noite dos Cristais.

Enquanto grande parte do pano de fundo histórico deste livro se aproxima de eventos da vida real, uma das maiores alterações que fiz — além de adicionar uma generosa dose de drama ao confronto final com Taft — foi em relação ao programa de intercâmbio cultural de Goebbels. Por mais que ele *estivesse* encarregado de definir a agenda cultural para o Reich de Hitler, criei essa iniciativa específica como uma forma de posicionar Althea nas garras dos nazistas.

Espero que a parte histórica tenha despertado seu interesse, mas, no final das contas, acima de tudo, espero que a história tenha comovido você, criado alguma identificação, feito você rir ou chorar ou sentir aquele aperto no peito que só pode ser descrito como um milhão de sentimentos diferentes ao mesmo tempo.

Como Jewell Parker Rhodes, autor best-seller do *New York Times*, diz: "Eu amo ficção histórica porque há uma verdade literal e há uma verdade emocional, e o que o autor da ficção tenta criar é essa verdade emocional".

Meu objetivo final era fazer isso para você.

Muito obrigada pela leitura.

Livros do livro

Abaixo está uma lista de todos os livros mencionados em *A bibliotecária dos livros queimados*, fora os dois romances fictícios de Althea James.

Edições das Forças Armadas
(na ordem em que são mencionados neste livro)

Oliver Twist, Charles Dickens
As aventuras de Huckleberry Finn, Mark Twain
As aventuras de Tom Sawyer, Mark Twain
As vinhas da ira, John Steinbeck
Cândido, ou o otimismo, Voltaire
Yankee from Olympus, Catherine Drinker Bowen
O grito da selva, Jack London
Vento, areia, estrelas, Antoine de Saint-Exupéry
Boêmios errantes, John Steinbeck
Fruta estranha, Lillian Smith
Uma árvore cresce no Brooklyn, Betty Smith
Chicken Every Sunday, Rosemary Taylor
A feira das vaidades, William Makepeace Thackeray
O grande Gatsby, F. Scott Fitzgerald

Outros
(na ordem em que são mencionados neste livro)

Coletânea de poesias de Reinmar von Hagenau
As aventuras de Alice no País das Maravilhas, Lewis Carroll

Too Busy To Die, H. W. Roden
Romeu e Julieta, William Shakespeare
Sidarta, Herman Hesse
Ratos e homens, John Steinbeck
O engenhoso fidalgo Dom Quixote de La Mancha, Miguel de Cervantes
O Parnaso sobre rodas, Christopher Morley
Os miseráveis, Victor Hugo
Nada de novo no front, Erich Maria Remarque
Contos de fadas dos irmãos Grimm, Jacob e Wilhelm Grimm
Ivanhoé, Walter Scott
Suave é a noite, F. Scott Fitzgerald
Mil e uma noites

Mergulhe mais fundo na história

Para mais informações sobre os eventos históricos que inspiraram *A bibliotecária dos livros queimados*, consulte abaixo algumas das fontes que usei para a pesquisa.

Livros

Adeus a Berlim, Christopher Isherwood
Ascensão e queda do Terceiro Reich, William L. Shirer
Books as Weapons, John B. Hench
Gay Berlin, Robert Beachy
Ladrões de Livros. A história real de como os nazistas roubaram milhões de livros durante a Segunda Guerra, Anders Rydell
No jardim das feras, Erik Larson
Quando os livros foram à guerra, Molly Guptill Manning
The Death of Democracy, Benjamin Carter Hett

Artigos

"Between World Wars, Gay Culture Flourished in Berlin." *NPR's Fresh Air*, 2017. Disponível em: https://www.npr.org/2014/12/17/371424790/between-world-wars-gay-culture-flourished-in-berlin#:~:text=More%20specifically%2C%20it's%20about%20gay,that%20were%20sold%20at%20kiosks.
"Paris Opens Library of Books Burent by Nazis." *The Guardian Archives*. Disponível em: https://www.theguardian.com/theguardian/2011/may/12/german-library-burnt-books-1934.

Appelbaum, Yoni. "Publishers Gave Away 122,951,031 Books During World War II." *The Atlantic*, 2004. Disponível em: https://www.theatlantic.com/business/archive/2014/09/publishers-gave--away-122951031-books-during-world-war-ii/379893/

Leary, William M. "Books, Soldiers and Censorship during the Second World War." *American Quarterly, v. 20, n.2.*, The Johns Hopkins University Press, 1968. Disponível em: https://www.jstor.org/stable/2711034.

Von Merveldt, Nikola. "Books Cannot Be Killed by Fire: The German Freedom Library and the American Library of Nazi-Banned Books As Agents of Cultural Memory." John Hopkins University Press. Disponível em: https://muse.jhu.edu/article/213118.

Whisnant, Clayton J. "A Peek Inside Berlin's Queer Club Scene Before Hitler Destroyed It." *The Advocate*, 2016. Disponível em: https://www.advocate.com/books/2016/7/19/peek-inside-berlins-queer--club-scene-hitler-destroyed-it.

Mais

The Great Courses: A History of Hitler's Empire, Thomas Childers (curso online)

"Hitler: YA Fiction Fan Girl", Robert Evans, *Behind the Bastards* (podcast)

Magnus Hirschfeld, Leigh Pfeffer e Gretchen Jones, *History Is Gay* (podcast)

"Das Lila Lied", composta por Mischa Spoliansky, letra de Kurt Schwabach (música)

Este livro foi impresso pela Cruzado, em 2024, para a HarperCollins Brasil. O papel do miolo é o pólen natural 70g/m², e o da capa é o cartão 250g/m².